객주

객주

客主 제3부 商盜

김주영 장편소설

8

문이당

차 례 / 객주 제3부 상도(商盜)

제8권

차 례 / 객주 제3부 상도(商盜)

제7권

제9권

군란(軍亂)

그것은 지난봄 왕세자의 가례(嘉禮)가 있기 직전의 일이었다. 가례도감(嘉禮都監)의 가례색*과 좌포청의 장교들이 흥인문 밖 양사골[養士洞]에 나아가서 잔치에 쓸 계집종을 물색하고자 하였다. 마침 길을 지나는 맞춤한 처자를 잡았다. 그러나 양가의 처자였던 장본인은 물론이요, 삼이웃의 백성들이 합세하여 관원들의 무례함을 들추어 대항하였다. 옥신각신하며 지체하는 중에 어디선가 초록 복색 한 왜별기 군정 하나가 나타나더니 가례색에게 갖은 욕지거리를 퍼붓고 손찌검에 발길질이 낭자하게 되었다. 위인의 장력이 워낙 드세고 또한 약차하면 주위에 원진을 치고 있는 백성들도 합세할 기미가 없지 않은지라 포교는 쌍급주를 놓아서 좌포청의 포졸들을 불러들이게 되었다. 그러나 대여섯 명의 포졸들이 아귀다툼을 하고 양사골로 짓쳐 오른 것과 거의 때를 같이하여 초록 복색 한 군정들 10여

---

*가례색 : 왕, 왕세자, 왕세손의 가례에 즈음하여 두던 벼슬아치.

명이 들이닥쳐서 장교며 포졸을 가릴 것 없이 잡아 엎쳐서 아예 어육으로 만들고 말았다. 이 예기치 않은 사단을 통기 받은 좌포장 한규직(韓圭稷)은 제 안방에 간부가 다녀간 기분이었다. 분기가 상투 끝까지 올라간 한규직은 탑전에 나아가 주달하고 어명을 받아서 집에서 자고 있는 초록 복색 군정들을 잡아들였다. 그중 다섯을 옥초(獄招)도 받아 내기 전에 장폐(杖斃)시키고, 나머지는 압슬과 포락을 늑신하도록 안기어 뇌옥으로 내려 가두었다.

사단이 커지게 되자 이번에는 별기군 전원이 좌포청에 나타났다. 성군작당한 별기군들은 관방(官房)이나 하인청(下人廳)을 가리지 않고 손에 닥치는 대로 부수고 저들의 동료를 꺼내어 돌아가 버렸다. 이 난동으로 하여 서슬이 퍼렇던 좌포청의 체통은 개똥이 되었고, 심지어 좌포장 한규직을 평안도 순안현(順安縣)으로 정배시키는 한편 포교들은 전라도 강진 땅 고금도(古今島)로 귀양 보내었다. 그러나 별기군으로서는 이 난동으로 인하여 처벌 받은 자가 단 한 사람도 없었다. 사단의 마무리가 별기군만 편폐(偏嬖)하는 쪽으로 기울자 좌우포청의 포교들이 왜별기에 대해 남다른 숙혐들을 지니게 된 것은 인지상정이었다. 유필호가 그 내막을 알고 있어 하도감의 왜별기를 먼저 치자고 한 것이었다.

군정들은 두 패로 갈리었다. 허욱이 편장(偏長)이 된 일대는 동별영을 나서서 배우개로 나아가 두다리〔二橋〕를 건너고 마전다리로 해서 곧장 훈련원 쪽으로 내달았다. 훈련원 남새밭을 왼쪽으로 끼고 돌아서 질풍같이 하도감 쪽으로 밀려드는데 훈련원 뒷길에 황토 먼지가 구름처럼 일어났다. 호리모토 레이조(掘本禮造)라는 왜군의 장교가 조련을 시키고 있는 별기군은 처음엔 돈의문 밖 모화관에서 조련을 받더니 다음엔 세검정마루 자하문 밖 평창(平倉)이다가 요즈음엔 하도감으로 옮기었다. 일시에 하도감으로 뛰어든 난군들은 미처 병장기를 갖추지 못한 별기군들에게 혼찌검을 놓았다.

달아나는 왜인들이 있으면 뒤쫓아 가서 대갈통을 창으로 찍고 숨은 자가 있으면 끌어내어 창검으로 뱃구레를 찢으니 그 형세에 차마 대척하는 자가 나서지 못하였다. 호리모토라는 장교를 내놓으라고 팔을 뽐낼 제, 장교청 문 앞에 버티고 선 궐자가 호령 소리에 경겁을 하기는커녕, 형세가 도망하지 않으면 명을 부지할까 말까 한데도, 뱃심 좋게 손가락으로 제 가슴을 가리키는 것이었다. 궐자의 뱃심에 상투를 떨던 난군들도 적잖이 놀랐다. 궐자와 너덧 발자국을 사이하고 버티어 선 군정이 소리 질렀다.

「이놈 봐라. 해자 구멍에서 빠져나온 암고양이 상판을 하고선 참나무 등치를 삶아 먹었나 뻣뻣하기는 장비 뺨치고 나서겠네.」

「어느 놈이 가리산지리산 말이 많아. 그놈 당장 잡아 엎쳐.」

뭐라고 변해할 사이도 없이 한 군정이 썩 내달아 두발당성*으로 호리모토의 턱을 차 올렸다. 목도를 쳐들고 마주 버티던 궐자는 한 번 발길질에 선 자리에서 고꾸라지고 말았다.

「이놈, 손바닥에 피멍이 켜도록 빌어도 무간한 대접 받기 글러 버린 놈이 지금이 어느 때라고 눈깔을 마주 대고 부라리느냐. 네놈을 황천행시키지 않고 동네조리나 시켜 혼쭐이나 빼려 하였더니 안 되겠다. 이놈을 아주 어육으로 만들어.」

위인이 왜말로 뭐라고 크게 지껄였으나 그 변해를 알아들을 사람도 없었고 구태여 알려고도 하지 않았다. 열댓 명이 일시에 달려들어 짓밟고, 뒤틀고, 찢어발기고, 꺾어 젖히고, 후벼 파고 하는 사이에도 아야 소리 한 번 내지르지 않고 모둠매를 고스란히 받아 냈다. 그런데 바로 그때였다. 군정들의 발길질이 잠깐 틈을 낸 사이에 호리

---

* 두발당성 : 두 발로 차는 발길질.

모토가 발딱 몸을 일으키더니 사람들을 헤집고 냅다 뛰기 시작하였다. 그러나 활 반 바탕을 뛰지 못해서 군정이 날린 표창이 궐자의 어깨에 꽂히었다. 궐자는 모랫바닥에 코를 박고 쓰러졌다. 군정들이 달려와서 초주검이 된 궐자를 질질 끌고 자갈밭으로 갔다. 구덩이를 파고 두 발이 하늘로 나오게 거꾸로 박아 생매장을 시키는 것이었다.

허욱이 이끄는 일대가 하도감을 유린한 지 반 식경도 못 되어 김장손과 유춘만과 유필호가 이끄는 일대는 종루로 내려와 허병골 우포청 앞에 이르렀다. 당도하기 전 척후를 내세워서 난군들이 하도감을 부수었다는 소문이 사령청(使令廳)에 들어가도록 하였다. 우포청에 당도하고 보니 삼문 앞에서 수직을 서고 있는 사령들이 단 한 사람도 보이지 않았고 옥문 역시 마찬가지였다. 우포청 뇌옥의 대문을 마주하고 바라보면 왼편에는 상직꾼들이 숙위하는 행랑이 있었고 오른편에는 사령청이 있었다. 대문 안으로 들어서면 다시 왼편으로 좌수들의 구메밥을 짓는 정주간이 자리하고 오른편에는 서리방(書吏房)과 주부방(主簿房)이 앞뒤로 늘어섰는데, 정주간과 서리방 사이에는 제각기 담을 쳐서 뇌옥의 뜰과 구별하였다. 옥뜰로 들어서는 샛문은 두 개인데 서리방에서 나와 오른편으로 꺾이어 드나드는 문과 정주간에서 뒤로 돌아드는 문이었다.

뇌옥의 담장을 중심으로 해서 옥뜰 왼쪽에는 옥졸들이 숙위하는 봉놋방이 있고 뒤쪽에는 부근당(付根堂)*이 자리 잡고 있었다. 부근당에는 동명왕(東明王)과 왕비의 화상이 걸려 있고 화상 앞에 제상(祭床)이 놓이고 앞에 놓인 목관 속에는 나무를 남근처럼 깎아 붉은 칠을 한 목경(木莖)*이 여러 개 들어 있었다. 뇌옥을 둘러친 원장에서 뇌옥으로 들어가려면 우렁잇속처럼 똬리가 쳐진 담장을 한동안

* 부근당 : 신당(神堂).
* 목경 : 나무줄기.

돌아 들어가야 했다. 난군들이 죄수용 정주간으로 난 샛문과 서리방 쪽으로 난 샛문으로 해서 옥뜰로 들이닥칠 때까지는 어느 한 놈 대처하고 나서는 자가 없었다.

그런데 난데없이 옥뜰 원장 앞에 버티고 선 옥쇄장이며 옥졸들과 마주쳤다. 저희들끼리는 벙거지에 경옥(硬玉)을 붙인 옥쇄장을 첨지(僉知)라 부르고 허리에 금띠를 두른 옥졸들은 동지(同知)라 불렀는데, 버티고 선 위인들 중에는 벙거지에 경옥을 붙인 작자가 둘이나 되었다. 군정들이 금방 덮친다면 당장 살점이 뜯기고 살피듬이 자빠져서 섭산적이 될 것이지만, 주제에 구실살이 직분을 다한다 하고 뱃심을 부리고 있었다. 군정 하나가 썩 나서며 옥쇄장을 보고 이죽거렸다.

「어, 이 첨지께서는 아직 한밤중인 모양이군. 청맹과니 주제에 구실길이 옥쇄장까지 오른 걸 보니 열문 출입에 짚신값깨나 날렸겠지?」

「한밤중이고 닭 울 녘이고 간에 옥문에 범접하려 했다간 손목쟁이 부러뜨리겠다.」

송골매(海東靑)같이 눈깔이 부리부리하고 허우대 단단하게 생긴 옥쇄장이란 위인이, 땅이 흔들리게 발을 구르고 모가지에 불끈 핏대를 곤두세우더니 내처 소리를 질렀다.

「이놈들, 무엄한 줄 모르느냐. 박살 내기 전에 자현(自現)하든지, 아니면 썩 물렀거라.」

그러자 앞섰던 군정이 또한 빈정거리기를,

「주둥아리를 찢어 놓을 놈, 청맹과니인 줄만 알았더니 오장이 뒤바뀌어도 아주 한참 뒤바뀐 놈이군. 궤상육(机上肉)*이나 진배없

---

*궤상육 : 조상육(俎上肉). 도마 위에 오른 고기라는 뜻.

게 된 놈이 웬 호령은 그렇게 낭자하냐?」

「벼락을 따라가면서 나이대로 맞아 뒈질 놈, 반죽 떨지 말고 썩 물렀거라.」

「장님 동네에는 애꾸눈이 장땡이더라고, 우포장 달아나니 이놈이 드센 체하네. 가당치도 않은 생호령 내붙이지 말고 썩 물러나거라.」

「안 된다, 이놈들.」

그러자 이제까지 옥쇄장을 상종하여 이죽거리던 군정이 고개를 까딱하면서,

「이놈이 옥쇄장 노릇 하면서 애매하게 나직이 된 죄수들로부터 헐장금이며 인정전 받아 챙기던 버르장머리가 남아서 우리에게 옥문 열기 전에 용채를 내라는 수작 아닌가. 네놈이 이승까지 지고 온 저승빚을 내가 대신 갚아 주랴? 훈도방(薰陶坊)의 갓우물골 삼패 창기들에게 외상 오입한 해우채며 기공행하를 내가 대신 갚아 주랴? 무교다리께 팥죽집에서 엄대 긋고 처먹은 장국밥 빚을 내가 대신 갚아 주랴? 네놈 아비 저승 갈 제 혜정다리〔惠政橋〕 세물도가에서 외상으로 가져간 칠성판값을 내가 대신 갚아 주랴? 의금부 앞 미투리장수에게 진 짚신값을 내가 대신 물어 주랴? 네놈의 하초가 부실하여 네 여편네가 돈의문 밖 동상전(東床廛)에서 외상으로 가져간 각좆값을 내가 대신 갚아 주랴? 네 어미 환갑 잔치 때 조갯골 너머 애오개 유기장에게 지워 놓은 바릿값을 내가 대신 갚아 주랴? 아니면 네놈이 신접살림 날 적에 바탕거리 무쇠막에서 뒤로 보자 하고 가져온 솥값을 내가 대신 갚아 주랴? 아니면 네놈의 건달 삼촌이 엄대 긋고 처마신 공덕리〔孔德里〕 화줏〔火酒〕값을 내가 대신 떠안아 줄까? 아니면 네놈이 사 년 전에 과수 겁탈하고 땀 들이려 사먹은 전의감골〔典洞〕 모전〔隅廛〕의 홍싯값을 내가 대신 물어 주랴? 예끼, 이놈, 질정찮다. 졸개들 데리고 썩

물러나거라.」

이죽거리거나 불호령을 내리거나 간에 쉽게 옥문을 따줄 조짐이 보이지 않게 되자, 김장손이 소리 질렀다.

「저놈부터 덮쳐라.」

앞에 선 군정 세 사람이 욱하고 밀려들어 옥쇄장이란 위인을 잡아 엎치었다. 이미 기가 질려 있던 옥졸들은 감히 대적하지 못하였다.

「그놈 의관을 벗기고 맨땅에 잡아 꿇리어라.」

윗도리를 개구리 껍질 벗기듯 홀랑 벗기고 나니,

「아갈잡이는 하지 말고 오라를 단단히 지워라.」

뒷결박해 오라를 지우고 나니,

「장판을 내어다 뒤로 엮어라.」

장판 위에다 하늘을 똑바로 쳐다보게 뉘어 놓고 나니,

「그놈 뱃구레에다 쑥뜸을 듬뿍 놓아라.」

쑥을 한 줌이나 되게 뱃구레에 얹고 불을 댕기니 매캐하고 역겨운 쑥 냄새가 옥뜰에 퍼진 지 얼마 되지 않아서 옥쇄장의 입에서 기왓골을 내려앉힐 듯한 비명 소리가 터져 나왔다. 전신에서, 뼛골에서 우러난 듯한 땀이 비 오듯 하였고, 눈깔을 잡아먹을 듯이 크게 한 번 떴다간 그만 혼절해 버리고 말았다. 살이 타는 비린내가 쑥내와 더불어 옥뜰에 낭자하였다. 그때 이미 옥문을 지키고 섰던 옥졸들은 모두 도망하여 단 한 사람도 보이지 않았다.

「잔명이나 보전하게 그놈 풀어 주어라. 그만하면 본때를 보았겠지.」

난군들은 일제히 뇌옥으로 밀려들어서 갇혀 있던 유복만, 김춘영, 정의길, 강명준 등을 업어 내었다. 네 사람 모두 대적(大賊) 취급을

---

*족가: 죄수를 가두어 둘 때 쓰던 형구. 두 개의 커다란 나무토막을 맞대어 그 사이에 구멍을 파서 죄인의 두 발목을 넣고 자물쇠를 채우게 되어 있다.

하여 주야 없이 족가(足枷)*를 채워 둔 모양이었다. 발목에는 살점이 흩어져 뼈가 보일 지경이었고 전신에 옴이 올라 있는 데다 장독(杖毒)을 구완받지 못하여 살이 썩어 가고 또한 굶주림이 겹쳐 옥뜰로 업어 내놓았으나 시체나 다름이 없었다. 게다가 밤중에 졸다가 옥졸 놈에게 수시로 얻어맞아서 등짝이고 골통이고 간에 엉긴 핏자국이 흡사 깨어진 고추장 단지와 같았다. 이러다가 죽어 가면 병사로 핑계하고 시체방에 유기하였다가 야밤에 쓰레기더미로 내다 태워 버리거나 애장터에 내다 버리기 일쑤였다. 넷 중에서도 정의길과 김춘영은 타고난 기골과 강단이 있어 그런대로 기동할 만하였으나 유복만과 강명준은 빨리 손을 쓰지 않으면 몇 조금 못 가서 낙명이 될 것 같았다. 형옥을 면하고 풀려난 다른 죄수들 역시 불성모양이긴 마찬가지인지라 울면서 눈물깨나 찍어 내는 군정도 없지 않았고 옥뢰 기둥이며 칸살을 닥치는 대로 부수는 군정도 있었다. 그 참혹한 형상을 본 난군들은 서리방이며 주부방에 들이닥쳐서 가구, 집기 등을 닥치는 대로 부수었고 방구들에 대고 방뇨하는 자까지 있었다.

이들이 우포청에서 동료들을 구명해 내고 지체하는 동안 하도감을 나선 허욱의 일대는 다시 되돌아서서 장석바치*들이 모여 사는 마전다리를 거쳐 장교(將校)와 집사들이 모여 산다는 효경다리를 건너서 개천 길로 접어들었다. 하릿교다리[河浪橋 : 花橋]와 중바닥인 수표다리를 건너 장찻골다리를 물밀듯이 건너서 광충다리에서 오른편으로 꺾어 견평방(堅平坊) 초입 의금부로 밀려들었다.

그곳에서 우포청은 지척이었다. 이미 동별영이며 하도감과 우포청이 난동하는 군정들의 손에 쑥밭이 되었다는 소식이 전옥서 어름에 살고 있는 이서배와 고지기들 입으로 해서 육조거리에 왜자하게

---

*장석바치 : 학문이나 덕망이 높은 사람.

퍼졌다. 또한 난군들의 수효도 1천 명이 넘는다는 소문이 짜하게 돌아서 사령하며 하례들이 수직이고 번이고 간에 꽁무니를 빼고 숨어 버렸거나 수직방에 처박혀 있었다. 길가에 있는 백성들은 군정들이 몰려가면 길을 비켜 주거나 뒤처진 군정이 길을 물으면 흥이 나서 가르쳐 주긴 하였지만 나중에 기찰포교의 표적이 될 것을 우려하여 부동하거나 가담하는 기색은 없었다.

난군들은 의금부 남간을 파옥하고 백낙관(白樂寬), 이휘림(李彙林), 정현덕(鄭顯德), 이만손(李晚孫), 이원진(李源進), 김평묵(金平默) 등 여러 척왜론자들을 풀어내었다. 그리고 곧장 우포청 앞에 원진을 치고 있는 김장손의 일대와 합세하였다. 난군들의 수효가 불어날수록 군기를 풀어 달라는 군정들이 늘어났다. 경기 감영을 습격하여 김보현을 찾아내고 군기를 탈취하자는 데 편장들의 의견이 모아졌다. 난군들은 곧장 돈의문을 나서서 경교다리〔京橋〕 앞의 경기 감영으로 몰려갔다. 한 편은 총통잡물고를 부수고 한 편은 동헌과 내아를 뒤져 김보현을 찾아내려고 눈이 시뻘게 있었다.

그러나 김보현은 보이지 않았을 뿐만 아니라 작사청의 아전배며 사령이며 통인, 상노 들 할 것 없이 모두 튀어 버리고 없었다. 관청색 아래서 통지기 노릇이나 하는 계집종 대여섯이 미처 달아나지 못하고 작사청 모퉁이에 모여 서서 벌벌 떨고 있을 뿐이었다. 아쉬운 대로 계집들을 상종하여 김보현의 행지를 물어볼 수밖에 없었다.

「너의 상전인지 안전인지는 도대체 어디로 튀었느냐?」

「쉰네들이 선화당의 일을 어찌 알음하겠습니까.」

「우리가 몰풍경하게 아녀자들을 해롭게 하진 않을 것이니 아는 대로 대답하거라.」

김장손이 어르자 처음엔 떼떼거리더니* 나중엔 반정신을 차리고,

「안전께서는 궐내에 드시는 길로 패초령(牌招令)*이 내려 감영으

로 납시지 못하고 계신다 합니다.」

말 한마디 섣불리 한 탓으로 편발 처자 하나가 성화를 받게 되었다. 참을 두지 않고 김장손이 다시 물었다.

「패초령이 내렸는지 아닌지를 하님 주제인 자네들이 어떻게 소상히 알고 있는 것인가?」

「쇤네의 말은 조금도 은휘 없는 말이오. 이 판에 이르러 언감생심 두호할 리가 있겠습니까. 작사청의 서리들이 쑤군대는 말을 엿들었습니다.」

「틀림이 없느냐? 만약 그 말이 임시처변으로 거짓 변해한 것이 드러나면 자네들을 가만두지 않으리라.」

「쇤네는 다만 귀동냥한 것을 말씀드린 것뿐입니다.」

그러자 이때까지 대꾸하고 있던 편발 처자의 옆구리를, 곁에 선 노파가 꾹 찌르면서 대중없이 대꾸한다고 나무란 뒤에,

「모르거든 국으로 가만히 있거라. 궐내에 계시는지 초례우물골 본댁에 계시는지 어떻게 아느냐. 운만 떼어서 일러 줄 일이지 중뿔나게 대감을 말밥에 올렸다가 나중 감당은 어찌하려고 그러느냐. 이 아이의 말은 배냇병신의 실답지 못한 천성이 시킨 일이니 제발 그리 알아주십시오.」

쳐다보는 사람이 꼴딱 집어삼키고 싶도록 모색이 예쁜 처자는 핀잔주는 늙은이 말에 일순 주눅이 드는 듯하였으나 금방 강개한 어조로,

「길청 서리들이 하는 말이 패초령이 내려졌다고 하던뎁쇼.」

처자가 한 말이 밑절미 없는 허튼소리가 아니란 것을 알고 군정들은 고개를 끄덕이었다. 이 난동이 궐내에 입문되지 않았을 리가 없

---

*떼떼거리다: 더듬거리다.
*패초령: 임금이 승지를 시켜 신하를 부르던 명령.

겠기 때문이었다.

경기 감영을 나선 난군들은 다시 두 패로 갈리었다. 한 패는 북촌인 향교골〔校洞〕, 안동, 사간골〔諫洞〕, 꽃골〔花洞〕, 전옥서골〔典洞〕 등지로 흩어져서 강화부 유수이자 세자빈의 생부가 되는 민태호(閔台鎬)의 집부터 더듬어서 민치상(閔致庠), 민영주(閔泳柱), 민영준(閔泳駿), 민영소(閔泳韶), 민영익(閔泳翊)의 전옥서골의 본가를 닥치는 대로 파괴하였다. 그뿐이 아니었다. 김홍집(金弘集), 윤웅렬(尹雄烈), 한성근(韓聖根), 윤자덕(尹滋德), 홍완(洪玩), 이민하(李敏夏)의 집 또한 파괴되고 말았다. 난군들의 겨냥이 된 권신들의 집은 모두가 송파 처소의 쇠전꾼들이 이틀이나 순라군들을 피해 다니며 칠문(漆門)을 한 저택들이었다.

난군들의 기세는 이제 몇 마디의 효유나 으름장으로 회유되기를 기대하기 어렵게 된 데다가 시간이 지날수록 이에 가담하는 양민들의 수효도 늘어나기 시작하였다. 경기 감영에서 갈라진 다른 한 패는 단숨에 방춧골 밖의 경교다리를 건너서 평골〔平洞〕 지나서 천연정(天然亭)으로 내달았다. 천연정에 왜국의 공사관이 있었기 때문이다. 천연정은 냉골〔冷洞〕 연지(蓮池)와 잇대여 있었는데, 연지 쪽으로 난 대문을 가운데 두고 오른편으로는 천연정이 자리 잡았고, 왼편에 왜국의 공사관이 자리 잡았다.

천연정과 공사관이 한 울타리 안에 있었고, 연지 어름에는 기름종이, 갈모지와 갈모테를 만드는 공방들과 민가들이 즐비하였다. 난군들이 몰려온다는 소식을 들은 하나부사는 저희들의 군졸들을 몰고 나와 잠시 대항하는 듯 흉내를 하다가는 욱일승천(旭日昇天)*인 난군들이 아주 살진(殺陣)을 치고 죄어들자, 금방 겁을 집어먹고 흩어지

---

* 욱일승천 : 아침 해가 하늘에 떠오르는 기세.

고 말았다. 도망한 왜인들이 인근 민가에 숨어 있는가 하여 몰골이
왜인을 닮았으면 잡아서 검색하고 집뒤짐으로 적간하였다. 간혹 대
꾸가 데데하고 불량하게 나오는 자는 그 가옥을 불질러 버렸다.

그러나 끝내 하나부사란 위인을 찾지 못하고 말았으니 이는 규율
을 채 가다듬을 사이가 없었음이었다. 난군들이 탈기하고 하나부사
를 찾지 못한 원망을 주고받는 사이에 대원위 대감은 은밀히 비각을
놓아서 난군들을 동별영으로 돌아오게 하였는데 동별영은 구훈련도
감의 본영이었기 때문이다. 대원위가 난군들을 일시 불러들인 것은
조정의 처사를 보고자 함이었다.

왜국의 공사관과 의금부와 우포청이 난군들에게 유린되었다는 소
식이 입문되자 조정은 화들짝 놀랐다. 민겸호를 탑전에 부복시켜 이
번 난동의 발단이 어디에서 비롯된 것인가를 소상히 따지고, 또한
난군들이 대원위 이하응의 사주 아래 움직이고 있다는 것도 알게 되
었다. 패초령이 아니라 하더라도 하얗게 질린 권신들이 앞을 다투어
예궐하였다. 우선 봉욕할 것이 두려웠던 탓이었다.

고종은 상신들의 헌책을 구하고자 하였으나, 모두가 하얗게 질려
좌불안석일 뿐, 오직 효유하는 길이 있을 뿐 달리 계책이 없다는 것
을 깨달았다. 당장 발등에 떨어진 것이 불똥이라 무위대장 이경하로
하여금 군정들을 달래 보도록 주선하였으나 이경하의 위신으로서도
별무소용이었다. 되레 난군들은 이경하의 무능을 비아냥거리기까지
하였다. 이경하는 외양부터가 호리호리한 장신에 눈빛이 날카롭고
범절에 오만한 티가 없지 않아서 하찮은 군정들이 감히 범접할 수가
없었다.

그러나 이제 간덩이가 배 밖으로 나온 군정들에게 이경하의 오만
쯤이야 눈에 걸릴 리 만무였다. 더군다나 민겸호의 집을 습격하였을
때, 비단이며 주패(珠貝), 그리고 인삼, 녹용, 사향 등이 타는 연기가

오색으로 물들었고 그 타는 냄새가 5리 상거까지 코를 찔렀었다. 이제 그들은 조정 현직들의 말이라면 콩으로 메주를 쑤고 그 메주로 장을 담근다 하여도 믿지 않으려 하였다. 고종은 궁여지책으로 아흐렛날 당일로 병조 판서이자 선혜당상 민겸호, 도봉소 당상 심순택, 무위대장 이경하, 장어대장 신정희를 파직시키고 대원위의 장자(長子)인 이재면을 무위대장에 차하(差下)하기에 이르렀다. 이재면을 등용한 것은 대원위가 아니면 난군들을 회유하기 어렵게 되었다는 것을 깨달았기 때문이다.

이상하게도 그날 밤부터 4월 이래 비 한 방울 듣지 않던 하늘에서 비가 내리기 시작하였다. 동별영 처소에 모여 있던 군정들은 모두 하늘로 고개를 쳐들었다. 피워 두었던 모깃불이 금방 꺼질 정도로 빗줄기는 세찼다.

「하늘이 무심하지 않다는 말은 이것을 두고 이르는 말이군. 탐학을 저질렀던 썩은 버슬아치들 때문에 넉 달 동안이나 하늘이 주저했던 것이야.」

「여보게들, 모두 나와서 비들 맞게.」

후드득 떨어지는 빗줄기를 바라보고 앉았던 유필호가 말하였다.

「우리들 향곡의 농가에서는 정월 보름이 되면 모두들 달맞이를 나간다네. 달이 북쪽으로 뜨면 산협에 풍년이 들고, 남쪽으로 치우치면 갯가에 풍년이 든다 하였네. 달빛이 유난히 붉으면 그해에 큰 가뭄이 들고, 달빛이 유난히 희면 대홍수가 질 조짐이라네. 달이 둥글고 짙은 황색이면 산협이고 갯가고 간에 큰 풍년이 든다 하였네. 내 정월에 뜬 달을 보고 오랜 가뭄이 찾아올 것을 대강은 짐작하고 있었지. 그러나 이제 와서 비가 내렸으니 팔역의 백성들 가슴 한구석을 뚫린 셈이군. 무심하다는 하늘이 백성들을 저버리지 않음에도 하물며 목민을 한다는 사람들이 백성을 저버리고 돌아서지 않음에랴 천벌을 받아 마땅하지. 장자(莊子)도 말하지 않았던가. 백성의 논밭은 거칠고 여염의 곡식 독은 비어 있는데, 날이 선 칼을 차고 광에 재물이 가득하면 이를 두고 일러 세도 부리는 도둑이라 한다고 말일세. 그 재물들을 모두 어디에다 쓰려 하였던고. 잠시 일었다 스러지는 한 줌 포화(泡花)에 불과한 것을.」

바깥을 내다보고 앉았던 군정 한 사람이 유필호에게 물었다.

「생원님, 우리는 장차 어찌 될 것인지 심기가 몹시 개운치 못합니다.」

「이제 와서 그런 수다야 떨 것이 무엇인가. 미구에 대원위 대감이 창덕궁으로 들게 될 것이니, 자네 신상에 해 될까 두려워할 것이 없네. 가슴 조이지 말고 진득하니 기다려 보세. 비가 내려서 천행이네만 오늘은 달이 없어 서운하이.」

운현궁으로 취품(取稟)하러 갔던 허욱이 밤이 늦어서야 동별영으로 돌아왔다. 이재면이 무위대장에 차하되었다는 소식을 가져왔다. 민겸호 등이 파직되고 광주부 유수로 물러나 있던 이최응이 정사를 도맡았다는 소식도 있었다. 그러나 난군들을 회유하자고 내린 조처가 되레 난군들을 흥분시켰다.

「이최응이나 민겸호나 성명 단자만 다를 뿐이지 흰죽에 코 빠진 격으로 무엇으로 두 위인을 분별할 수가 있단 말인가.」

「흥, 이최응이 대원위 대감의 백씨(伯氏)라고 끔찍이도 위하는군. 우리를 울바자 아래서 소꿉 놀고 있는 계집아이들쯤으로 알고 있는 모양이여.」

「뱀 설잡아 놓은 듯이 개운치 못하구먼. 민겸호를 파직만 시키고 사족을 멀쩡하게 둔다 하면 그 위인을 언제든 다시 서용하겠다는 배짱이 아닌가. 그 위인의 뒷배를 봐주고 있는 이가 중전 아닌가. 눈매는 외탁이고 입매는 친탁을 했다고 떠들어 대지만 한 어미 자식이 분명한 터, 이거야말로 눈 감고 아웅이 아니고 뭔가.」

「하나부사란 왜놈을 달아나게 주선한 위인이 김보현이라는 소문이 왜자한 판에 그 위인을 아직 경기 관찰사로 박아 두었단 말인가.」

천둥벌거숭이들같이 소증이 돋은 군정들이 모두 입 가진 것을 자랑하여 역증 난 소리들로 돌아가며 한마디씩 쏘아붙이고 빈정거리는 것이었다. 감히 나아가서 그 험한 욕지거리들을 막을 장사가 없었다. 그날 밤을 거의 뜬눈으로 새우고 빗낱이 부슬부슬 긋고 있는 새벽이 뿌옇게 밝아 오자, 장어영의 군정들은 물론이요 그동안 숨어 다니기만 하던 별기군들도 동별영으로 꾸역꾸역 모여들었다. 유춘만이 돌린 통문을 받은 왕십리와 이태원의 양민들이 또한 수를 더하였다. 군정들은 대원위 이하응으로부터 별다른 분부가 없었으므로 날이 밝는 대로 절골〔寺洞〕 이최응의 집으로 뒤죽박죽 몰려갔다. 난군들이 집으로 들이닥쳐 집뒤짐을 하다 보니 두 손에 돌옷을 듬뿍 뜯어 쥔 이최응이 후원 담 아래에서 절명해 있었다.

사족이 멀쩡하고 자고나 표창을 맞은 자국도 없이 다만 사추리 아래로 피가 흘렀다. 담을 넘다가 나둥그러져서 절명한 것 같았다. 이최응은 68년의 세월을 누린 것이었다. 난군들이 이최응의 집을 공격한 것은, 외국과의 통상에 앞장선 상신이라 한다면 척왜(斥倭)의 대두인 대원위 이하응의 혈육이라 한들 용서할 수 없다는 대의를 보여 주려 함이었다. 또한 세자빈의 생부인 민태호의 집을 습격한 것은, 군정들과 민간의 원한이 중궁전에까지 미친다는 것을 증빙하려 함이었다. 난군들이 이최응의 저택에다 불을 놓고 창덕궁 돈화문으로 나아갈 즈음, 북촌 반가의 아녀자들과 별배며 하님들은 모두 길거리로 쏟아져 나와 겨냥하는 바도 없이 대충 어림잡아서 한강의 갯나루 쪽으로 달아나기 시작하였다. 길바닥이 그대로 아우성이었다.

그 시각에 어젯밤 느닷없이 무위대장으로 차하된 이재면은 궁궐에서 내보낸 내관 두 사람과 운현궁으로 들어서고 있었다. 넓기가 마당질할 만한 뜰 한가운데에서 부슬부슬 내리고 있는 비에 융복(戎服)*을 죄다 적시며 이재면이 국궁하고 기다린 지 향 두 대 피울 참도 넘었건만 대원위 이하응은 쉽사리 장지를 열려 하지 않았다. 무위대장은 똑같은 말을 벌써 세 번째나 연거푸 읊조리고 있었다.

「아버님, 지체 없이 입궐하시라는 어명이십니다.」

「…….」

「지금 천보(天步)*가 매우 위급하오니 급히 예궐하시어야 합니다.」

그러자 장지 안에서 나지막한 대꾸가 하기 싫은 대답으로 흘러나왔다.

「보산(寶算)*이 서른하나, 여항의 백성들로 치자면 헌헌장부가 아니냐. 거기다가 결코 흐리지 않은 식견에 총명 또한 겸하시었으니 그깟 뜨내기 군정들 몇을 회유하지 못하겠느냐. 범 잡는 담비가 따로 없는 법, 상감이 못하시는 일을 이제 환진갑 다 지나서 행보조차 임의롭지 못한 나 같은 미랭시(未冷尸)*가 이 곤경을 어찌 감당할 수 있단 말이냐.」

「아버님 행보 지난이시면 여기 남여를 대령하였습니다. 남여 또한 비에 젖어 황송하오니 어서 오르십시오. 아버님 안동하지 못하고서는 소자 역시 대궐로 돌아갈 수가 없습니다.」

「내가 죽어 번쾌로 환생을 한다 하여도 진원(眞元)*과 총기가 상감에 따르지 못하리란 것은 너도 번연히 알고 있으면서 자꾸만 짓조

---

*융복 : 철릭과 주립으로 된 옛 군복.
*천보 : 한 나라의 운명.
*보산 : 임금의 나이를 높여 이르는 말.
*미랭시 : 아주 늙어서 사람 구실을 못하는 사람을 이르는 말.
*진원 : 사람 몸의 원기.

르고 덤비는 것이 아니다. 너나 돌아가서 상감을 지극히 보필할 일이다. 그것이 또한 속화(速禍)를 면할 수 있는 길이 아니겠느냐. 나는 네가 상감과 과종(過從)*하기를 빌 뿐이다.」

「고항(高亢)*이 너무 과하신 듯합니다. 아버님 가시지 아니하시면 천문(天門)*을 보전하기 어렵게 되었습니다.」

「누가 돈화문 앞에다가 고두(栲斗)라도 놓았더란 말이냐?」

장지를 사이하고 있는 부자는 서로 속내를 산적 꿰듯 헤아리고 있으되, 아들 쪽이 시간에 쫓기는 입장인지라,

「돈의문 밖 청수관을 일시에 유린한 난군들이 단참(單站)으로 범궐(犯闕)을 하였습니다.」

「내 근기(根氣) 부실하고 귀 어둡다 하여 네가 내 귀를 조롱하고 있구나. 너도 말버릇이 못되었구나.」

「뉘 앞이라고 소자 감히 구과(口過)*를 저지르겠습니까. 소자의 말 신청하지 못하시겠다면 아버님께서 예궐하시어 손수 난군들의 행패를 바라보십시오.」

갖은 조조를 다 부린다 한들 박힌 돌처럼 꿈쩍도 않을 것 같던 대원위 이하응이 그제야 장지를 활짝 열고 뜰에 국궁한 아들 이재면을 뚫어지도록 바라보았다.

「난군들이 범궐을 하였다? 그건 안 될 말이다.」

대원위 이하응이 그제야 자리를 박차고 일어날 명분을 얻어 낸 것이었다. 속으로는 이재면이 그제 와서야 범궐이 되었다는 말을 주르르 쏟아 놓는 것이 야속하기조차 했다.

---

*과종 : 서로 사이좋게 지냄.
*고항 : 뜻이 높아 남에게 굽실거리지 않는 태도.
*천문 : 대궐의 문을 높여 이르는 말.
*구과 : 말을 잘못한 허울.

「어머님도 동행하시라는 대훈(大訓)을 내리셨습니다.」

「부대부인까지 안동하라는 전교가 내리었다면 여계(厲階)*가 마련이 없고 사세가 어지간히 다급해진 모양이로구나.」

대원위 이하응은 난군들이 범궐까지 하였다는 말을 임시처변으로 지어낸 말이라고 고쳐 말할 것처럼 벌떡 일어나며 설렁을 당기었다. 손발이 맞아서 부대부인 민씨는 기다리고 있었다는 듯이 8년 동안이나 묵혀 두었던 조복을 챙겨 사랑으로 내왔다. 사모관대에 기린흉배(麒麟胸背) 한 조복을 바라보는 대원위 이하응의 깊은 회포 속에 숨어 있는 금기(襟期)*가 어떠한지를 부대부인 민씨가 모를 리 없었다. 민씨는 잠시 눈시울이 뜨거워지는 것을 느꼈다.

대원위 이하응은 이재면의 부축을 뿌리치고 서둘러 남여에 올랐다. 재면이 말을 타고 남여의 곁을 따르고 전배 사령들이 호위하는 행차 뒤를 부대부인 민씨의 사인교(四人轎)가 바싹 뒤따랐다. 운현궁을 떠나 마전내를 건너면 금방 경행방(慶幸坊) 초입이었다. 경행방으로 들어서서 마전내를 왼편으로 끼고 오르면 관상감(觀象監) 길목이 나서고 길목 맞은편이 창덕궁 돈화문이었다. 운현궁에서 창덕궁까지가 불과 반 마장도 못 되는 규보(跬步)*였는데도 대원위 이하응이 8년 동안이나 찾아 헤맨 셈이 되었다. 돈화문은 벌써 활짝 열리어 있었다. 왕의 전교에 따라 예궐하였으나 궁궐 문을 열어 준 것은 난군들이었다. 돈화문에 들어서자마자 사방에서 방포하는 소리와 아우성 소리가 진동했다. 남여가 영군(營軍) 처소 앞에서 오른편으로 꺾이어 금천교(禁川橋) 지나고 옥당(玉堂) 앞과 진선문(進善門)을 비껴서 인정전(仁政殿) 지나고 숙장문(肅章門)을 지나서 비궁청

---

* 여계 : 재앙을 받을 빌미.
* 금기 : 마음속에 깊이 품은 회포.
* 규보 : 반걸음밖에 안 되는 아주 가까운 거리.

24

(匪躬廳) 앞에 이르렀을 때였다. 살기등등한 난군들에게 쫓기어 허겁지겁 마주하고 달려오는 조복의 사내 하나가 바라보였다. 뒤따르고 있는 군정들이 높이 쳐든 향장검(鄕長劍)에 피가 시뻘겋게 묻어 있는 것을 대원위 이하응은 싸늘한 시선으로 바라보았다. 쫓기어 오는 사람은 이미 눈자위가 허옇게 떠버린 민겸호였다. 민겸호 역시 남여에 올라앉은 사람이 이하응임을 알고 엎어질 듯 달려 나와서 가마목을 잡았다.

「대감, 나를 좀 살려 주시오.」

민겸호가 대중없이 소리를 질렀다. 금방 내리칠 듯이 향장검을 휘둘러 대던 난군들이 대원위 대감의 남여를 발견하고는 민겸호를 바라보기만 하고 있었다.

「대감, 어서 말씀하시오. 대감의 말 한마디면 내 명을 부지할 수 있게 된다는 것을 알고 계시지 않으십니까.」

대원위 대감이 입을 열었다.

「그 말씀은 주상 전하께 주청하실 말씀이 아니오? 그러나 조복이 흙으로 더럽히었으니 어찌 외람되게 탑전으로 나가시겠소.」

가마목을 잡고 있는 손에 땀이 배어나기는 두 사람이 서로 다를 바가 없었다. 교군들은 앞으로 나아가려고 주춤거렸고 난군들은 목도를 쳐들고 대원위 대감을 뚫어져라 바라보았다.

「대감, 나를 몰라라 하지 마시오.」

「대감 뵙기 팔 년 만이오만, 내 무슨 용력으로 대감을 살려 낼 수가 있겠소.」

그 한마디가 대원위 이하응의 입에서 떨어지자 남여는 앞으로 나아갔고 단칼에 치라고 소리치는 군정의 굵은 목소리가 남여의 뒤를 할퀴고 지나갔다. 남여의 뒤를 멘 교군의 등때기에 금방 피가 튀었다. 민겸호의 나이가 그때 마흔다섯 살이었다. 남여가 앞으로 나아감에 김보현이 척살되었다는 고함 소리가 들렸다. 김보현은 앞서 경기 감영에 변이 났다는 소식을 듣고 예궐하려 하였다. 마침 그 조카인 김영덕(金永悳)이 앞으로의 일을 헤아리기 어려우니 예궐하지 말고 숨을 것을 권하였다. 그러나 김보현은 한 오라기 결이 남아 있었음인지 비록 죽는다 하여도 어찌 가보지 않을 수 있겠느냐며 고집을 부렸었다. 그것은 난군들의 위세를 그가 같잖게 여겼기 때문이었다. 여러 군정이 그 시체를 끌어내어 생전에 돈을 좋아하는 위인이었으니 그 소원을 풀어 주어야 한다고 입 속으로 엽전을 집어넣어 배를 채운 다음 비 온 뒤라 물이 가득한 개천에 유기하였으니 김보현은 57년의 이승을 살다 간 셈이었다.

원로(遠路)

1

범궐(犯闕)한 난군들이 중희당을 둘러싸고 있다는 소식이 들리자 마침 탑전에 부복하고 있던 호조 판서 김병시(金炳始)가 주상을 업었고 조영하(趙寧夏)는 뒤에서 곁부축하여 별전(別殿)으로 피신하였다. 난병들이 김병시를 알아보고 욕설을 퍼부으며 행패를 놓으려 하였다. 그러나 한 군정이 승동 대감(升洞大監)은 죄가 없는데 어찌 범하려 하는가 하고 위엄 있게 꾸짖어 위기를 모면하였다. 김병시는 현직(顯職)* 중에서도 지극히 공정하였고 충청 감사로 있을 때 선정을 베풀었을 뿐만 아니라 부지적(不知的)이란 별호를 얻었을 정도로 원성을 살 일에는 상감이 물어도 대답하길 꺼렸다. 조영하 역시 몇 년 동안 훈련대장으로 있으면서 군정들에게 원만하고 부드러웠으므로 난병들이 함부로 범접할 수 없었다.

상감이 황망중에 별전으로 피신하느라 중전의 행방을 미처 알지

---

*현직 : 높고 중요한 직위.

못하였다. 여흥부부인(驪興府夫人) 민씨가 탄 사인교가 정양문(廷陽門)을 지나 성정각(誠正閣)을 돌아서 중희당 앞에 이르렀을 때였다. 부부인의 눈으로는 분명한 중전이 상궁의 복색을 하고 조급히 뛰어오고 있었다. 부부인이 사인교에서 내렸다. 난군들이 상궁들 뒤를 쫓고 있는 것이 바라보였기 때문이다. 중희당은 승화루(承華樓)와 성정각 사이에 있었다. 동쪽에 중양문(重陽門)이 있고 서쪽에 자시문(資始門)이 있었다. 자시문을 나선 민비 일행은 관물헌(觀物軒) 앞을 돌아서면서 부부인의 사인교를 발견했던 것이다. 사세가 심히 다급하게 된 것을 깨달았지만 중전은 다짜고짜 사인교 안으로 고개를 디미는데, 그 형용이 차마 외람되어 바라볼 것이 못 되었다. 그러나 교군들이 가마를 들기도 전에 10여 명의 군정들이 가마를 둘러쌌다. 그 군정들은 창리 구타 주모자의 한 사람인 정의길, 김춘영과 장태진, 홍천석, 서시동 같은 이들이었다. 정의길이 향장검을 내뻗쳐서 가마 안으로 들어서려는 중전의 앞을 가로막았다. 칼날에서는 벌써 비린내가 풍겼다. 정의길이 한마디 퉁겼다.

「꼼짝들 마라. 이 일행 중에 중전이 끼여 있다.」

이제 범절의 예를 잃어버린 향장검이 누구의 뒷덜미를 겨냥할지 예견할 수 없었다. 숨결이 딱 멈추는 듯한 일순이 흘렀을 때였다. 관물헌 쪽에서 한 사내가 더그레 자락을 펄럭이며, 게 섰거라 하고 소리치며 달려왔다. 무예별감(武藝別監) 홍재희(洪在羲)였다. 위인의 신장이 멀리서 보아도 늠름하고 여력이 절등해 보이는지라 난군들은 궐자를 향해 창검을 겨누었다. 그러나 홍재희는 칼을 마주 뽑아 들지는 않았다. 다만 우렁찬 목소리로,

「내 누이에게 범접하지 마라. 아무리 눈에 보이는 것이 없는 사람들이기로서니 애매한 내 누이를 잡아서 요정을 내려 하다니, 이런 행패들이 어디 있는가?」

「범접하지 말라니, 넌 누구냐?」

「나는 무감 구실하는 홍가일세. 내 누이로 말하자면 철들자마자 생각시나인으로 궁궐에 들어와서 신랑도 없는 관례를 치르고 항아님*이 된 죄밖에 없네. 그런데도 욕을 보여야 하겠단 말인가?」

「나인 주제라면 왜 허겁지겁 가마로 기어든단 말인가?」

「자네들이 무턱대고 중전으로 지목하고 뒤쫓는 다급한 터수에 수챗구멍엔들 모가지를 못 박겠는가.」

「너스레 떨고 있군. 이중엔 분명 중전이 끼여 있어.」

「나인이 아니라면 내 누이가 그럼 중전이란 말인가? 내 누이가 중전이라면 내 당장 이 자리에서 척살을 당해도 여한이 없겠네. 썩어도 준치라고 체통이 있지, 사세 다급하다 하여 중전이 나인 복색으로 변복을 할까.」

홍재희가 그렇게 이죽거리면서 서너 발짝 앞에 있는 부부인 민씨를 힐끗 돌아다보았다. 그 순간 부부인 민씨는 바싹 당겨 입은 고쟁이 아래가 흥건하게 젖는 것을 느꼈다. 중전을 둘러싸고 있는 여인들은 지밀(至密)나인*과 도청(都廳)나인*들이었다. 도청나인들은 관례 전이어서 생머리에 두 가닥 댕기를 매었다.

그러나 두 사람은 관례 치른 지밀상궁들이었다. 중전이 상궁으로 변복하매 거의 옥색 회장저고리에 남치마로 차림에 빈틈이 없었다 하나 총망중에 잊어버린 한 가지가 있었다는 것을 부부인 민씨는 그 순간 발견하였다. 그것은 머리에 꽂힌 첩지였다. 왕실에서는 봉(鳳)첩지를 쓰고 상궁들은 개구리 첩지를 쓰고, 반가의 부녀들은 메뚜기 첩지를 썼다. 다급한 중에 미처 깨닫지 못했음인지 그때 중전은 봉

---

*항아님 : 상궁이 되기 전의 어린 궁녀를 이르던 말.

*지밀나인 : 궁중 궁방의 침실에서 임금과 왕비를 모시던 궁녀.

*도청나인 : 궁중의 침방이나 수방(繡房)에서 일 보는 나인을 통틀어 이르는 말.

첩지를 그대로 쓰고 있어서 지밀상궁들과는 뚜렷하게 구분이 되었다. 그러나 군정들은 미처 그것을 눈치 채지 못한 것 같았다.

중전을 추슬러 업은 홍재희가 벌떡 일어나면서 한마디 쏘아붙이었다.

「수상쩍다 하면 어찌들 하실 텐가. 집에 업어다 놓고 문밖출입도 시키지 않을 것인즉, 나중에 내 누이가 중전인 것으로 판명이 나거든 그땐 요정을 내든지 박살을 내든지 그건 자네들 신명껏 하게.」

군정들도 애매한 상궁들을 다치게 하고 싶지는 않았기에 그만 엉거주춤 물러서고 말았다. 중전을 업은 홍재희는 게으름까지 피워 가며 잰걸음으로 창덕궁의 납현문인 단봉문(丹鳳門)으로 나아가 정선방 마전골〔麻田洞〕 초입에 이르러서는 잠시 망설이게 되었다. 등에 업힌 화근덩어리를 도대체 어느 처소에다 취편을 시켜 드려야 할지 궁궐에서 파수나 서는 일개 정감(庭監) 주제인 그로서는 도무지 방책이 서지 않았기 때문이다.

그때 뒤따르고 있던 큰방상궁〔提調尙宮〕* 서씨(徐氏)가 나직이 속삭이었다.

「안국방 화개골〔花開洞〕 쪽으로 내려가시게.」

「안국방이라면 여기서 초간하지도 않을뿐더러 게다가 북촌 한중간을 가로질러 잘못 발을 디밀다 보면 또 무슨 봉욕을 할지 모르겠습니다.」

「그렇다면 여기에다 내려놓으시겠단 말인가?」

서 상궁의 언성에 날이 새파랗게 서 있었다. 홍재희가 얼른 말을 되받아서,

「망극하게도 그런 말씀 마십시오.」

* 큰방상궁 : 가장 어른이 되는 상궁.

「우선 숨을 돌리시게 하려면 장김(壯金)*이나 민문(閔門)과는 인연이 멀되 안심하고 전접할 곳을 찾아야 하지 않겠나. 당장 낭패이니 앞만 보고 걷기나 하시게. 혹여 난도의 검색에 물리면 임기응변으로 피할 도리가 없지는 않네. 내 수완이 자네 재간보다야 못할까.」

핀잔에다 재촉까지 하니 더 이상 따지고 자시고 할 겨를이 없었다.

그들은 마전내를 허겁지겁 건너서 돌우물골〔石井洞〕을 쏜살같이 가로질러 관인방(寬仁坊)을 꿰뚫고 북부 안국방 쪽으로 불 맞은 노루 모양으로 진땀깨나 쏟으며 내달았는데, 당도한 곳이 전(前) 사어(司禦) 윤태준(尹泰駿)의 집이었다.

윤태준은 수신사(修信使)*의 종사관(從事官)으로 왜국에 다녀온 일도 있고, 이어 영선사(領選使)*의 종사관으로 청나라까지 다녀온 견문 있는 사람으로, 민비보다는 배행하던 큰방상궁 서씨와 오랜 교분을 쌓아 온 사람이었다. 마침 집에 있던 윤태준이 일행을 맞아들여 협실에다 모시었다. 협실에 좌정하여 냉수 한 사발로 목을 축인 다음에야 상궁 서씨가 주저하던 끝에,

「마마, 마리* 아뢰겠습니다.」

머리로 손을 올려 본 민비가 화들짝 놀라면서 봉 첩지를 만지작거렸다.

「내 미처 그것을 깨닫지 못하였구려.」

「망극이오나 소인들도 미처 깨닫지 못하였습니다만, 조금 전 중회

---

* 장김 : 장동 김씨를 이르는 말.
* 수신사 : 일본에 보내던 외교 사절.
* 영선사 : 조선 고종 때에, 신문화를 받아들이기 위하여 천진(天津)에 파견한 사절.
* 마리 : '머리'의 궁중말.

당 앞에서 부부인께서 깨달으시고 신색이 하얗게 질려 하신 일이
기억에 납니다.」

「그분이 날 몰라라 하시고 무감(武監)이 날 알은체한 것이 봉변을
벗어나게 하였구려.」

「우선 다급함은 천행 벗어났다 하나 장차의 일이 걱정입니다. 이
곳에서도 안돈할 처지가 아닌 것 같습니다.」

「주상과 세손(世孫)은 어찌 되었을꼬. 아니래도 미령(靡寧)하신 터
에…….」

「전하께선 별전으로 이어(移御)하시었으니 성체(聖體) 무탈하신
줄 압니다. 초려(焦慮)*하시더라도 며칠만 참으십시오. 나가서 우
선 전접하실 거처를 수소문해 보겠습니다.」

「내가 어디에 있든 아무에게나 알려선 안 되오.」

「명심하겠습니다.」

간담 드센 민비라 하나 그때만은 기색이 하얗게 질려 있었다. 냉
수 사발을 들었다 놓았다 하는 것은 심기가 완정치 못하다는 뜻이었
다. 윤태준과 두 상궁이 협실의 아랫방에서 장차의 대책을 숙의함에
도 쉽게 득책이 나서지 않았다. 모두가 꿀 먹은 벙어리 꼴로 앉아 있
는데 상궁 서씨가,

「우리가 총망중에 이 집으로 들어오는 것을 민간에서 보지 않았다
고 장담하지 못할진대, 소문이 퍼지고 보면 장차의 일을 감당하기
지난입니다. 불쌍하고 가긍한 사단이 일어나지 않는다고 감히 좌
단할 수 없는 터, 일각이라도 빠르게 거처를 옮기셔야 하오.」

정세가 한발 앞을 가늠할 수 없는 처지에 윤태준도 그렇다고 맞장
구를 칠 수밖에 없었다. 서씨가 다시,

---

*초려 : 애를 태우며 생각함.

「아무래도 민문에서 은신하는 것이 좋겠소. 민문의 사람이되 백성들에게 과히 원험을 사지 않고 있는 사람이 누구이겠소?」

「글쎄요, 민문의 사람들치고 과연 백성들이 숙혐을 두고 있지 않은 분이 몇이나 되는지 시생이 소상하게 알지 못할뿐더러, 설령 물색해 낸다 할지라도 이 북촌에서 초간하지 않은 거처를 찾아낼 수가 있을까요.」

윤태준의 무던한 말에 서씨의 안색이 싸늘하게 식으면서,

「지금이 어느 때라고 소견 빽빽한 말씀만 하시오. 중전 마마 모시고 행운유수(行雲流水)로 팔역을 거처 없이 떠돌아야 한단 말이오? 마마뿐만 아니라 우리 모두의 목숨이 위태롭지 않소?」

면박을 당한 윤태준이 한동안 고개를 숙이고 앉았다가,

「충주 목사인 민응식(閔應植) 대감의 원동(園洞) 사저가 어떻겠습니까?」

「항간에 떠도는 소문은 어떠하오?」

「이번의 난리에 북촌 민문들이 모두 칠문을 당했다 하나 천행 민응식 대감 댁은 칠문을 면하였습니다. 민간에서들 공심(公心)을 가진 분으로 여기고 있고, 공사에 평소 독단으로 처분하는 일을 삼갔을 뿐만 아니라 지체 낮고 궁핍한 사람들을 돕는 데 힘써 그분을 두고 설분을 하자는 사람은 없습니다.」

「민응식 대감이라면 나 역시 대강은 짐작하고 있소. 그럼 어둑발이 내리는 길로 거처를 그곳으로 옮기기로 하십시다.」

「불시에 들이닥쳐 또 무슨 변괴가 생겨날지 모르니 미리 연통을 놓는 것이 좋겠군요.」

상궁 서씨가 대꾸는 않고 가만히 고개만 끄덕이었다. 방자를 놓아서 기별을 띄웠더니 놀랍게도 민응식과 진사(進士) 민긍식(閔肯植)이 미복으로 뛰어와 창밖에 부복하였다. 두 사람의 얼굴을 보자, 민

비는 조급하고 경황없는 중에도 다소간 마음이 놓였다. 반정신을 차린 민비는 투정조로 두 사람에게 물었다.

「민 승지의 소식을 알고 있소?」

민응식이 대답하였다.

「승립(僧笠) 차림으로 성 밖으로 피신하였다는 소문은 들었습니다만, 신들이 아직 확연히는 모르고 있습니다.」

민비의 모색에 잠시 흐릿한 미소가 스쳐 갔다.

「원래 총명하고 모보(謀甫)*이니 어련하였겠소. 성 밖에는 믿을 만한 연비라도 있었다 합디까?」

「신들이 알지 못합니다.」

「우선 민 승지를 만나 보고 싶소.」

「전하가 계시온데…….」

「천보(天步)가 풍전등화 같다 하나 난군들이 겨냥하는 바는 나였지 상감이 아닐 것이오. 또한 상감의 곁으로 바삐 돌아가자 하면 민 승지부터 만나야 하오.」

「민 대감의 거처는 차차 사람을 놓아 수소문하겠습니다. 일각이 다급하오니 우선 마마의 거처부터 옮기시도록 하셔야지요.」

민비가 윤태준의 집을 하직하고 향교골 아래 민응식의 원동 사저로 옮기고 있을 즈음, 민영익은 벌써 머리를 깎은 뒤 죽동궁을 벗어나 도성에서 80리 상거인 양근(楊根) 땅 김 오위장(五衛將)의 집에 당도해 있었다.

김 오위장은 넉 달 전만 하더라도 죽동궁의 별채 사랑에서 찬밥이나 죽이던 그의 식객이었다. 민영익과는 한두 번 본 적이 있었을 뿐이나 이용익과 교분이 있었다. 양근 길까지 배행하였던 이용익의 주

---

* 모보 : 잔꾀가 많은 사람을 낮잡아 이르는 말.

선으로 민영익은 달팽이집과 진배없는 그의 집에서 하룻밤을 유숙하게 되었다. 원래 빈궁한 처지라 대접을 한답시고 차려 온 개다리 소반에 얹힌 것이라곤 보리밥에 부추나물과 푸새김치였다. 그러나 80리 행보에 허기가 진 민영익은 밥그릇을 개 핥은 죽그릇으로 말끔하게 비우고 나서,

「난생 이처럼 맛있는 저녁을 먹어 보기는 처음일세.」

김 오위장이 상머리에 읍하고 앉았다가 민영익의 말을 냉큼 되받아서,

「험한 밥에 푸새김치를 대접하고 나서 과찬의 말씀 듣자니 소인은 부끄러울 뿐입니다. 하오나 대감께서 오늘이 아니시면 푸새김치의 맛을 아시기나 하셨겠습니까. 워낙 살림 두량이 궁하고 내권의 솜씨 또한 투미하여 밥상이 보잘것없었으나 대감 댁 헐숙청에서 소인이 먹던 음식에 비하면 그중 잘 차린 상입니다. 이제 집으로 돌아가시면 동자아치들에게 조칙(操飭)*하도록 하십시오.」

김 오위장의 말투가 방자하고 비아냥거리는 투가 분명하나 민영익은 농으로 얼버무렸다.

「자네의 말을 듣자 하니 내가 집으로 회정하면 곧장 뒤따라와서 내 식객 노릇을 단단히 하겠다는 얘기군. 여부가 있겠나, 차후로 숙수간것들을 엄히 다스려 자네만은 흔연대접하라 이름세.」

이용익이 거든답시고 같이 방정을 떨 수도 없어 보고만 앉았으려니 김 오위장은 서둘러 상을 거두어 나가 버렸다. 벌써 어둑발이 내린 지 오래되어 문밖은 지척을 분간할 수 없을 정도로 어두웠고 방안의 등잔 심지는 불똥을 튀기면서 타고 있었다.

퇴창 밖 멀리로 개구리 우는 소리가 요란하였다. 와글와글 물을

---

*조칙 : 조심하여 삼감.

끼없는 소리로 떠들다가는 언제 멎었는가 싶게 뚝 그쳤다가 다시 한
두 마리가 울기 시작하면 또다시 뒤따라서 왁자하게 떠들어 댔다.

「개구리들이 왜 저토록 요란한가?」

「아마, 그것들이 교미기가 된 것이겠지요. 곤하실 터인데 취편하
시지요.」

이용익이 바람벽 아래에 놓인 목침을 가만히 디밀었다.

「삭신이 나른하고 어깨에 힘이 빠져 시나브로 눈이 무거워지네.
그러나 내 어찌 잠들 수 있겠는가. 자네도 옛적 선길장수 시절엔
타관 객점에 누워 저 개구리 우는 소리를 들었것다?」

「감회가 일지 않을 수 있겠습니까. 봄에 비 내리는 소리, 여름 퇴창
멀리로 들려오는 개구리 우는 소리, 가을 퇴창 아래 낙엽 지고 귀
뚜리 우는 소리, 한겨울 삭풍에 떨고 있는 나뭇가지와 먼 데 다듬
이 소리는 모두 타관을 떠도는 사람에겐 애간장을 끓게 만드는 것
이지요.」

「저런 미물들의 소리가 이처럼 간장에 와 닿을 줄은 미처 몰랐네.
어떤가, 뜰로 나가서 행기라도 하지 않겠나?」

「그만 취편하시지요. 완월을 하신대서 심기 가라앉을 리가 있겠습
니까.」

「이곳이 양근 땅 아닌가?」

「그렇습지요. 강원도와 경기의 부상들이 이곳에서 만나 서로 물화
를 바꾸기도 하고 어울리기도 하지요.」

민영익은 내키지 않았으나 목침을 당겨 누웠다. 도성을 빠져나오
려 하자니 다급한 대로 삭발하고 중으로 변복하였으나 끝내 도망하
여 풍파 많은 환로(宦路)를 하직할 것도 아니었고, 절 구경을 가자는
것도 아니었다.

개호주에게 쫓기는 짐승처럼 80리 행보를 허겁지겁 걸어오면서

도 민영익은 대원위에 대한 함원으로 가슴이 부글부글 끓어올랐던 것이다. 대원위 이하응의 천하가 되돌아올 것이라고는 미처 상상조차 할 수 없었는데, 눈 깜짝할 사이에 판세가 뒤바뀌고 있다는 것이 도대체 믿어지지 않았다. 자신의 신세가 불과 하룻밤 사이에 김 오위장과 같은 지체 낮은 위인에게 비위짱 뒤틀리는 말까지 듣게 되었다는 것이 도통 실감 나지 않았다. 그러다가 잠깐 잠이 든 것 같았다. 몽예(夢囈)*에 시달리다가 제 사품에 놀라 잠에서 깨니 방 안이 어두웠다. 불을 댕기고 옆자리를 돌아다보니 나란히 누워 있어야 할 이용익이 보이지 않았다. 우선 가슴이 섬뜩하였다. 이 위인을 믿었던 것이 불찰이었다는 후회가 가슴을 저몄다. 그는 일어나 가만히 장지를 밀고 봉당으로 내려섰다. 사방이 캄캄하여 지척을 분간할 수가 없는데, 발소리를 죽여 측간에까지 가보았으나 인기척이라곤 없었다. 대문도 안으로 빗장을 내린 채였다. 가슴이 덜컥 내려앉았다.

작변(作變)*이 아닌가 하고 상투 끝이 쭈뼛할 즈음, 민영익은 문득 정지 건넌방에 희미하게 불이 켜져 있는 것을 보았다. 뒤축을 죽이고 다가가서 문설주에다 귀를 기울였다. 가만가만한 이용익의 말소리가 들려왔다.

「가근방인 솔모루와 양주 어름의 저자에 흩어진 좌사의 부상(負商)들만 취회한다 하여도 삼백을 헤아릴 것이요, 거기다가 송파와 과천, 흥인문 밖 동교(東郊)의 부상들까지 취하게 되면 팔구백은 수월할 것이요, 충절이 넘치고 피가 뜨거운 사람들이라 우리의 뜻에 적극 가담할 것이니, 새벽별이 뜨는 대로 비각을 조발하여 각 임방 처소에다 통문을 놓도록 하십시다. 쌍급주를 놓는다면 하루

---

* 몽예 : 잠꼬대.
* 작변 : 변란을 일으킴.

에 능히 백오십 리를 걸을 것이니 열이튿날엔 홍인문 밖으로 회집할 수 있을 것이오.」

「족하께선 일족(逸足)으로 평판이 자자한 분이시니까 이백 리 행보쯤이야 해동갑으로 줄일 수 있다 하나 억센 골격들로 급주를 놓는다 하여도 이 불볕 아래서 백오십 리는 가당치 않소.」

「시생이 강원도와 경기 지경의 길목에는 밝으니 지름길을 가르쳐 주겠소.」

철컥 하고 방바닥으로 사슬돈 흩어지는 소리가 들려왔다. 이용익이 반비(盤費)*로 쓰던 은자를 풀어놓은 것일까.

「한만(汗漫)*하달지는 모르겠으나 사태를 더 두고 보아서 작정함이 어떠하겠소?」

「백주창탈(白晝搶奪)*로 찬위(纂位)*를 도모하자는 다급한 마당이 아니오? 종묘사직이 풍전등화 같은 차제에 두고 볼 것은 무어며 주저할 것은 또한 무엇입니까.」

「민영익 대감께 취품(取稟)하는 일도 순서가 아닙니까?」

「행역에 겹쳐 심려 또한 적잖은 터에 수행(隨行)들이 또한 성가시게 굴면 우직스럽단 핀잔만 듣게 될 것이오. 혹여 달갑게 여기지 않으신다 하여도 수하 사람들이 저질러 놓은 일이라면 대감도 생청을 내붙이지는 않을 것이오. 시생은 잠깐 눈을 붙였다가 송파로 발행할 것이니 상공께서는 하룻밤 잠자리나마 대감 수발 극진하게 해주오.」

「내 무항산(無恒産)*으로 보시다시피 가양(家樣)이 워낙 궁박하여

---

* 반비 : 노자.
* 한만 : 되는대로 내버려 두고 등한함.
* 백주창탈 : 대낮에 남의 물건을 강제로 빼앗음.
* 찬위 : 임금의 자리를 빼앗음.

대접이 허술하니 나와 가권이 모두 면구스러울 뿐이오만, 한마디 언사로야 어찌 홀대를 하겠습니까. 대감께서 이 우거(寓居)*에 전접하신 것만으로도 평생의 생광이지요.」

문밖에서 두 사람이 받고채는 수작을 듣고 있으려니 민영익은 눈시울이 뜨끈해졌다. 살길 도모는 고사하고 한발 앞을 예측할 수 없는 맹랑한 지경에 있다 하나 이용익이란 사람을 다시 한 번 보게 되었으니 그 또한 소득이었다. 방으로 돌아와 잠든 체하고 있자니 이용익이 소리 없이 들어와 바람벽에 기대어 눕는 것이었다. 향 한 대 피울 참이나 되었을까, 이용익이 부스럭거리고 일어나더니 곧장 길 떠날 채비를 서둘렀다. 민영익은 두 사람의 말을 엿들었다는 얘기를 하고 송파에는 친소가 있느냐고 물었다.

「그곳에 시생 금점꾼 시절의 연비가 없지 않습니다. 송파와 원산포를 잇는 상로에는 천 행수라 하면 모르는 쇠전꾼이 없다고들 합니다.」

「위인을 꼭 만나야 하는가?」

「그 수하에 따르는 자가 수백 명에 이른다는 소문을 듣고 있습니다. 그 사람과 배짱만 맞춘다면 감히 성내의 난군들과도 맞설 수가 있을 것입니다. 천출에 가진 글이 없어 불찰이나 소견이 깊고 듬직하답니다.」

「궐자와 의초가 있다 하면 어서 가보게. 우리는 어디서 다시 만날까?」

「김 오위장이 서울 동교 숭신방(崇信坊)에 있는 임천(林川) 군수 이근영(李根永)의 집까지 대감을 안동해 드릴 것입니다. 이근영도 별채 사랑에서 이태 가까이나 대감의 식객으로 주변한 터로 믿을

---

* 무항산 : 일정한 재산이나 생업이 없음.
* 우거 : 자기의 주거를 낮추어 이르는 말.

만합니다. 김 오위장과도 교분이 자별하지요.」

민영익과 하기 싫은 이별을 하고 발행한 이용익은 양근과 송파 간의 120리 길을 걸어 송파 저자 윗머리에 당도하니 겨우 해가 기웃하였다. 수소문해 보니 천 행수가 인근에 와 있긴 하나, 송파 처소에는 얼굴을 내민 적이 없다는 것이었다. 생청을 내붙이고 모피하려는 처소 사람들을 문지르고 쓰다듬어서 천 행수의 행지를 알아내느라고 진땀깨나 흘리고 가슴을 죄었는데, 그로 하여 부득불 송파에서 하루를 지체하고 말았다. 송파에서 일숙하고 다시 이튿날 해가 짓질려서야 시구문 밖 석쇠의 집을 알아냈다. 곧장 삼전도 나룻목으로 나가서 뚝도로 나가는 주낙배라도 얻어 타려 하였으나 어찌 된 영문인지 덜컥 뱃길이 끊어져 있었다. 사공막으로 쫓아가서 물어보았더니 단강령(斷江令)이 내려졌다는 낙심천만의 대답이었다.

짚이는 구석이 없지 않아서,

「그것이 무슨 연유라 하던가?」

삼베등거리 바람으로 미루나무 나막신 뒤축에 호비칼질을 하고 있던 늙은 사공은 열나절이나 기다려도 대꾸를 않다가 겨우,

「도성에서 내린 분부를 쇤네가 어찌 알깝쇼.」

「단강령은 언제부터인가?」

「중화 전까지만 해도 건너다녔수.」

「단강령을 어기면 당장 결옥이라고 벼르던가?」

「결옥이다마다요. 모르지요, 하긴 으름장만 놓은 것인지도…….」

힐끗 이용익의 허우대를 훑으면서 말끝을 슬며시 죽이고 드는 어취를 듣자 하니, 위인이 미상불 군돈이나 인정전에 입맛을 다시고 싶은 것이었다.

「흉년에 배운 장기*더라고 자네 역시 먹는 재간은 출중하이.」

이용익이 은자 몇 닢을 궐자의 발치에다 떨구었다.

「선가는 따로 치러 줌세. 나를 득달같이 수철리 나룻목까지만 데려다 주게.」

「나루질을 한다 하여도 얼추 어둑발이 내려야지 해낮에는 벼락이 뒤쫓아 온대도 배를 띄울 수 없습니다. 도선목 복처에서 내려다보던 군정들이 가만히 지켜보았다가 답삭 덜미를 낚아챈다면 나으리인들 성할 듯싶습니까. 하나밖에 없는 모가지 횡액으로나 날리지 말아야지요.」

인정전을 죽으로 안긴다 하여도 꿈쩍할 것 같지 않았다. 저녁 거미가 내리기를 기다릴 수밖에 없었다. 똥끝이 타 들어가는 듯 조급한 마음과는 달리 그날 밤 시구문 밖 석쇠의 집에 당도한 것은 이경(二更) 해시께였다. 갖바치 석쇠의 공방을 여축없이 찾아내긴 하였으나 한번 어긋나기 시작한 인연의 탓으로 거기서도 천 행수는 만날 수 없었다. 다만 석쇠로부터 예기치 않은 소문만 얻어들었다. 해저녁부터는 도성 사대문이 모두 닫히어서 행객들은 물론이요, 소소한 풋나물장수도 장안 출입이 어렵게 되었다는 말이었다. 강원도와 근기 지경의 좌사 부상들이 취회하여 장안으로 습격할 것이라는 소문이 짜하게 퍼진 것이었다. 흥인문에선 켯속을 모르고 수문군에게 덧들이던 난전꾼 셋이 처참을 보았다는 소문까지 없지 않았다.

부상들 사이에 통문이 돌고 있다는 소식은 곧장 대원위 이하응에게 입문되었다. 대원위는 성문의 통행을 엄히 다스리는 일변 도성 내의 모든 총통잡물고를 열어서 일단 회수 중에 있던 군기를 다시 풀었다. 행인을 검색하여 보부상으로 인정되면 잡아들이고 불경하게 구는 자가 있으면 즉처(卽處)하라는 엄칙을 내렸다.

때마침 증광시(增廣試)*가 임박해 있으므로 물색 모르는 시골

---

*흉년에 배운 장기 : 장기를 둘 때 자꾸 남의 말을 먹으려고만 드는 경우를 이르는 말.

유생들이 꾸역꾸역 모여들고 있었는데, 이들 또한 검색에 물려 봉욕하는 자가 많았다. 애매하게 난장질을 당하고 피칠갑이 되어 쫓겨나는가 하면 더러는 호젓한 곳으로 끌려가서 종적을 감추어 버리기도 하였다. 암고양이가 방귀를 뀌어도 바스락할 만큼 장안의 공기는 긴장되어 있었다. 그날 밤을 지새운 새벽녘에야 이용익은 천 행수 일행이 홍인문 밖 숫막거리에 있다는 것을 알아냈다. 석쇠가 수소문해 온 것이었다. 천 행수도 통문에 따르려 한 것임을 알 수 있었다.

그렇다면 구태여 천 행수를 만나는 것보다 양근 땅에 있던 민영익이 숭신방 이근영의 집에 당도하였는지부터 확인하는 것이 성급한 일이 아닌가. 부상들이 홍인문에서 취회한다 하여도 민영익이 없으면 부상들이 그 명분을 의심하겠기 때문이었다.

이용익은 홍인문 숫막거리로 가고자 하였던 노정을 고쳐 이근영의 집부터 찾기로 하였다. 문밖에서 통자를 넣자 하니 눈깔이 시뻘겋게 상기된 사노 한 놈이 쫓아 나와서 제 상전이 계시냐고 묻지도 않았는데 제 먼저 아무도 없다고 무작정 손사래를 쳤다. 뤤놈이 조리 없고 성급하게 구는 꼴이 제 상전이 집 안에 숨어 있다는 것을 오히려 강변하고 있는 꼴이었다.

이용익은 곧이곧대로 듣는 체 곧장 발길을 돌려세울 듯이 두어 발짝 물러나며,

「나으리께서 안 계시다니 돌아가겠네만 만약 내당마님께서나마 계시거든 선공감의 감역으로 있는 이용익이 다녀갔다고나 이르게.」

「감역이 무엇입니까?」

「거짓말 잘하는 경마잡이며 사람 볼 줄 모르는 하례들 날것으로 잡아먹는 범 아가리일세.」

---

* 증광시 : 나라에 경사가 있을 때, 기념으로 보이던 과거.

42

「그럼 조금 기다려 보십시오.」

「나는 감역 중에서도 성깔이 사나워서 너무 오래 기다리게 해도 잡아먹네.」

「금방 되돌아 나옵지요.」

금방 되돌아 나오겠다던 사노라는 놈은 코빼기도 내보이지 않는 반면 이근영이 손수 대문간까지 나왔다. 난리통에 서로 성한 몸으로 만나게 된 인사수작을 짧게 나눈 후에 이근영이 곧장 안색을 바꾸더니 이용익을 사랑채가 아닌 몸채 쪽으로 안동하는 것이었다. 두 사람이 몸채의 마루로 올라서자, 마루에 연해 있는 대방의 미닫이가 안으로부터 열렸다.

방 한가운데 주렴을 드리운 것이 바라보였다. 이용익이 쑥스러웠던 나머지,

「상공께선 어찌 이 어려운 내당에 안내를 하십니까.」

그러나 그렇게 물었을 때는 한 발을 방 안에다 들여놓은 뒤였다.

「조용히 하십시오. 시생의 우거에 외람되게도 중전 마마께서 납시어 계십니다.」

그 순간 주춤한 이용익이 주렴 너머로 시선을 떨구었다. 한 여인이 주렴을 사이한 건너편에 그린 듯이 앉아 있었다. 반가의 여인으로 변복하였으나 모색은 분명히 민비였다. 민영익을 따라 탑전에 나가서 한금 바친 것을 연주(筵奏)*할 제 먼빛으로 뵌 적이 있던 민비가 천만뜻밖에도 이근영의 내당에 소슬히 앉아 있었던 것이다. 양수거지하였던 이용익은 주렴 저쪽을 향해 무작정 부복하였다.

「내가 중전이오. 여러 번 본 적이 없어 안면은 미숙하나, 민 승지에게 소식은 자주 듣고 있었소. 그동안 별고 없으시었소?」

---

*연주: 왕의 면전에서 아뢰던 일.

「……」

「통구(通衢)마다 난도(亂徒)들이 설치는 차제에 변출(變出)을 당하지 않고 무사한 걸 보니 또한 반갑소.」

「손열(巽劣)한* 소인을 알아보시어 생광입니다. 그러나 어인 일이십니까, 사삿집으로 납시다니요?」

민비는 그 말에 입가에 엷은 웃음을 띠었다가,

「난도들에게 쫓기는 사정에 이르러 풍창파벽이면 어떻고 조석이 험하면 어떻겠소. 그것보다 같이 피신했다는 민 승지는 어디 있소?」

「소인이 이틀 전 양근 땅에까지 배행하였다가 이곳에서 상면키로 약조하고 헤어졌습니다.」

이용익은 한참 만에야 말구멍이 겨우 터져 그렇게 대답하였다.

「헤어지다니, 왜 그리 되었소?」

「……」

「또 다른 작변이라도 있었소?」

「강원도와 경기 지경에 흩어진 부상들에게 통문을 놓아서 동교에서 취회하려는 일 때문입니다.」

「통문이란 무엇이오?」

「통문이란 보부상들에겐 관문(關文)에 버금가는 것으로, 나라에 변란이 일어났을 때나 동병상련하던 동료들이 무고로 해코지를 당했을 때에는 통문을 놓아 팔도에 흩어진 동무들이 일시에 회집하여 국기를 보전하고 동무를 구완하는 것입니다. 고릿적부터 이 통문을 받아 본 동무들은 자리에 누운 자는 일어나고 먹던 자는 수저를 내려놓는 법입니다.」

민비의 두 눈이 그때 번뜩이었다.

---

*손열하다 : 낮고도 못생기다.

「금시초문이구려. 그렇다면 그네들이 감히 난도들과도 대적할 수가 있다는 것이오?」

「부상들은 원래 담이 차고 무서움을 타지 않는 데다 또한 뼈대 억세기가 항우 번쾌와 같아서 진법(陣法)이 마련 없는 군정 따위들과는 일당백입니다. 그들이 한번 일어났다 하면 마치 노도와 같아서 삽시간에 성문을 부술 수가 있습니다. 그러나 소인으로서는 안목이 소졸하여 그들에게 명분을 줄 수가 없으니 좌사의 도존위이신 민 대감께서 그들 앞에 나가시어야 하겠지요.」

「군기는 어디서 주변하시려 하오?」

「우선 세 편으로 대오를 짤 작정입니다. 일대는 노도와 같이 흥인문을 부수고, 일대는 광희문으로 돌아서 해자로 들어가 성안으로 잠행하고, 일대는 오간수문으로 들어가서 장안을 혼란에 빠뜨린 후 양동을 써서 군기를 탈취하고 대적하는 자는 등시타살로 본때를 보여 난군들의 기를 꺾는 것이지요.」

민비는 대꾸 없이 한동안 가만히 앉아 있었다. 그러다가 불쑥,

「그렇다면 일각을 다투는 일이 아니겠소? 민 승지와는 굳게 약조하였다니 중로에서 변을 당하지 않는 이상, 늦더라도 당도하겠지요. 감역이 나가서 격문을 놓은 대로 상군(商軍)들이 지정한 곳에 회집하였는지 눈으로 보고 와서 대후(待候)를 기다림이 순서가 아니겠소? 나 또한 결말이 날 때까지 여기서 지켜보고 있을 것이니 그렇게 아시오.」

「소인이 신명을 다하겠습니다.」

이용익은 떨리는 목소리로 대답하였다.

민비는 보부상들이 회집한다 하여도 감히 장안을 진무(鎭撫)*할

---

*진무: 난리를 일으킨 백성들을 진정시키고 어루만져 달램.

수 있을 것인지에 대해서는 반신반의하였다. 그러나 물에 빠진 사람이 지푸라기라도 잡는 격으로 한 가닥 희망을 그곳에다 걸지 않을 수 없었다. 남편과 아들을 만날 수 있는 방도만 있다면 흉비들과도 내통하고 싶었다. 지체로선 한 나라의 왕비라 하나 가슴에 젖은 애증은 사삿집의 아녀자와 한 치도 다를 바 없었다. 궁궐을 떠나 홍인문 밖 이근영의 집에 이르기까지 겉으로는 태연을 가장하고 언행에 흐트러짐이 없도록 각별 유념하였다 하나 아프고 분한 마음은 주체할 수 없었다.

민비는 당장 넋두리가 쏟아지고 포달이 떨어질 것 같은 가슴으로, 벌떡 일어서는 이용익의 주의(周衣) 자락이라도 잡고 늘어지고 싶었다. 자기가 백성들에게 쫓기게 된 것도 근본을 따지고 보면 주상의 관견(管見)* 탓이요, 세자와 문중 탓이 아니던가. 양도(陽道)가 부실한 외아들을 두었다면 사삿집의 지어미로서도 장토와 기물을 팔아서 사내로서 구실함에 하자가 없도록 조처하고자 했을 것이다. 하물며 천보가 그 한 몸에 있는 달상(達相)*의 왕세손을 위해 내탕전을 소비하고 벼슬을 팔았다 한들 그것이 어찌 독화(黷貨)*가 되더란 말인가. 절간에 마음을 의탁하고 무당에게 한 줌의 안위를 얻고자 하였던 쓰리고 쓰린 지어미의 흉회를 항간의 백성들이 어찌 속속들이 헤아릴 수가 있을까.

그러나 이제 문중의 척신들이 산지사방으로 유리되었고 그 또한 쫓기는 신세가 되었으니 영화와 권세가 부세(浮世)에 떠도는 한낱 포화(泡花)가 아닌가. 의지 없게 된 민비는 마루로 내려서는 이용익의 뒷모습이 뿌옇게 흐려지는 것을 느끼고 고개를 천장으로 쳐들었다.

---

* 관견 : 좁은 소견이나 자기의 소견을 겸손하게 이르는 말.
* 달상 : 귀하고 높은 인물이 될 상(相).
* 독화 : 정당하지 아니한 수단으로 얻은 재물.

이근영의 집을 나선 이용익은 곧장 홍인문 밖 점막거리로 나갔다. 시골 유생들로 보이는 초라한 선비 차림의 행객들이 간혹 궁싯거리고들 있을 뿐, 보부상 차림의 사람들은 찾아볼 수가 없었다. 민영익이 약조를 어기게 된 연유도 알 수 없었지만 더군다나 보부상들이 회집할 처소로 모이지 않고 있다는 것은 큰 환난이었다.

기찰이 삼엄하여 장안으로 들어가는 길이 막힌 풋나물장수와 나무장수며, 숫돌장수, 짚신장수 들이 객점거리 앞에 좌판을 펴거나 서성거리고 있을 뿐, 신들메를 작신 죄고 행전 아금받게 친 원상들은 코빼기조차 보이지 않았다. 객점거리를 배회하던 중에 양주 고을에서 내려온 나무장수로부터 다락원 저잣거리에 수많은 보부상들이 회집하고 있다는 말을 듣게 되었다.

떠꺼머리총각인 나무장수는 에멜무지로 한마디 불쑥 내뱉었다가 이용익의 성화를 받게 되었다.

「그들이 어디서 온 보부상들이라 하던가?」

「쇤네가 앞앞이 찾아다니면서 묻진 못했습니다만 행색을 보자 하니 강원도며 함경도에서 내려온 도붓쟁이들 같습디다요.」

「그들이 다락원에서 무얼 하던가?」

「쇤네가 앞앞이 찾아다니면서 물어보진 못했습니다만 모두들 허행들 하였다고 불뚱가지를 내거나 인근의 저자로 흩어진다 합디다요.」

「앞앞이 찾아다니진 않았겠지만 혹여 홍인문 밖을 겨냥하고 내려오는 패거리들은 못 보았던가?」

「홍인문으로 내려오면 발모가지를 작신 분질러뜨리게 된다고 모두들 쉬쉬하는 판이던뎁쇼.」

「발모가지를 분질러 놓다니, 그건 무슨 불상사인가?」

「그러기에 쇤네가 초다듬이부터 앞앞이 찾아다니며 물어보지 않았다고 토설하지 않았습니까.」

떠꺼머리를 하직하고 홍인문 밖 객점거리를 서캐 잡듯 뒤져 보았
으나 천봉삼은 물론이요, 송파 처소 동무님들의 행지조차 묘연하였
다. 그제야 이용익은 가슴이 덜컥 내려앉았다. 떠꺼머리의 말과 민
문의 벼슬아치들 집 대문에 칠문하고 다녔던 송파 처소 사람들의 거
지가 무관하지 않다는 짐작이 들었기 때문이다. 이용익은 곧장 무넘
잇골로 해서 다락원으로 내려갔다. 떠꺼머리총각놈의 말이 들어맞
았다. 눈어림으로 보아도 6백은 넘을 듯한 도붓쟁이들이 다락원 저
자 바닥을 꽉 메우고 있었다. 천봉삼은 다락원 저자 윗머리에 있는
득추의 대장간에 있었다. 대장간 앞 한터에는 송파에서 올라온 낯익
은 동무님들이 몇 보이었고 삿자리 깐 상좌에 천봉삼이 앉아 있었
다. 천만의외에도 이용익이 나타나자 모두들 놀라서 입을 다물어 버
렸다. 천 행수와 이용익이 인사수작 나누는 사이에 평배좌하였던 동
무님들은 모두 자리를 비켜나고 말았다. 천 행수는 이용익이 다락원
에까지 내려올 것을 예견하고 있었던 듯 별반 놀라는 기색을 보이지
않았다. 이용익의 첫마디가,

「아니, 이 어인 훼방이시오? 나라님을 보필하고자 하는 뜻과 국기
를 튼튼히 하여 장차 나라님의 성은이 만세에 떨치기를 바라는 대
의는 서로 다를 바가 없다고 여겨 왔는데, 천만뜻밖에 여기서 길
목을 막아 처소 동무들을 되돌려 보내다니요? 이건 역률이 아닙
니까?」

「아니래도 시생의 성명 단자가 도류안(徒流案)*에 올라 있은 지가
오래되었다는 것은 알고 있소이다.」

「그런 경솔한 언행이 가당하오? 내 진작 송파 처소 사람들이 사사

＊도류안 : 도형(徒形)과 유형(流形)에 처할 사람의 이름 및 형량 따위를 적은 책.

로이 장안에서 칠문하고 다닌 것을 목도했으나 친동기간이나 진배없는 형장과의 교문을 더럽히지 않으려고 덮어 두기로 한 적이 있거늘, 그것을 모르고 이런 패악을 저지르고 있는 거요? 지금이라도 늦지 않았으니 이 폐단을 거두시오. 이것이 곧 역률이란 걸 모르시오?」

이용익이 호되게 꾸짖고 오금을 박았으나 땀에 밴 천봉삼의 모색은 흔들리는 기색이 없었다.

「형장과 가진 교분을 더럽히고 싶지 않은 심경이야 시생 또한 다를 바가 없소. 그러나 지금에 이르러 국기가 바로잡히는 일이 어떠해야 한다는 것에는 형장과 시생이 명분과 대의를 같이하고 있지 않다는 것이 백일하에 드러났소이다. 나라의 환난이 어디서 비롯되었다는 것을 서로 다르게 보았으니 우리가 오랜만에 상면하였으나 사주가 맞지 않아 삿대질까지 하게 되었구려.」

「그렇다면 이 패악을 거두지 못하시겠다는 거요?」

「이것이 어찌 패악이란 말이오? 제 마음에 들지 않는다 하여 불령의 무리들로 매도를 하신다면 백성들이 설 자리가 없질 않소?」

이용익은 그 말에는 이렇다 할 대꾸를 않고 있다가 불쑥 한다는 말이,

「형장께서 환로에 나가심에 뜻을 두었다면 미거한 시생이 주선할 것이요, 장차 육의전의 행수 자리를 겨냥하고 있다 하면 그 또한 시생이 주선하리다. 의주(義州)의 책문후시(柵門後市)*에서 인삼 거래권을 가진 황첩(黃帖)을 노린다면 그 또한 주선할 것이니, 여기 모인 부상들을 회유토록 해보시오.」

「대원위 대감께서 섭정을 하신다 하여도 언감생심 그런 청질은 하

---

* 책문후시 : 중국 청나라와 행하던 밀무역 시장.

고 다닐 염량이 없을진대 내 어찌 한 줌의 흙보다 못한 일신의 영화를 형장께 빌려 하겠소. 오욕과 수치로 내 이미 반평생을 보냈거늘 지금에 이르러 백성들에게 원성을 듣는 민문에 끼어들어 어찌 아유를 하겠소.」

「그렇다면 천례인 보부상들이 그나마 대접을 받게 된 것은 누구 때문이었소?」

「그것은 우리들에게 징세의 의무가 있었기에 수탈의 방편이었지 우리의 인간됨을 대접하려던 것은 아니었지 않소. 형장께서도 좌사의 선생안(先生案)*에 올라 있는 분이시라면 그 내막을 모를 리 없겠지요.」

「중언부언할 짬이 있는 게 아니오. 어쨌든 형장이 저지른 폐단은 또한 덮어 두기로 하겠으니 저들에게 길을 열어 주도록 하시오.」

그때 천 행수는 또출과 강쇠, 곰배를 불러서 인근에 흩어진 상단의 행수들을 불러 모으라는 분부를 내렸다. 향 반 대 피울 참도 되지 않아서 50, 60명의 행수들이 득추의 대장간 앞 한터에 회좌(會座)하게 되었다. 이용익이 나아가서 자기가 좌사의 도존위인 민영익 대감의 수하에서 주변한다고 말하고 흥인문으로 나아가 난도들을 진무하자고 설득하였다.

「그것이 우리가 살아갈 길이오. 이미 장안에는 검색에 걸려 효수ㆍ포살ㆍ장살로 멸구당한 보부상이 여럿이오. 이로 인하여 앞으로 대원위가 섭정하게 되면 우리들에게 내릴 압제가 차마 눈 뜨고 보지 못할 지경에 이를 것이오. 우리가 살아날 길은 조정에서 대원위를 몰아내는 길뿐이란 것을 뼈에 아로새기어야 합니다. 앞으로 의지 없는 보부상들이 그 상리를 노려 식솔들을 건사할 길이

---

*선생안 : 각 관아에서 전임 관원의 성명, 직명, 생년월일, 본적 따위를 기록한 책.

막히고 통구마다 순라가 지키고 서서 방금(邦禁)*을 한다 하면, 식
솔들은 고사하고 우리들이 당장 굶어 죽게 되지 않겠소.」

그러나 대의 없는 곳에 어찌 뭇사람이 따르며 명분 없이 무리를
이끌 수 있을까. 이용익이 주변을 다하여 그들을 회유코자 하였으나
이미 그의 말을 귀여겨듣고 있는 자는 없었다. 이용익이 괴춤을 뒤
져 비수를 꺼내 들었다. 그리고 칼날을 세워 왼팔에 대고 죽 그었다.
금방 살피듬이 자빠지고 선혈이 흘러내렸다.

「시생과 삽혈로 형제의 의를 맺고자 하는 동무들은 앞으로 나오
시오.」

다만 찬물을 끼얹은 듯 조용할 뿐 어느 한 사람 일어나지 않았다.
그러는 중에 총중에서 한 동무가 일어났다. 궐자가 물었다.

「존호(尊號)께선 어째서 우리와 형제의 의를 맺으려고 하시오?」

「시생은 동무님들과 동병상련하기 때문이오. 이것이 형제가 아니
고 무엇이겠소.」

「어불성설이오. 존호께서는 우리들과 동무가 아니지 않습니까.」

「그 무슨 패설이오?」

「존호께서는 이미 종편거처(從便居處)*하는 백성도 아니며 행운유
수로 조선 팔도를 지붕 없이 떠도는 도붓쟁이도 아니지 않으십니
까. 존호께서는 환로에 올라 선공감(繕工監)의 동역(董役)*의 지체
에까지 오르지 않았습니까. 복용하심이 우리와 이미 다르고 또한
범절이 달라 당로(當路)*한 재상들과 교분을 트시고 반록(頒祿)*을

---

*방금 : 나라에서 금하는 일.
*종편거처 : 편리한 곳에 가서 삶.
*동역 : 큰 공사를 감독하는 사람.
*당로 : 정권을 잡음.
*반록 : 임금이 관리에게 녹봉을 주던 일.

받아 가용에 쓰시니 어찌 우리가 형제 됨을 바라겠습니까.」

「민심이 이토록 유리되었던가.」

이용익이 혼자 중얼거리면서 긴 한숨을 내쉬었다.

보부상단이 무위소(武衛所)에 소속된 이후로 적으나마 처소에 삭하(朔下)를 내리었고 또한 물화의 전매권이 침탈당하지 않도록 백방 조처함에 인색하지 않았는데, 이런 엄청난 배반과 홀대가 기다리고 있을 줄은 이용익은 일찍이 예견하지 못했다. 회좌하였던 접장들이며 행수들은 자리를 털고 일어났고, 식구가 단출한 행수들 중에는 수하의 동무들을 영솔하고 다락원을 하직하는 축들도 있었다. 이미 그들을 회유한다는 일은 글러 버린 것이었다.

사단이 거기에 이르자, 이용익도 서둘러 이근영의 집으로 회정할 수밖에 없었다. 일각이라도 앞을 당겨서 민영익을 만나야 방책이 나서겠기 때문이었다. 열흘 끼니를 못한 사람의 몰골을 해가지고 득추의 대장간을 나서려는 이용익의 처참한 신수를 보고 있기 민망하였던지 천봉삼이 오리정까지만 동행하겠다고 따라나섰다. 천 행수를 더 이상 상종하고 싶지 않았으나 그동안이나마 마음을 돌려 앉힐지도 모르겠기에 5리 작반을 허락하였다. 저잣거리를 벗어나서 활 두어 바탕 상거를 걷자 하니 무넘잇골로 내려가는 고갯길이 바라보이고 사방의 미루나무 숲 사이에서는 매미들이 울어 댔다.

「송파 처소의 결찌들이 칠문을 하고 패서를 걸고 다녔다는 말을 진작 민 승지에게 고변하지 못한 것은 내 불찰이었소.」

「그때 형장께서 고변을 하였다 하더라도 우리의 처신에는 변함이 없었을 것이오. 대의가 서로 다르니 하직하는 마당이 이토록 어색하구려. 그러나 서로 품은 흉회가 다르다 할지라도 막역한 교분이 있었던 것은 잊지 마십시다. 우리 처소 사람들을 고변하지 않은 일도 오래 두고 새겨 두리다.」

「이제 형장께선 수하들을 영솔하고 어느 타관으로 뜨려 하시오?」

「작정한 바가 없습니다. 세상을 등지고는 살 수 없을 것이니 낭패지요.」

「다행히 홍선 대원군이 섭정하게 되었으니 추포당할 걱정만은 덜게 되었소만, 이로써 우리 보부상단의 충의는 깨어지고 말았구려.」

「세상이 백 번 뒤바뀐다 할지라도 시생이 도붓쟁이로 이승을 하직하려는 작정에는 변함이 없소. 혹여 형장께서 은신하기 어렵고 궁핍하게 된다면 시생을 찾으시오. 내 감히 홀대는 않으리다.」

「말씀은 고맙소만 내가 백사지에 코를 박고 명을 끊는다 할지라도, 나와 한번 등을 진 형장의 처소에 발을 디밀까요? 시생에게도 간장이 있고 오기 또한 없지 않은 터에 만에 하나 그런 불상사는 없을 것이오.」

「무안을 주시는구려. 인연이 있으면 또 언제 만날지도 모르니 하직하는 마당에 막말일랑 맙시다. 시생은 이쯤해서 하직을 여쭙겠소.」

「시생은 일력이 다하기 전에 홍인문 밖까지 당도해야 합니다.」

천봉삼을 고개티 아래서 하직하고 난 뒤 살같이 걸어서 이근영의 집에 당도하였으나 낙심천만으로 민영익은 보이지 않았다. 의지 없는 민비는 이용익이 돌아오기만을 기다리고 있었다. 이용익이 다락원에 갔다 온 일을 소상히 아뢰는데, 눈물이 떨어져 주의 자락을 적시고 방바닥을 적셨다. 그러나 민비는 자리 한 번 고쳐 앉는 법 없이 그린 듯이 앉아서 두서없는 말을 듣고 있다가 한마디 던졌다.

「장부의 체통을 지키고 고정하시오. 내가 공연한 것을 바라고 있었구려. 민간의 인심이 이미 나와 다르니 어찌하겠소. 그러나 나를 겨냥하여 한수(漢水)의 나루마다 단강령을 내렸다 하니 이런 낭패가 있겠소. 어젯밤에도 몽마(夢魔)에 시달려 한잠도 이루지 못하였소.」

「단강령이 내렸다 하나 본색을 숨기고 잠행한다 하면 낭패는 면할 수 있을 것입니다.」

「듣자 하니 감역은 준족이라 하던데?」

「남들이 그렇게 말하고는 있습니다만 겨우 해동갑으로 이백 리 행보를 줄일 수 있을 뿐입니다.」

「장정 하루 걸음을 겨우 백 리 행보로 잡고 있다는데 이백 리라면 배를 걷는구려. 민 승지를 만나지도 못한 터 양근 행보는 그만두고 나와 동행하지 않겠소?」

이용익이 반은 우는소리로,

「소인배가 배행하여 마마께 누를 끼칠까 두렵습니다.」

「그럴 리가 있소.」

그렇지만 당장 다급한 것이 노수를 구처하는 일이었다. 상목 몇 필이나 길양식이야 이근영의 집에서도 구처할 수 있었지만 원로(遠路)에 지녀야 할 것은 돈이었다. 이근영의 집에는 민응식·긍식 형제와 윤태준이 미복 차림으로 따라와 있었다. 궁리를 트던 중에 마침 승지였던 조충희(趙忠熙)에게 은밀히 내통하기로 수작이 되었다. 조충희가 환향하기 위해 가산을 정리하고 있다는 소문을 요지간에 듣고 있었기 때문이다. 윤태준이 찾아가서 전후 사정을 토설하니 조충희는 두말 않고 5백 민의 돈을 빌려 주었다. 그로써 보교(步轎) 한 채를 세낼 수 있었다.

2

민비는 난을 피해 비접 나가는 반가의 마님으로 꾸미고, 민씨 형제와 윤태준은 시골 가는 유생으로 꾸미고, 이용익은 가마 뒤를 배행하는 청지기로 꾸몄다. 교군 두 사람은 이근영의 집 행랑에서 비부살이하던 김성택(金聖澤)의 형제로 정하였다. 김성택은 첫번 보는 사람이 기겁하고 놀랄 정도로 호랑이 상호를 하고 있었다. 열사흗날 아침, 동자를 일찍 지어 먹은 일행은 발정하여 중랑개를 건너서 망우리로 나아갔다. 떡전거리〔餠店巨里〕에서 다시 장안리(長安里)로 되짚어 내려와 중곡리(中谷里) 아차산(峨嵯山) 등성이를 넘어 뚝도에 당도하였다. 건너편이 광주 땅 굽은다릿골〔曲橋里〕 목이었다.

한수에는 삼개·서강·노들·동작과 같은 큰 나루를 비롯하여 점말·샛강·공암진·새푸리·오목내와 같은 작은 나루도 없지 않았지만, 뚝도는 여울이 거세지 않고 도성과도 멀리 떨어져서 기찰이 눅을 것으로 여겼기 때문이다. 그러나 일행이 예견하였던 것과는 완전히 빗나가고 말았다. 도선목에는 나루질할 만한 주낙배가 셋이나 매여 있었지만 배를 타려는 도선객들도 없었고 사공들도 보이지 않았다. 팔뚝에 자자형(刺字刑)을 당한 자국이 선명한, 50줄의 사공 한 놈이 사공막을 지키고 섰다가 무작정 도선목으로 쫓아 드는 보교를 가로막고 섰다.

「어디로 가는 내행이시오? 나루질은 할 수가 없으니 돌아들 서십시오.」

사공이란 것들이 모두 뼈대가 억세 보이게 마련이지만, 궐자는 고분고분하지 않아 보이고 목자도 불뚱가지깨나 있어 보였다. 배행하던 이용익이 아닌 체하고 불쑥 물었다.

「회정들 하라니? 강을 건너려고 나루로 내려온 사람들을 다짜고짜로 밀막고 나서는 것은 무슨 홀대인가?」

사공이 힐끔 이용익의 행색을 핥으며,

「한수 물나들마다에 단강령이 내린 줄 아직 모르십니까?」

궐자가 이용익을 보고 주걱턱을 쳐들고 이죽거리고 있는데, 가마와 함께 선비 차림의 두 민씨와 윤태준이 나룻목에 득달하였다.

윤태준이 사공을 보고,

「여보게, 우린 과장(科場)으로 나갔다가 허탕을 치고 회정하는 사람들일세. 구차하게 되었네만 배를 좀 내어 주게.」

「과장으로 올랐던 유생들이든 장안 반가의 내행이시든 건네 드리지 못합니다. 단강령이 풀릴 때까지 맞춤한 객점을 찾아 행리를 벗어부치고 며칠은 지체들 하셔야겠습니다.」

「단강령이라니, 금시초문이 아닌가?」

「어허, 넘겨짚지 마십쇼. 그러시다가 팔 부러지시겠소. 장안에서 오셨다면서 세상이 뒤바뀐 것도 모르시다니, 말씀이나 될 일입니까요.」

「이 사람아, 세상이 뒤바뀐 것이 아니라 시궁에서 용이 승천을 하였다 하여도 노자가 달랑거리는 행객들을 작경들 하면 어쩌겠다는 것인가.」

사공이 제 분수 아닌 일에 아는 체하고,

「그게 모두 사연이 있는 조처입지요. 쉰네보고 박정하다 마쇼.」

「사연이 뭔가? 어디 귀동냥이나 해보세.」

「중궁전인가 민비인가 계집사람 하나 때문에 그런답디다요. 암탉이 울면 집안이 망하더라고, 쉰네 역시 선가나 챙겨서 옹색하게 끼니를 주변하고 있는 터에 이 무슨 액땜입니까. 시방 도망한 그 계집사람을 추포하려고 장안이 발칵 뒤집힌 판에 단강령 아니라 바다인들 못 막겠수.」

윤태준이 더 이상 참고 있기가 거북하였던지 두 눈을 부릅뜨고,

「천출인 주제에 언사가 괴이하고 도저하군. 감히 중궁전을 칭하여 계집사람이라니? 어디서 배워 먹은 말버릇인가.」

「나으리께서도 민문에서 식객 노릇 하시었소? 그들과 막역하신

56

사이라 할지라도 이 판에 역성들고 나오시면 신상에 좋지 못한 법입니다요.」

「민문인지 대문 안의 글월문인지 아는 바가 없네만, 네 언사가 성은을 입고 있는 백성으로선 대단히 방자하고 뒤숭숭하여 멸구당하기 십상이구먼. 아무리 미욱한 천례이기로서니 어찌 그럴 수 있는가?」

「쇤네가 성은을 입어요? 내 팔뚝을 한번 보시구나 말씀하슈. 남의 시게 자루 하나를 내 것인 줄 알고 마소에 실었다가 이와 같이 팔뚝에 자자까지 당하고 사람 행세를 못하게 되었소. 이러구두 성은이 무슨 악명이시오? 차제에 민비인가 뭔가 쇤네 눈앞에 나타났다 하면 아주 요정을 내고 싶소이다.」

사공이 말대답을 제법 뇌까리고 있자, 이번엔 민응식이 팔을 부르걷고 나서려는 판에 이용익이 가로막고 나섰다.

「여보게, 나 좀 보세나.」

사공이 눈짓으로만 왜 그러냐고 물어보았다.

「자네와 은밀하게 상의할 일이 있어서 그러니, 어디 호젓한 곳으로 가세.」

사공막에서 활 한 바탕이 못 되는 상거에 웃자란 실버들 숲이 보였다. 이용익이 턱짓으로 버들 숲을 가리키자 사공은 패설을 거두고 뒤따라 나섰다.

버들 숲 초입에 이르러 이용익은 괴춤을 헐고 전대 하나를 풀어서 통째로 뒬자에게 안겼다.

「저기 보교에 앉아 있는 내행은 장안에서도 뜨르르한다는 권신의 대방마님일세. 잡히면 끌려가서 물볼기나 맞고 흙다리[圯橋] 참(斬)터나 군기시(軍器寺) 참터에 끌려가서 효수를 당할 처지이긴 분명하네. 자네가 이 사실을 고변한다면 팔자를 고칠 만한 상급을 받게 될 것이네. 그러나 이 전대에 든 돈만 하여도 상급에 못지않을 것이니 이걸 넣고 배 한 척을 내어 주게나. 자네만 입 닥치고 있으면 그만일 것, 우리가 어디 가서 밀도선(密渡船) 탄 사실을 토설하겠는가. 선가는 따로 치러 줌세.」

그만한 거금의 용채를 받아 본 적이 없던 것은 물론이요, 구경조차 해본 일이 없던 사공놈의 두 눈깔이 허옇게 뒤집혔다. 평생을 포촌(浦村) 나룻목에서 뒹굴어 보았자, 이만한 거금을 만져 볼 수는 없었다. 궐자는 덜덜 떨리는 손으로 전대를 받아 쥐고는 윗머리의 갈밭 사이를 가리켰다. 이용익이 다시 한마디를 잊지 않았다.

「전대는 사공막까지 가져가지 말고 자네가 지니게. 동패들이 눈치 채면 자네 신상인들 온전하겠는가.」

「염려 놓으십시오. 제 뱃구레에다 차지요.」

「잘하였네.」

일행에게 돌아온 이용익은 눈짓하여 갈밭머리로 가마를 옮기도록 하였다. 민응식은 인정전으로 전대째 내준 것을 알아채고는 모색이 하얗게 질렸다.

「낭패로세. 전대째 내주고 나면 또 어디 가서 내왕 부비를 구처한단 말인가.」

「궐자에게 고변을 당하는 것보다야 낫지 않습니까.」

「낭패로세.」

이용익의 주변하는 처사가 적이 못마땅하였지만 모두들 가마 뒤를 따라 갈밭 속으로 기어들었다. 갈밭 사이에는 과피선 한 척이 겨우 잇대였다. 빠져나갈 만한 뱃길이 빠끔하게 나 있었다. 보아하니 잠상꾼들이 밀도선을 잇대던 곳이었다. 배가 갈밭 사이를 벗어나자 사공놈이 연방 가마 쪽으로 시선을 떨구다간 뱃전 가녘에 쭈그리고 앉은 교군 두 사람에게,

「거 궁금하오. 가마 속이나 한번 보십시다.」

「그런 무례한 언사 말고 입 닥치게. 반가의 내행을 훔치다니.」

「딴 배포가 있어서가 아니오. 궁금해서 그런 거지.」

「댁이 아무리 뜯어본다 하여도 중궁전은 아니니 염려 놓으시오.」

「중궁인지 민비인지 잡았다 하면 십만 민의 상급을 내린다 하오.」

「십만 민이나!」

「그 화근덩어리를 없애기 전에는 홍선 대원군이 발 뻗고 주무시지
못하겠으니 십만 민을 아끼겠소?」

「댁은 대원위 대감을 한 번 본 적도 없을 텐데 보지도 못한 사람
심사를 산적 꿰뚫듯 보는 재간은 용하구려.」

「광나루에서 나루질이나 해먹고 살아가는 천례라고 너무 깔보지
마슈. 나도 저 가마 들치고 들여다보기만 한다면 내행이 중궁전인
지 반가의 대방마님인지 당장 알아낼 안목은 갖고 있다오.」

「댁이 옛날엔 민문의 줄행랑에서 비부를 살았소?」

「풀쐐기한테 쏘인 황소 모양으로 갈팡질팡 뛰면서 살아온 내력을
풀자 하면 구차하다오.」

「구차하단 넋두리 구태여 헐려 들지 말고 노질이나 바로 하게.」

이용익이 길게 나가려는 사공의 넋두리를 뚝 자르면서 핀잔을 주
었다. 향 한 대 피울 참이 조금 넘어 배는 광주(廣州) 고을이 되는 굽
은다릿골〔曲橋洞〕 나룻목에 잇대였다. 맨 나중에 배에서 내린 이용
익은 사공이 몽깃돌 내리고 배 매기를 기다렸다가 궐자를 손짓으로
불렀다.

이용익의 조짐머리가 마음에 들지 않았던지 궐자는 떨떠름한 낯
짝이 되어,

「어디로 가잔 말씀이슈?」

「저기 다소 호젓한 곳으로 가세.」

「여기나 저기나 내왕 없긴 마찬가지입니다. 잽싸게 선가만 건네주슈.」

「눈치 없는 사람이로세. 혹여 우릴 눈여겨보는 안목이 없으란 법이 어디 있나. 저만치 버들 숲 있는 쪽으로만 가세.」

버들 숲으로 숨어들었다 싶자, 이용익이 다시 괴춤을 헐고 염낭을 뒤져 사슬돈을 헤아리는 중에, 거동을 바라보고 서 있는 사공의 등 뒤로는 교군 둘 중에 형님뻘인 김성택이 허리에 감추었던 요도(腰刀)*를 빼내 들고 뒤축을 죽이며 다가서고 있었다. 이용익이 선가를 사공에게 건네주려다 말고 갑자기 밭은기침을 내쏟기 시작하였는데, 그 순간 김성택이 바람처럼 몸을 날려 사공의 뒷덜미에다 깊숙이 요도를 꽂았다. 욱 하고 눈자위를 허공에다 걸며 한 손으로는 이용익의 어깨를 잡던 사공의 엄장 큰 몸뚱이가 발아래로 쓰러졌다. 이용익은 사공이 쓰러지기 전에 재빨리 궐자의 뱃구레에 손을 넣어 도선목에서 건네주었던 전대를 풀었다. 이용익은 전대를 되찾아 뱃구레에 동이고 난 뒤에 칼 맞은 궐자를 가만히 내려다보았다. 삽시간에 당한 횡액이라 명부에서 미처 거두지 못한 탓인지 궐자는 두 눈을 부릅뜨고, 전대를 동이고 있는 이용익을 멀거니 쳐다보고 있었다. 찔끔한 이용익은 교군 김가에게,

「이 사람, 경황중에 이렇게 설잡아 놓으면 어떡하려는가.」

「그놈, 용채에 미련을 거두지 못해 그런가 봅니다. 염려 놓으십시오. 끌고 가서 생매장을 시킵죠. 죽고 나면 여섯 자인데 어려울 것이 없지요.」

김가가 시신을 풀밭 위로 질질 끌고 가는 것을 기다려 이용익은 궐자가 짚었던 왼쪽 어깨를 툭툭 털었다. 김가가 돌아오기를 기다려

---

*요도: 병기 가운데 허리에 차던, 칼집 없는 칼.

일행은 가마를 다시 과피선으로 옮겨 싣고 한강을 거슬러 노를 젓기 시작했다. 사람 목숨 결딴낸 것을 맨 먼저 알아챈 것은 민응식이었다. 물결을 따라 오르고 있는 배의 요동에 몸을 맡기고 앉았던 민응식이 이용익을 보고 불쑥 묻기를,

「고을에서 나온 군교들이 범증을 알아채기라도 한다면 우리 노정이 순탄치 않을 것이네.」

이용익은 김가가 시신 매장하는 것을 구경도 않았지만, 겁 많은 민응식의 어취에 배알이 뒤틀려 핀잔하는 투로,

「천행 되살아난다면 우리가 당해야겠지요. 그러나 깊이 파고 매장했으니 발각이 되더라도 사나흘 뒤가 될 것입니다. 전대를 되찾고 멸구를 하자면 그 수단밖에 더 있겠습니까.」

「미천한 것들이라 하나 사람의 모가지를 그렇게 실없이 떨구는 법이 어디 있는가. 그러다가는 우리조차 벼락 맞히겠네.」

「궐자를 살려 두었다가 우리가 실없이 당할 땐 어찌하시렵니까.」

「발모가지나 분질러 놓지……..」

「발모가지 분지르는 데는 두 사람이 거들어야 하지만 황천으로 보내는 데는 상것 하나면 되지 않습니까. 발모가지를 분질러 놓으면 입정은 되레 승한 법입니다.」

「어쨌든 그런 일은 독단으로 주선할 일이 아니니 차후로는 수의해서 하세.」

네놈 사대부들이란 수의다 공론이다 해서 세월 다 보내는 것 아니냐고 맞대고 삿대질하려다 말고 이용익은 입을 다물어 버렸다. 그래도 민응식이며 윤태준이 영 마뜩찮아하는 기색이라,

「진도의 사공들이란 것이 본래 군영이나 진수군들의 간자 노릇으로 수월찮은 군돈을 우려내는 부류들이 아닙니까. 우리가 내준 전대를 챙겼다 하여 그놈이 우리가 밀도선 탔다는 것을 관부에 고변

안 할 것 같습니까. 너 죽고 나 살자는 판에 졸가리 따질 겨를이 어디 있습니까.」

내려오는 배들이 바라보일 적마다 그들은 모래톱이나 갈밭 사이에 배를 대고 숨어야 했다. 배에서 내려 내륙으로 가는 내행처럼 꾸며 보이기도 하였다. 배를 모래톱에 잇대었을 때 가마의 휘장이 들쳐지면서 사기로 만든 매화틀이 가만히 밖으로 내밀렸다. 가녘이 철철 넘치는 매화틀을 받아 든 김성택이 소피의 색깔을 보자 하니 피멍울이 섞여 있었다. 중전의 심려가 적지 아니하다는 것은 그로 인하여 짐작하고도 남았다. 매화틀을 콩밭에다 뿌리고 돌아와 보니 민비는 행기를 한답시고 뭍에 내려와 있었다. 연자주 항라에 비친 중전의 신기가 몹시 수척해 보였다.

「일색은 이토록 화창하고 연도에 기화요초는 피어나지 않은 것이 없고 또한 모두 그 짝을 갖추었습니다만 내 심기는 왜 이렇게 어두울꼬.」

민응식이 국궁하고 서 있다가 배를 가리키며,

「중전 마마, 어서 오르십시오. 잠시도 지체할 때가 아닙니다.」

「너무들 재촉 마오. 아무리 근력이 있다는 장정들이라 하나 저들도 교군질에 노질에 어찌 힘들지 않겠소?」

민비는 논둑으로 다가가서 강아지풀 한 가지를 꺾어 들었다. 문득 옛날의 소꿉 놀던 주내(州內) 고을 능촌(陵村)의 아해들이 떠올랐다. 손바닥에 침을 뱉고 강아지풀꽃을 얹고 강아지를 부르던 그 아해들은 지금의 자기처럼 모두 지어미들이 되어 있을 것이었다. 민비는 서둘러 과피선의 가마로 올랐다. 가마 안으로 고개를 디밀자 하니 발치에 민들레꽃 몇 송이가 떨어져 있었다. 민비는 민들레를 거두어 들었다. 뒤에 김성택이 뱃전을 짚고 서 있었다.

「네가 꺾었더냐?」

「예.」

「내게 주려고 그리 하였더냐?」

「예.」

「가상하다. 나로 인하여 네 일신의 앞길이 어찌 될지 모르는 터에, 남을 돌보아 보살필 수 있는 여유를 갖다니. 너와 내가 처음 만난 지금 서로 심중의 앙금을 꿰뚫어 볼 수가 있다니 놀라운 일이다. 내 어찌 이때까지 반상의 명분이 따로 있다고 여겨 왔을꼬.」

교군 김가의 흉중을 꿰뚫어 볼 수 있었던 것도 열두 살까지 여주의 능촌에서 어린 시절을 보냈기 때문이 아니었을까 하였다.

한 가닥 고향에 대한 정의가 민비의 가슴에 피어올랐다. 하지만 이미 그곳에서는 민비를 기다리고 있는 대소가 사람들도, 은신처를 내줄 동기간들도 없었다. 배를 계속 저어 그들은 배개〔梨浦〕에 당도하였다. 배개에서 과피선을 버리고 사뭇 강변을 따라 내려와서 여주 읍치를 비켜 주내 고을 능촌까지는 2백 리 상거에 사흘이 걸렸다.

은신할 곳으로 겨냥했던 집은 능촌 민영위(閔泳緯)의 향제(鄕第)였다. 민영위가 없었으니 청지기만을 상종하여 사흘을 묵었다.

처음부터 빈객이 민비임을 알아챈 청지기는 사흘 밤낮을 낯짝에 노랑꽃을 피워 가지고 안절부절못했다. 민응식이 수상히 여기고 궐자를 불러 담판을 하였다.

「내가 묻는 말에 숨김없이 대답해야 하네. 바깥의 소문이 좋지 아니한가?」

청지기는 그런 말을 묻기를 기다리기라도 했던 것처럼,

「나으리께서 기탄없이 토설하시란 분부 있으셨으니 말씀입니다만, 여긴 마땅한 은신처가 아닌 줄 압니다. 능촌이 중전 마마의 태생지인 데다가 또한 민문들이 여럿 살고 있으니 조정에 중전 마마께서 은신하고 계시다는 게 탄로 나는 날엔 민문 모두가 멸문을 당하겠으니 그 화가 하늘에까지 미칠 것 아닙니까.」

「병아리가 어미 닭의 깃을 찾아들었는데 이런 문전 박대가 어디 있는가. 색책으로라도 감히 그것을 내색할 수 없지 않은가.」

「쇤네야 빈집이나 지키는 청지기일 뿐 다만 길목에 떠도는 소문을 전해 드릴 뿐입지요. 중전 마마 때문에 멸문을 당한다 하면 대소가 어느 누가 좋아하겠습니까. 시방 마을에서는 끼니조차 끊이지 아니하고 중전께서 떠나시지 아니하면 자기들이 떠나야 한다고 공론들이 돌고 있습지요. 또 정작 그렇게 할 조짐들이 없지 않습니다.」

「강상에 이런 폐단이 없구나.」

「병아리가 어미 닭의 깃을 찾았다 하나 중전 마마께선 이미 어미 닭의 병아리가 아니지 않습니까. 민문뿐만 아니라 여항의 백성들 모두가 이번 난리는 중전 마마 때문에 일어난 소동으로 알고 있습니다요. 다시 환궁하실 가망은 고사하고 이미 명자깨나 있다는 화공들 손을 빌려 그린 중전 마마의 용모파기를 근기 지경 군교들이 유진하고 있는 복처마다 깔았다 하더이다. 또한 민문의 재상들이 여럿 횡액을 당하였으니 이 모든 액회가 모두 중전 마마의 명특으로 비롯된 것이라고 원성들이 자자하답니다.」

「몹쓸 것이 인심이로고. 중전께선 일찍이 사가(私家)에 빠지셔서 민씨 성을 가진 인사라면 멀고 가까운 것을 가리지 아니하여 불과 몇 년 만에 그 여력이 시골의 벽향에까지 미치어, 민가 성을 가졌다 하면 모두가 의기양양하고 기세가 당당하여 길 가는 사람을 물어뜯는다 하여도 감히 그 세력을 기탄할 수가 없을 정도로 부추기었건만, 오늘에 이르러 타성바지도 아닌 민문의 소생들이 다소간의 화를 입었다 하여 홀하게 대하니 이 수치와 오욕을 앞으로 어찌 갚으려들 하는가.」

「나으리, 쇤네에게 타박은 마십시오. 쇤네가 지어낸 사설은 아닙니다요.」

「할 수 없지. 척간의 인심이 이토록 각색한 터, 타성바지들에게 어찌 환접을 바라겠는가.」

민응식은 분연히 자리를 털고 일어났다. 민응식이 또한 거처를 옮기시어야겠다고 말했을 때 민비는 조금도 놀라지 않았다. 문중에 떠도는 소문이 어떠하리란 것을 미루어 짐작하고 있었기 때문이다. 전접할 곳이 이토록 마땅치 못하단 말인가 하고 한마디쯤 넋두리 삼아 내뱉는 법도 없었다. 그날로 치행하여 일곱 사람은 다시 길을 뜨기로 하였다.

능촌을 떠나 점봉골〔店峯里〕로 빠져나오면 여주에서 장원촌(長院村 : 長湖院)으로 빠지는 한길과 만났다. 그곳에 술막질하는 집이 대여섯 채 보이었다. 마침 행객들도 뜸한 데다가 중화도 않고 민영위의 집을 하직한 터라, 숫막집 뒤껼에다 가마를 내린 남정네들은 술청 쪽으로 나아갔다. 그때 한 여편네가 무턱대고 가마 쪽으로 달려들더니 무작정 휘장을 덜썩 젖히고 무엄하게도 가마 속으로 고개를 쑥 디밀었다.

화들짝 놀란 민비가 두 눈을 크게 뜨고,

「이 어인 무엄한 일인가?」

하고 하대로 핀잔하자, 제법 당차 보이는 여편네는 핀잔을 듣는 둥 마는 둥 하고,

「에그, 옥골선풍이시네. 반갓집 내행이신가 짐작은 했습니다만 어디로 작로 중이십니까요?」

헤집고 기어드는 품이 수월하게 물러날 것 같지 않았다. 민비가 뛰는 가슴을 겨우 진정하고,

「서울 장안이 하 어수선하여 향리로 비접 나가는 길이라네.」

민비가 얼른 둘러대는 말에 여편네가 어련하실까 하는 투로 입귀를 비쭉하면서,

「그러시겠지요. 그 자영[閔紫英]인가 민비인가 하는 년 때문에 대갓집 귀하신 마님네가 이 고초를 겪으시는구려. 장안에서 내로라 하시는 사대부 집 대방마님의 몸가축이며 모색은 어떠한가 궁금하던 차에 이렇게 뵈어서 소원을 풀었습니다만, 타관길 행역이 보통 아니시겠습니다요.」

　민비가 조바심을 누르고 겨우 태연한 체하며,

「자영이가 누구인가?」

「자영이가 민비의 아명이 아닙니까. 자영이와 소꿉 놀던 아이들 중 이곳으로 출가한 이들도 여럿 있습죠만, 소문이 어릴 적부터 앙큼하고 영악하기로 고을에 이름이 났다 하더이다. 그러더니 기어코 이 난리를 피웠군요.」

　여편네가 아예 가마목 위로 엉덩이를 디밀어 붙이며 한바탕 긴 사설을 늘어놓을 조짐인 데다가, 구경났네 하고 삼이웃의 여편네들을 죄다 불러 모으기라도 한다면 이젠 끝장이다 싶었다. 민비는 등줄기에 땀이 괴는 것을 느꼈다. 때마침 짠지쪽을 으적으적 씹으면서 술청 모퉁이를 돌아오는 김성택이 보였다. 기겁을 한 것은 김가도 마찬가지였다. 김가는 사태가 매우 위급하게 되었다는 것을 대뜸 알아챘지만 침착하게 다가와선 진대를 부리고 있는 여편네는 거들떠보지도 않고 민비더러,

「마님, 어쩐 일이십니까?」

하고 너스레를 떠는 것이었다. 근본이 미천하다 하나 사태를 수습하는 솜씨가 저만하면 환로에 올려놓아도 그릇 될 만하다는 짐작까지 들면서 민비는,

「이 아낙이 서울 대갓집 아녀자를 처음 보았다 하여 구경을 시키

고 있다네.」

「자상하게 일러 주시었습니까.」

「갈 길이 바쁜 터에 가당한가. 다만 눈요기나 시키고 있을 뿐이지.」

히쭉 웃던 김가는 그참에 이르러서야 여편네에게 말문을 열었다.

「눈요기는 그만하면 되겠소. 이제 발행해야 한다오.」

「에그, 박절도 하셔라. 자영이년 못된 소식이나 듣자 하였더니 훼방 놓을 게 뭐람.」

여편네가 못내 아쉬워하면서도 비켜나 주었기에 망정이었지 끝내 민주를 대고 나서기라도 했다면 큰 사단이 벌어질 뻔하였다.

일행은 쏜살같이 객점거리를 떴다. 그곳에서 10리 행보의 산등 길을 돌아서 우교(牛橋)머리에 닿았고, 덕곡(德谷)과 노탑골〔老塔里〕을 잇는 청미내〔淸美川〕 개활지로 뻗은 20리가 실한 자갈길을 미친 듯이 굴러 내려와서 충주목(忠州牧)인 장원촌에 당도한 것은 6월 스무하룻날 밤 해시(亥時)께였다. 민응식의 삼촌 집이 장원촌의 청미천변에 있는 뫼산〔馬山〕 아래 자리 잡고 있었다.

민씨의 저택에 당도한 일행은 모두가 기진하여 개호주가 뒤쫓아 온다 하여도 더 이상의 행보는 떼어 놓을 기력이 없게 되었다. 민씨는 몸채에서나 바깥채에서나 간에 불을 켜지 아니하고 일행을 맞아들였다. 이웃에서 혹여 눈치라도 챌까 봐서였다.

민씨의 집 앞 한터에는 괴목이 줄지어 서 있고 행랑을 들어서면 왼편에 외당이 바라보이고 내처 안으로 들어서면 줄행랑이 다시 좌우로 벌리었고 줄행랑 안쪽으로 남향의 몸채가 덩그렇게 버티고 서 있었다.

민비가 몸채 대방에 좌정한 지 오래지 않아서 위의를 정제한 민응식의 늙은 삼촌이 보석(步石)* 아래로 부복하며, 중전 마마라 부르지

는 않고,

「잘 오셨습니다. 이곳은 기거하기 좋은 곳이니 되돌아가실 때까지 편히 쉬십시오.」

민비가 계상(階上)으로 올라와 평신(平身)*하라 명하고, 올라오기를 기다렸다가 나지막한 말로,

「액회에 떨어져 풍상을 겪고 있는 나를 환접하시니 이토록 고마울 데가 없구려. 경황중에 말이 빠르나, 그래 경모(京耗)*는 들어 보시었소?」

「신이 원래 기성(記性)이 모자라는 데다가 물루(物累)*와도 인연을 끊은 지 오래되는 터입니다. 자연 대문을 닫고 지내는 일이 많고 소솔(所率) 또한 단출하고 몇 안 되는 수하의 종복들도 울 밖 출입이 잦지 못하여, 시색(時色)의 흐름을 모르고 지내는 형편입니다. 박만(撲滿)*의 신세나 진배가 없지요.」

「망족(望族)의 문벌에다 한번 보아도 달상(達相)이시라 가히 규지(揆地)*에 오를 만하신데 이렇게 산협에 묻히어 계시는 분도 없지 않구려.」

「신같이 손열하여 성화(聲華)도 없어 같잖은 속유를 두고 덕담이시니 망극이오나, 예까지 당도하실 동안 혹여 선훈(船暈)*이나 작경은 없었는지 궁금합니다.」

「배행하는 분들이며 교자꾼들이 뫂을 다하시어 일호 불편한 것이

---

*보석 : 섬돌.
*평신 : 엎드려 절한 뒤에 몸을 그전대로 폄.
*경모 : 서울 소식.
*물루 : 몸을 얽매는 세상의 온갖 괴로운 일.
*박만 : 푼돈을 넣어 모으는 데 쓰는 조그마한 저금통.
*규지 : 의정(議政)의 지위.
*선훈 : 뱃멀미.

없었다오.」

「혹여 신의 우거에 모시는 동안 실수가 있다 하여도 소대하신다
꾸지람 마시기 바랍니다.」

「알겠소. 내 시골집에 내려온 것보다 심기가 편한 터에 더 이상의
무엇을 바라겠소.」

겉으로도 피로한 기색을 보이지 않을 뿐만 아니라 사색(辭色)*에
서도 망측한 신세 된 것을 나타내려 하지 않으시니 오직 고맙고 감
읍하여 민응식의 삼촌은 한 방울 눈물을 도포 자락에다 떨구었다.

3

그날 밤 행랑에서 새우잠을 잔 이용익은 이튿날 새벽에 발행하여
양근 땅으로 떠났다. 장원촌에서 양근 고을까지는 60리 빠듯한 길이
라 중화 전에 김 오위장의 집에 당도하였다. 놀라운 사실은 민영익
이 그때까지 김 오위장의 집에 엎디어 있었다는 것이다. 세상에 이
렇게 무심한 분도 있는가 하여 이용익은 잠시 할 말을 잊어버렸다.
이근영의 집에서 천만의외에도 중전을 뵙고 장원촌까지 배행하고
돌아온 이야기를 가만히 듣고 앉아 있던 민영익은 다만 크게 한숨만
내쉬었다.

「나룻목이며 통구마다 기찰이 깔렸을 터인데 영애처(嶺隘處)*를
잘도 피해 장원촌까지 내려가시었구먼. 어쨌든 중전 마마 무사하
시다니 그런 천행이 없네.」

「대감, 왜 말씀을 외대기만 하십니까. 대세를 돌려 앉히지 못한 데
는 대감께도 불찰이 없지 않습니다.」

---

*사색 : 말과 얼굴빛을 아울러 이르는 말.
*영애처 : 산령의 험하고 좁은 곳, 또는 빠져나가기 쉽지 않은 곳.

「내가 어찌 그걸 모르겠나.」

「알고 계시다면 약조하신 날짜에 대어 오시지 못한 연유나마 말씀을 하시어야 하지 않겠습니까.」

「자네, 내 머리 깎은 것을 가만히 보게. 짚이는 구석이 없는가?」

「대감께서 머리를 깎은 것은 일시 난군들의 기찰을 피해 보시자는 것이었는데 무엇이 잘못되었습니까.」

「내가 여러 사람들 앞에 나서지 못한 연유가 바로 거기에 있다네.」

「시생은 알지 못하겠습니다.」

「그럴 테지. 도붓쟁이들이란 눈치 하나로 명을 부지하는 부류들이 아닌가. 내가 난군들과 정면으로 대적하지 못하고 중으로 가장하려고 머리까지 깎은 것을 알게 된다면 그들이 나를 믿고 따르겠는가. 떳떳하지 못한 명분에 어찌 무리를 이끌 수가 있겠으며 따를 자가 또한 누구이겠는가. 다급한 김에 중으로 가장했던 것이 불찰이었다네. 게다가 장시에 왜물이 쏟아져 나와 저들의 거래가 폐해를 입고 있는 터, 그 폐해가 왜국과 통상을 주선한 조정의 상신들에게 있다고 믿고 있는 터에 내 몇 마디 변설로 그들이 쉽게 부동할 리도 없지 않겠는가. 이로써 우리가 그들의 힘을 빌릴 수가 없을 것이로세. 오히려 간사하고 비겁하다 하여 나를 척살하려 들었을 것이니 가지 않았던 것이 되레 목숨을 건진 일이 아니겠는가.」

「대감께서 오시지 않으셨다 할지라도 중도에서 길목을 가로막고 작경에 훼방을 놓은 자만 아니었다면 장안의 난도들을 칠 수 있었을 터인데, 다만 그것이 분통 터지는 일이지요.」

「훼방하는 부류가 있었다니, 어느 처소의 누구인가?」

「송파와 다락원, 그리고 솔모루하며 평강의 쇠전 마당을 한 손에 쥐고 주무른다는 소문이 난 천봉삼이란 쇠살쭈가 있습니다. 시생과도 몇 번 안면이 있긴 합니다만, 그 위인이 동교로 내려가는 길목을 막고 무리들을 되돌려 세우거나 인근의 장시로 쫓고 있었습지요.」

「그자가 무슨 앙심으로 훼방을 놓더란 말인가?」

「대원위를 속으로 은근히 두호하고 있을 뿐만 아니라, 동래포와 원산포를 왜국에 열어 준 이후로 그들의 물화가 저자에 넘치어 미욱한 백성들의 눈을 어지럽히고, 나루와 포구를 통하여 왜국으로 실려 가는 곡식들 때문에 경향의 곡가가 다락같이 올라 유민이 생길뿐더러 굶어 죽는 자가 늘게 되었다는 죄책이, 모두 벼슬아치들의 투정과 탐학에 있다고 여기는 자입니다.」

「그놈, 분수 모르고 날뛰기는 굶은 새벽 호랑이 따귀 치려고 덤빌 놈이 아니냐. 상감이 계시고 조정에 당로한 재상들이 살아 있고 의정이 있는데 일개 성명없는 쇠살쭈란 놈이 그 무슨 망발인가. 그런 놈들이 감히 정사에 간섭하려 들다니, 나라가 그래서 망조가 든 게 아니냐. 그래, 그놈을 성하게 살려 보냈더란 말인가?」

「시생이 오히려 그 작자의 호의로 살아 나왔습지요.」

「내 장차 그 발칙하고 방자한 놈을 그냥 두지 않으리.」

장차는 대세가 돌아앉아 천봉삼을 잡아 엎칠 방도가 있겠다 할지라도 지금 당장은 어금니를 갈아붙이는 것으로 분기를 삭이는 수밖에 없었다.

「기왕 대세가 이렇게 된 것은 어찌할 수 없는 노릇, 대감도 지금에 이르러서는 도류안에 올라 있음 직한데 영애처를 피해 장원촌으로 내려가시는 게 득책이 아니겠습니까.」

「마마를 뵈온들 눈물밖에 짜낼 것이 있겠는가. 신세가 하루아침에 이런 꼴이 되다니.」

「혹여 밀유(密諭)라도 계실는지 모르지 않습니까. 달려가시어 승안(承顔)하시도록 하십시오.」

「이 앙갚음을 어찌할꼬. 가서 대후(待候)한들 무슨 도리 있겠는가.」

등을 떠밀듯 하여 민영익을 장원촌으로 떠나보내었다. 이용익은 서울로 잠행하여 장안의 공기를 염문하여 나중 장원촌으로 내려가기로 하였다. 양근에서 하룻밤을 묵고 서울로 올라갔다. 연도에서 서울로부터 떠나온 행객들이 자주 눈에 띄었는데 승교바탕을 탄 내행들이며 사대부들이 많았다. 홍인문에 당도해 보니 드나드는 내행들은 엄중하게 검색했으나 남정네들은 몇 마디 물어보고 보냈다. 그런데 놀라운 사실이 있었다. 홍인문을 거쳐 첫다리 어름으로 해서 두다리〔二橋〕 근처로 행보하자니 길가에 백립(白笠)을 쓴 자들이 여럿 보이는 것이었다. 그렇다고 아무나 잡고 연유를 물었다가는 수상한 자로 지목되기 십상인지라 비쭉거리고 곁눈질하며 배우개 쪽으로 내처 걸었다. 배우개 저잣거리를 막 벗어나려 할 때였다. 스물두어 살이나 되었을까, 얼굴 모색이 암팡지게 생긴 떠꺼머리총각 한 놈이 어디서인지 불쑥 나타나서 아주 공손하게 인사를 개어 올렸다. 아무리 모색을 뜯어보아도 안면이 없었다. 이용익은 나직이 물었다.

「넌 누구이기에 초면인 내게 이렇게 공손하게 구느냐?」

총각이 눈알을 굴리어 주위를 경계하는 눈치더니,

「나으리를 뵙고자 하는 분의 심부름으로 온 방자일 뿐입니다요.」

「너를 방자 놓은 분이 누구더냐?」

「그분 존함이 대동청* 창관으로 주변하시는 길 아무개라 하더이다.」

「길소개라 하더냐?」

「길 아무개라 하더이다.」

「그분이 지금 어디에 있느냐?」

총각이 고개를 외로 꼬고는 대여섯 칸 뒤쪽에 있는 고샅을 턱짓으

---

* 대동청 : 조선 시대에, 선혜청에 속하여 각 도의 대동미를 관장하던 지방 관아.

로 가리키며,

「저쪽 실골목에서 기다리고 계십지요.」

길소개가 이 난리통에 처참을 당하지 않고 살아 있다는 것이 도대체 믿어지지 않았다. 이용익은 주저하지 않을 수 없었다.

원래가 꾀보인 데다가 위기를 모면하는 술수에 능한 위인이란 것은 소상하게 알고 있었지만, 궐자가 이 북새판에서도 등시 색출을 당하지 않고 모가지를 온전하게 달고 다닌다는 것은 놀라운 일이었다. 또한 어디서부터 뒤를 밟고 있었던 것일까. 어찌 되었거나 명분과 처지가 달랐지만 지금에 이르러서는 신분을 숨기고 잠행하고 다녀야 할 입장은 똑같았다. 꺼림칙하긴 하였지만 총각을 따라 고샅으로 들어서자 백립을 쓴 길소개가 담 아래 쭈그리고 앉아 있었다.

총각놈에게 용채를 건네 멀리 내쫓은 다음, 웬일이냐고 퉁명스럽게 물었다. 몰골을 보자 하니 백립은 시궁에 버려진 것을 주워 쓴 듯하고 옥색 도포는 때가 묻어 쑥색이 되었고 소매는 기름때와 땀이 배어 체통이랄 수가 없었고 미투리의 뒤축은 닳아 없었다. 행색이 가히 거러지였다.

「족하께선 어디로 가시는 길이오?」

하고 묻는데 양치 못한 입에서 풍기는 구린내가 코를 못 댈 지경이었다.

「내 가는 길 대답하기 전에 그 백립은 어쩐 일이오?」

「중전 마마께서 난리통에 군정들 손에 승하(昇遐)하시어 국상을 치러야 한다고 국상도감(國喪都監)을 설치하고 백성들은 국상이 끝나는 날까지 백립을 쓰고 망곡(望哭)하라는 영이 내려졌지요.」

문득 그럴 리가 없다고 손을 내저으려다, 아차 한 이용익이 고개만 끄덕이며,

「망극이구려. 중전 마마 시신은 어디에 모시었다 하오?」

「시체조차 찾을 길 없이 된 모양입니다. 아마 난군들이 시궁에다 버렸거나 각을 뜬지도 모르지요. 시신 대신 중전 마마의 의대(衣帶)*만을 관에 모셔 놓고 국상을 치를 모양입디다.」

「그것이 정말이오?」

「제가 가보지는 못하였습니다만 명정전(明政殿) 뜰을 망곡처로 정하고, 환경전(歡慶殿)을 빈전(殯殿)으로 하고, 총호사(總護使)*에 영의정 홍순목(洪淳穆)을 차정하였다 합니다.」

이용익은 몰래 쓴웃음 짓고 있다가 길소개에게 불쑥 묻기를,

「창관께선 시색을 가리는 눈치가 빠르시고 눈썰미도 보통이 아니란 소문은 듣고 있었습니다만 이 북새판에 용하게 명을 부지하시었구려. 가솔들도 모두 무사하시오?」

「가솔들이 어디 있기나 합니까. 시생은 원래 혈혈단신이 아닙니까. 내자 되는 사람이 있었던 것도 아니요, 그렇다고 신실한 피붙이가 있었던 것도 아니지요.」

「그랬던가요. 그러나저러나 나 또한 신세가 시중을 활보할 수 있는 처지가 아니란 것을 창관께서도 짐작하고 있을 터, 어디서부터 내 뒤를 밟으셨소?」

길소개가 그 말에는 당장 대꾸를 않고 말머리를 돌려서,

「서로 보필하던 이는 달랐습니다만 민겸호 대감이나 민영익 대감이나 중전 마마의 총애를 받으시던 분들이 아니었습니까. 신세가 이렇게 되고 보니 신실한 반연도 찾을 길이 없군요. 홍인문 어름에서 이틀을 지켜본 끝에 족하를 발견하고 뒤따라왔습지요. 마땅한 은신처가 있다 하면 나 또한 좀 거두어 주십시오.」

「나를 반연으로 취하시니 황감이오만 은신처가 없어 떠돌아다니

---

* 의대 : 갖추어 입는 옷차림을 이르는 말.
* 총호사 : 국상(國喪)에 관한 모든 의식을 총괄적으로 맡아보던 임시 벼슬.

기는 두 사람이 마찬가지요. 나도 장안 소식이나 듣자 하고 어슬렁거리는 중이니 처지가 남을 도울 수 있는 지경이 아니라오.」

그때 길소개는 이용익의 손을 덥석 싸잡고 부르르 떨면서,

「형장께선 발뺌하고 계시는구려. 마땅히 은신처를 두고 출입하실 터인데 어찌 이토록 박절하게 구신단 말입니까. 한통속으로 고초를 겪고 있는 인정과 도리에 어찌 이토록 매몰차단 말입니까.」

이용익은 그러나 못 본 체하고 냉담하게 뇌까렸다.

「지금쯤은 검색도 늦어졌을 것이니 마땅히 댁으로 돌아가시어서 수하들을 부추긴다 하면 은신처를 찾을 수 있을 것이 아니오? 탑골에 떡 벌어진 저택을 가졌다는 소문은 나도 들었소. 댁으로 돌아가시면 체통에 합당한 대접을 받으실 것 아니오?」

「시색에 어두운 말만 골라 하시는구려. 시방 민심이 뒤죽박죽이라, 만약 집으로 들어간다면 가령(家令)들이 당장 금부에다 나를 고변하고 말 것이오. 난들 탑골에 집 있는 걸 잊었겠소.」

「상전의 지체라 한들 평소에 수하들에게 덕을 쌓고 척간이나 이웃에 인심을 얻어야 할 것이오. 그러나 시재 당장 형세가 딱하게 되었구려.」

「내 신세가 말이 아닙니다. 소도 기댈 언덕이 있어야 비빈다 하지 않았소? 민겸호 대감이 척살을 당하시고 또한 그 댁의 가권들도 사방으로 흩어진 입장이라, 시생의 딱한 처지를 소원할 곳조차 없게 되었구려. 제발 시생을 박절하게 내치진 마시오.」

체통을 고사하고 잡고 늘어지는 길소개를 야멸치게 뿌리치기가 주저되었다. 그렇다고 이 화근덩어리를 달고 나선다는 것도 내키지 않았다. 몇 번인가 주저하다가 흥회를 떠볼 심산으로,

「한 가지 방책이 없는 것도 아니구려. 형장께선 소싯적에 보부상단으로 처신하였으니 근기 지경이나 삼남에 면분 있는 객주 여각

이 없지 않을 터, 선길장수로 가장하고 나선다면 당분간은 용납이 될 터인즉 연명하실 만하지 않겠소?」

길소개가 처음엔 귀여겨듣는 듯 절에 간 새댁같이 고분고분하더니, 이용익의 말이 거기에 이르자 당장 눈깔을 부라리고 어깨를 비트적거리면서,

「사람을 펌하여도 유만부동이지 어찌 그럴 수가 있소. 내 신세가 오늘에 이르러 꼴뚜기장수 꼴이라 하나 관불이신(官不移身)*으로 관작을 누리던 사람을 면전에 두고 까붙이는 못된 야료가 어디 있소. 이미 환로에 들어 그 단맛을 본 내가 쓴맛인 줄 번연히 알면서 객리 행상으로 나설 수야 없질 않소? 족하께선 다시 잠채꾼으로 돌아가시겠소?」

핏대를 곤두세우고 공갈조로 죄고 드는 거조가 만만치 않았다. 끝내 작반하기를 내쳤다간 무슨 해코지를 받을지 걱정이 되었다. 일진이 나빠도 사태가 이만하면 초열지옥에 떨어진 것이나 진배없는 지라, 적당한 곳에서 떼어 놓더라도 당장은 내치기가 어렵게 되었다는 것을 깨달았다. 전사에 친동기간처럼 거두어 온 정리가 있어 지우(知遇)*를 줄 것도 아니요, 매사에 수작을 같이해 온 익숙한 사이도 아니었지만, 지금에 이르러 서로 약점을 같이하고 있다면 오월동주(吳越同舟)*가 되더라도 모피하기가 어렵게 된 것이었다. 두 사람은 배우개에서 내려가 종가를 거치고 육의전 행랑 지나 황토마루로 나와서 육조 아문을 기웃거리다가 천변길을 되짚어서 동교로 나왔다. 광나루로 해서 도강을 할까 하였으나 혹이나 중전 배행할 때 살변

---

*관불이신 : 오랫동안 벼슬살이를 함.
*지우 : 남이 자신의 인격이나 재능을 알고 잘 대우함.
*오월동주 : 서로 적의를 품은 사람들이 한자리에 있게 된 경우나 서로 협력하여야 하는 상황을 비유적으로 이르는 말.

저지르고 배 훔친 일이 탄로 날까 하여 망우리 쪽으로 노정을 잡을 수밖에 없었다.

망우고개를 벗어날 때까지 서로 말 한마디 주고받지 않아 꾹 다문 입에서 구린내가 날 지경이었는데, 파적을 할 겸 이용익이 먼저 불쑥 물었다.

「그동안 어디에 은신하시었더랬소?」

「그런대로 범절이 반반하다는 기방 계집들과 안면을 트고 있었던 터라, 골방에 숨어서 눈칫밥을 먹고 있었지요. 알다시피 기방이란 내로라하는 한량이며 별감배들이 무상출입하는 곳이 아닙니까. 여염의 계집들도 심지가 조석지변이라 하는데 하물며 사내들이 던져 주는 해우채에 기대어 살아가는 천기들 속셈이야 어련하겠소. 건달 육객이 된 나를 반길 이치도 없겠거니와 안면 보아 거두어 준다 한들 눈깔에 동록*이 오른 것들이 수틀리면 별감배들에게 고변하려 들 것은 뻔하지 않겠소? 불 없는 화로에 꽂힌 인두 꼴로 썰렁하니 노박혀 있기가 오금이 저린 건 고사하고, 곧장 협문이 부서지며 벙거지 쓴 압뢰들이 들이닥칠까 봐 사추리에 진땀이 고입디다.」

「여물 많이 먹은 소가 똥이 걸더라고 그동안 정분 트고 동서하였던 색주가 계집들이 여럿이었을 터인데 어째서 그런 고초를 겪었더란 말이오?」

「그렇지가 않소이다. 내 워낙 성깔이 퉁명스럽고 괄괄한 데다가 또한 근엄하여 계집들이 깊은 정을 주지는 않았소이다. 게다가 매사를 생리와 연결해서 따지게 되니 계집의 정분이 들어와 앉을 만한 자리가 없었지요. 죄는 지은 데로 가고 덕은 쌓은 데로 간다는

---

* 동록 : 구리의 표면에 녹이 슬어 생기는 푸른빛의 물질.

속언이 틀린 말 아닌 것 같으오.」

「전일에 송파 처소 쇠살쭈이던 천봉삼이란 위인을 알고 계시오?」

느닷없이 말머리를 돌리는 이용익의 예기치 않은 태도에 흠칫 놀란 길소개가 뚝 걸음을 멈추었다. 마침 쉴 참도 되었는지라 이용익은 이끼가 거뭇거뭇하게 핀 길가의 바윗돌에 엉덩이를 붙이고 앉았다. 두어 발 사이를 두고 벌려 앉은 길소개가,

「궐자를 알다뿐이겠소. 궐자가 아비처럼 받들던 조성준이란 위인도 알고 있지요. 그러나 이미 옛날 일입니다.」

「그렇다면 천봉삼과 친동기간이나 진배없던 선돌이며 신석주의 총첩이었다가 천봉삼을 찾아갔던 조 소사도 알고 있겠군요.」

「글쎄요……。」

「설마하니 신석주의 저택을 적몰하여 살고 계신 형편에 조 소사를 모르시겠단 말씀은 않겠지요?」

「무슨 일을 적발하려고 느닷없는 말을 꺼내시는 것이오?」

「지금은 벌써 이승의 사람이 아니긴 하지만 선돌이가 죽기 전에 애꾸 된 것이 형장과는 무관하지 않다는 것을 천봉삼이 알고 있더이다.」

「억탁의 말씀이오. 내가 그 일에 연루되었다는 증빙이라도 있다는 말입니까?」

「그것을 내가 어찌 알겠소.」

「하긴 그렇겠지요. 내가 반맥(班脈)*의 문벌도 아니었고 의지 없는 시골 생장이었으니 사대부에 연줄은커녕 동문수학한 반연도 없이 대동청 창관의 자리에 오르기까지는 숱한 고초와 풍파를 겪었지요. 삼척동자인들 그걸 짐작 못하겠소. 그러하니 턱없이 나를

---

* 반맥 : 양반의 자손, 또는 그 혈통.

폄하거나 모함 잡으려는 부류도 있을 것이고 사판(仕版)에서 견뎌
내는 재간에 혀를 내두르는 사람들도 없지는 않았겠지요.」
「나 역시 그것이 놀라웠다오.」
「솔직하게 토설을 한다면 부득불 업어치기로 무고한 사람들에게
위해도 입히었고 협잡을 꾸미어 인명을 헛되이 욕보인 일도 있는
가 하면 권신(權臣)에 엎디어 아유하느라고 부샅에 땀이 괴고 무
릎의 살갗이 벗겨지기도 하였소. 그리하여 자세(藉勢)를 부리기도
하였지요. 그러나 환로에 발을 붙인 벼슬아치며 명색 반명을 한답
시는 선비들치고 백성들의 등을 치지 않은 자가 누구입니까. 학문
을 닦았다는 인사들치고 시색 좋은 북촌의 주문 귀택 문전의 식객
노릇으로 엽관배(獵官輩)* 아닌 자가 몇이나 되었소. 뱁새가 황새
걸음으로 따르려다간 가랭이가 찢어진다는 속언이 있지요. 그러
나 인명이 새로 태어날 때도 어미의 가랭이는 찢어지는 법이오.
그렇듯 사람이 면목을 일신하자 하면 남의 가랭이든 제 것이든 찢
지 않는다면 불가한 일이 아니겠소?」
「그러나 인명을 해쳐 가면서까지 일신의 영달을 도모하려 한다면
어찌 그 자리를 오래 지킬 수가 있겠소.」
「내 행검(行檢)이 못나 남의 지청구가 된다기로서니 설마 창귀 노
릇까지야 하였겠습니까. 소경이 그르냐, 개천이 그르냐 발기 잡아
보았자 파방(罷榜)에 수수엿장수요,* 그만두십시다. 과거지사를
들추는 것보다 앞으로의 걱정이 태산 같지 않소? 대세가 돌아앉는
다 하면 나는 기어코 서울로 올라갈 것입니다. 가산의 알짬을 모
두 잃고 가렁들이 사방으로 달아나서 세고(世苦)에 쪼들림을 당한
다 할지라도 아까울 것이 없습니다만, 관고지(官誥紙)*만은 품속

─────────────
*엽관배 : 관직을 얻으려고 갖은 방법을 쓰는 무리.
*파방에 수수엿장수 : 기회를 놓쳐서 이제는 별 볼일 없게 된 사람.

에 여축없이 간직하고 있습니다.」

「무슨 포원이 지셨기에 환로에 그토록 지성으로 매달린단 말씀이오.」

「행고들이 십수 년을 두고 길미를 챙겨도 감히 넘볼 수 없는 거관(巨款)*을 사모 쓴 도둑놈이면 호령 분부 몇 마디로 긁어모을 수 있다는 것을 터득해서 알고 있기 때문이라오.」

길소개의 비위짱 좋게 뇌까리는 그 한마디에 이용익은 그만 말문이 막혀 버리고 말았다. 그 말에 대꾸할 것이 없으니 길소개란 위인이 용납되는 것이 아닌가.

두 사람은 바윗등에서 일어났다. 해가 짓질린 지 오래되어 어두운지라 망우리 너머 양주 땅 초입길 객점에서 하룻밤을 묵고 일찌감치 발정하여 이튿날 중화때에 장원촌에 당도하였다. 그러나 길소개를 달고 민씨의 집에까지 갈 수는 없었다. 같이 가야겠다고 투덜거리는 그를 청미천 물나들에 있는 술국집에 떨구어 놓고 쏜살같이 민씨 집으로 달려갔다. 민영익이 와 있었고, 중전은 서울 길에서 회정해 올 이용익을 눈이 빠지게 기다리고 있었다. 몸채 대방 드넓은 장판방한가운데로 주렴을 드리운 채 저쪽 장지 아래로는 민비가 꼿꼿하게 앉아 있었고 이편에는 민응식과 윤태준, 민영익이 부복하였다. 이용익이 중전을 승안하려고 방으로 들어서자, 중전은 주렴을 걷어치우도록 분부를 내렸다. 초려(焦慮)한 기색을 감추지 못하던 중전이 물었다.

「평판이 난 준족이라더니 과연 호달마가 따르지 못하겠구려. 축지를 한다지만 서울 소식은 잊지 않고 들어 왔겠구려.」

이용익이 고개를 들지 못하고 한참이나 대중없이 앉았으려니 중

---

* 관고지 : 사령장(辭令狀).
* 거관 : 거액.

전이 한 번 독촉하였고, 민영익이 빨리 대답 않는다고 나무라는 것이었다. 이용익이 할 수 없이,

「장안에서 떠도는 소문을 듣기로는 상감 마마께선 대소의 공사(公事)를 모두 대원위 대감께 품결(稟決)하시라는 윤음을 내리시었다 합니다.」

방 안에 한동안 무거운 침묵이 흘렀다. 뒤꼍으로 열어 둔 미닫이 밖 숲에서 멀리 매미 우는 소리가 한가롭게 들려왔다. 그때 낭랑한 중전의 목소리가 들렸다.

「어련하시었겠소. 이 난국을 평정하시려 하는 상감의 뜻이 아니었 겠소. 그 영감이 바라는 바가 그것이었으니 다행함이 아니었겠소. 또 다른 소식은 없었소?」

「일찍이 무위대장께 명하여 중전 마마의 행지를 수탐하게 하였으나 뜻을 이루지 못하자 망극하게도 승하하시었다고 국상도감을 설치하고 백성들은 국상이 끝날 때까지 백립을 쓰고 망곡하라는 영을 내리었습니다. 지금 서울 장안 길목에는 백립을 쓴 백성들이 하얗게 깔려 있습니다.」

이용익의 말에 막상 우려하였던 중전은 안색 한 번 변하는 법이 없었건만, 앞에 앉은 세 사람은 놀라서 건공잡이로 벌떡 일어나더니 수염으로 방을 쓸면서, 국상을 선포한 것이 저희들이 저지른 일처럼 몇 번인가 망극하다고 숫제 통곡조였다. 중전이 손을 내저었다.

「망극하달 것이 없습니다. 내가 명부(冥府)에 들지 않고 이렇게 살아서 그 가당찮은 소식을 들으며 웃고 있는데, 서러울 것이 무어며 크게 허물할 것도 또한 아닙니다. 이 댁에서 환접을 받고 있다 하나 지아비가 안 계시는 방에 객회가 스산하고 또한 객담 즐겨하시는 분이 없어 객쩍기 짝이 없더니, 마침 웃을 일이 생겨서 즐겁지 않소? 그렇게 살풍경한 안색들 마시고 웃으시지요. 나 또한 그로

인하여 액땜이 되었으니 이승의 열락을 오래 누리면서 수한을 다할 징조가 아니겠소?」

중전이 나서서 되레 안위시키려 하는 말에 네 사람은 이번엔 이마로 방구들을 찧는 시늉을 하였다. 중전이 입가에 핀 미소를 거두며,

「내 시신을 거두지도 못한 채 국상을 선포할 만큼 둔탁하고 아둔한 운현궁 대감이 아니오? 이는 필시 설분을 못해서 나를 내어 놓으라고 벌 떼같이 일어나는 난군들의 소동부터 진무하고 보자는 심산에서겠지요. 하루빨리 계비를 들일 명분도 만들 겸이겠지요. 그러나 국상을 치르고 나서는 자객들을 풀어 은밀히 내 행지를 수탐해서 참혹한 앙갚음을 하려는 것입니다.」

중전은 충주목 장원촌에 숨어 있었지만 서울에 있는 대원위의 깊은 연충 속에 감춰져 있는 속내를 산적 꿰듯 소상하게 짐작하고 있었다. 감히 팔도를 한 손아귀에 쥐고 포효하던 대원위 이하응도, 여염에 이르면 한낱 평범한 지어미에 불과할 민비에게 그 속마음을 죄다 읽히고 있었다. 그러나 민비는 날이 갈수록 스산해져 가는 심회를 가누기 어려웠다. 호사한 객금(客衾)에 실신을 묻고 잠자리에 든다 하여도 몽마에 시달리다 헛소리하고 일어나면 퇴창 아래에는 여치 우는 소리만 소슬할 뿐이었다. 해가 뜨면 한천(旱天) 불볕에 멈춘 듯한 시간을 보내기에 가슴을 죄고 바깥 한터에 있는 괴목 숲에서 까치만 울어도 임 그리는 계집아이처럼 가슴이 뛰었다. 상감께서는 정말 자기가 명부에 든 것으로나 알고 있지 않을까. 민비는 윤태준에게 서울로 회정하여 자신이 수치를 당하지 않고 살아 있다는 것을 폐현(陛見)을 청해 상감께만 귀띔해 달라고 졸랐다. 충직한 윤태준이 쾌히 받들어 발행한 지 여러 날이 되었으나 그 또한 별다른 기별이 없었다.

청미천 나룻가 허술한 객점에 엎디어 있는 길소개는 이틀돌이로 객점을 드나드는 이용익의 거동이 종시 수상쩍었다. 청미천 나룻가

에서 뫼산 아래 민씨 댁은 줄잡아서 활 서너 바탕 상거였으니 이용익이 자주 드나들 수밖에 없었고 염량 빠른 길소개가 거동에 의심을 품지 않을 수 없었다. 나룻가 객점이란 곳이 미상불 행객들로 붐비게 마련이지만 청미천나루는 충청도에서 근기 지경으로 오르는 중요한 길목이라 경향의 민심이 돌아가는 이치며 서울 조정의 소식도 심심찮게 들을 수가 있었다. 이용익은 저녁 거미가 내릴 만할 때 객점으로 나와서 오가는 행객들과 상종하여 넌지시 서울 소식을 묻곤 하였다. 그러다가 길소개가 잠깐 한눈파는 사이에 종적을 감춰 버리곤 하였다. 정하고 있는 거처가 나룻가에서 몇 행보 되지 않는다는 것은 찾아올 때마다 행리도 보이지 않았고 길목버선에 흙먼지가 묻어 있지 않다는 것으로도 짐작할 만하였다. 거동이 수상하다 하나 길소개는 구태여 캐묻지 않았다. 남모르는 은신처에다 맞춤한 계집이라도 숨겨 놓고 재미를 들이고 있는 것은 아닐까. 아니면, 민영익의 재산을 숨겨 놓고 그것을 지키고 있는 것은 아닐까. 객점 봉노에 누워서 생각의 갈피를 좇아 뒤집어도 보고 엎어 놓고도 보았으나 도대체 확연하게 짚여 오는 것이 없었다.

길소개가 나룻가 객점에 전접하고 있은 지 열흘이나 되었을까. 마침 이용익이 찾아와서 내일 서울 행보에 동행하는 것이 어떻겠느냐고 넌지시 운을 떠보고 나갔다. 길소개는 그때 객점의 상노아이를 꼬드겨서 이용익의 뒤를 밟아 보도록 하였다. 향 두어 대 피울 참이나 되어서 숨이 턱에 걸려 되돌아온 상노아이가 뫼산을 가리킨 것이었다. 길소개는 민씨의 집으로 가보았다. 솟을대문은 굳게 닫히었고 띄엄띄엄 켜져 있는 방의 불빛은 희미했다. 산등성이로 올라가니 민씨의 저택이 한눈에 내려다보였다. 바깥행랑의 외당을 지나서 안행랑이 있고 담을 사이하고 몸채와 바깥채가 범절 있게 나누어진 품이 산협에서는 보기 드문 대갓집이라 할 수 있었다. 그런데 자세히 바라보자니 행랑채 마방 앞에 두 장정이 화톳불을 피워 놓고 마주 앉아 있는 것이 희미하게 내려다보였다. 방의 불빛이 하나 둘 꺼지고 난 다음, 야기에 삭신을 떨며 자정이 넘도록 지켜보았으나 화톳불을 사이하고 앉은 두 장정은 좀처럼 봉노로 들지 않았다. 월장하는 놈들이라도 있을까 하여 수직을 서고 있음이 분명하였다. 야기도 차고 더 이상 기다려 보았자 소득도 없을 것 같아서 객점으로 돌아오고 말았다. 이튿날 새벽참에 이용익이 객점으로 찾아왔다. 그러나 길 떠날 채비도 않고 태평으로 봉노에 엎딘 길소개를 보고,

「서울 행보 같이하자 하였더니 이렇게 늑장 부리고 있으면 어떡하오? 어디 신기라도 불편하시오?」

재촉하는 말에 겨우 반몸을 일으킨 길소개가 상을 잔뜩 찌푸리며 칭병을 하는데,

「아무래도 먼 길 행보가 지난일 것 같소. 어젯밤부터 아랫배가 쌀쌀하다 했더니 이점(痢漸)*에 걸린 것 같소이다. 어이구, 배야.」

「어련하시겠소. 이렇다 할 고질(痼疾)도 없다는 분이 노박 생다지로 열흘이 넘게 봉노에 붙박였으니 이점이 날 만도 하겠지요.」

「밤중에 술애비를 들깨워서 상약을 얻어먹기는 하였습니다만 별무소용이었다오.」

「그렇지만 원래가 장골이시라 이점쯤이야 바깥바람을 쐬시면 곧 나을 것이니 일어서시죠. 서울 소식이 궁금하지도 않으시오?」

「객고에 득병까지 하고 보니 심기 스산하기가 한겨울 삭풍과 같소이다. 난들 서울 소식이 왜 궁금하지 않겠소. 그러나 아무래도 기동이 여의치 못할 것 같으니 다음 행보를 약조하고 이번엔 혼자 다녀오셔야 하겠소이다.」

---

*이점 : 이질.

84

「다음 행보라니, 내 이길로 다시 회정치 않을지 모르는데도요?」

이용익이 우선 데려갈 욕심으로 짐짓 그렇게 속을 떠보는 것이었으나, 길소개는 속으로 네놈이 회정치 않는다니 가당찮은 일이라고 생각하였다. 길소개는 섭섭한 낯짝으로,

「여기까지 나를 달고 오실 때는 언제이시고 타관에다 떨구어 놓겠다는 말씀은 무어요? 그런 섭섭한 말은 농으로라도 마십시오. 이번 행보에 나를 달고 가시었다가 행려시라도 된다 하면 전체송장을 떠메고 어디로 가시려오?」

끝내 손사래를 치면서 금방 뒈질 것 같은 시늉을 짓는지라, 이용익은 더 이상 채근하지 않고 혼자 길을 떴다.

어젯밤 민씨 집 노복들이 밤을 도와 수직을 서고 있는 것으로 보아서 그 집에는 필시 이용익으로서도 쳐다보기 어려운 지체 높은 사람이 난을 피해 숨어 지낼 것이라는 짐작이 어렵지 않았다. 객점의 술애비에게 들은 말로는 그 집이 민응식의 삼촌 집이란 것만 알고 있을 뿐, 이웃의 상것들과는 상종이 없어 드나드는 사람이 있었는지도 자세히 알고 있는 사람이 없었다. 길소개는 따로 긴히 할 일도 없으니 이용익이 없는 사이에 그 집의 동정이나 살펴보기로 작정했다. 만약 대원군의 논핵을 받아 마땅한 인물이 그 집에 있다는 것만 탐지한다면 그 사실을 조정에 발고하여 제 살아날 방책을 구할 수도 있을 것이었다.

4

그즈음 민비의 심기는 무척이나 어수선하였다. 더군다나 이용익이 서울에서 가져온 소식을 듣고 난 이후부터는 식음을 거를 때가 많아서 공양하고 수발 드는 사람들을 애타게 만들었다. 또한 하루해

를 넘기기에도 역겨워서 외당 뜰 앞에 있는 귀루*의 시각을 몇 번이
고 보고 오라는 분부를 내리곤 하였다. 사람들이 보는 앞에서는 국
상도감이 설치되었다는 말을 가치않은 우스갯소리쯤으로 귀넘어듣
는 체하였으나 지존께서 계비라도 맞아들이어 이대로 주질러 앉은
채로 폐출당하는 신세가 되지 않을까 하는 망극한 마음이 드는 것이
었다. 몇 번인가 주저하다가 마침 딴사람이 없는 틈을 타서 민영익
에게 곧이곧대로 심기를 괴롭히고 있는 한마디를 토설해 버리고 말
았다.

「내 이러다가 영영 지존을 뵙지 못하게 되는 것이나 아닐까.」

민영익이 고개를 숙이고 앉았다가,

「무슨 말씀이십니까?」

「지존께서 나를 잊지나 않으셨을까?」

「어불성설입니다.」

「상감께서 찾지 않으신다면 그것으로 나는 폐출이 되고 마는 것이
아닌가.」

「그럴 리가 없습니다. 양전 마마의 금슬이 그토록 위태로운 지경
에 이르렀습니까? 설사 운현궁 영감의 서슬이 칼날 같다 할지라도
양전 마마 금슬만은 떼어 놓지 못할 것입니다.」

「염라대왕의 호출은커녕 시신도 없는 사람을 두고 국상을 선포하
는 것조차 막지 못하시는 분이 어찌 계비를 맞아들이는 것을 막을
수 있단 말인가.」

「국상을 선포한 것은 난군들을 진무시키기 위한 방편일 따름이라
고 마마께옵서 도리어 저희들을 안위시키기까지 하지 않으셨습니
까.」

＊귀루 : 해시계와 물시계.

민비의 섬섬옥수가 가슴에 가 있다가 치맛자락을 만지작거렸다가 도대체 갈피를 잡지 못하고 있었다. 그동안 끼니를 걸러서 육탈까지 되니 차마 쳐다보고 앉았기가 민망할 지경이었다.

「섭정에서 쫓겨난 지 여덟 해가 아니던가. 그것은 내게 둔 원한이 팔 년이었다는 말과 같을 것인즉, 차제에 설원을 하려 들면 무슨 짓을 못하겠는가. 백정에게 도살하지 말라 하고 창기에게 예법을 찾으라는 것보다 더 우둔한 짓이 어디 있겠는가. 또한 상감의 성품이 원래 모질지 못하시니 가슴이 찢어지는 고통이 뒤따른다 할지라도 영감의 분부를 거역할 재간이 없으신 분이란 걸 온 조정이 알고 있지 않은가. 또한 궁중의 상궁들이란 것이 하얀 이와 붉은 입술로 온갖 아양을 다하고 술은 호수와 같고 고기는 섬과 같은데, 원래 풍류를 즐겨하시는 상감이 놀음차*를 내리실 적에는 능라 주단을 흙 뿌리시듯 하시지 않는가. 임금의 욕망이 이룩되지 않는 것이 있던가?」

「지금은 그러하실 때가 아니지 않습니까.」

「네가 번연히 알고 있으면서 임시처변으로 나를 안위시키려는 것이 아닌가.」

듣자 하니 옳은 말이라, 민영익도 당장 둘러댈 안위의 말을 찾지 못하였다.

「서울 올라간 이용익이 윤태준을 청알하면 그가 기별지를 보낼 것이니 성려 마시고 기다려 주십시오. 지금은 다만 기다리고 있을 시기가 아닙니까.」

「기다린다는 것도 한도가 있지. 한 치 앞을 내다볼 수 없는 이 지경에 이르러 무엇에 기대어 상감의 소식을 기다린단 말인가. 날이

---

*놀음차 : 잔치 때 기생이나 악사에게 놀아 준 대가로 주는 돈이나 물건.

면 날마다 장지를 열어 놓고 바깥의 햇볕만 바라보는 낙이 고작일 뿐 섬돌을 밟고 내려가 행기조차 임의롭지 못하게 되어 버렸으니, 이렇게 절박할 데가 어디 있으며 만고에 이런 신세가 어디 있더란 말인가.」

「그래도 참으시어야 합니다. 만약 마마께서 이곳에 칩거하고 계신다는 것이 항간의 상것들에게 알려지기라도 한다면 술수와 꾀가 백단*이라 할지라도 그땐 헤어나기가 어렵게 됩니다. 결단코 마마의 이 수치가 오래가지는 않을 것입니다.」

「네가 무슨 상쟁이인가?」

「관상쟁이가 아니라 할지라도 상감께서 마마를 저버리지 않으실 것이라는 짐작이야 삼척동자라도 능히 할 만한 일이 아닙니까.」

「영감이 뒤에 버티고 있다는 것을 수삼차 말했거늘 네가 어찌 그것을 자꾸만 묻어 버리려 하는가.」

「영감이 있다 할지라도 그가 어찌 지존의 권능을 따르겠습니까.」

「가근방에 용하다는 음양가라도 없겠나? 그들이라도 있으면 말벗이라도 하련만.」

「그들에게 탄로라도 나시면 어떻게 합니까.」

「그들이 나를 알아볼 리 만무지.」

「소원이시라면 알아는 보겠습니다만, 이런 산협에 신실한 음양가가 있다 할지라도 공연한 일이겠지요.」

민영익의 달갑잖아하는 말에 민비는 양미간을 찌푸리고,

「파적(破寂)이나 하자는 것이지, 향곡에 묻혀 있는 무복이 신실하지 못하다는 것이야 난들 모르나? 나가서 수소문을 해주시겠나?」

민비의 사색이 초려해 보임이 역력한지라 민영익은 물러나는 수

---

* 백단 : 백 가지의 꾀와 술수.

밖에 없었다. 민비가 무복을 찾고 있다는 소식은 행랑채에 물러나 있는 안잠자기 신씨(申氏)에게 전달되었다. 감곡(甘谷) 익금골에 영험깨나 있는 무녀가 와서 살고 있다는 소문을 들은지라, 신씨는 곧바로 치행하여 감곡으로 떠났다. 감곡 익금골은 장원촌에서 시오 리 안팎의 상거에 있었다. 신씨가 매월이의 전냇집에 당도하였을 때에는 중화참이었고 궐녀를 따라서 장원촌으로 회정하였을 때에는 해가 나절가웃이나 기울고 있었다. 우선 매월이를 행랑채에 남겨 두고 신씨 혼자서 대방으로 나아갔다.

민비가 먼저 알고 물었다.

「데려왔느냐?」

「예, 행랑채에다 안동시켜 놓았습니다.」

「데려왔으면 들라 일러야지 주저할 것이 무어냐?」

신씨가 물러난 뒤 얼마를 지체하지 않아서 열어 둔 장지 밖으로 한 여인이 바라보였다. 한산 생모시를 맵짜고 정갈하게 다듬어서 몸가축을 한 궐녀가 바라보이는 순간 민비는 속으로 적이 놀랐다. 산협에서 살고 있는 미천한 무녀라면 입성이 스산하고 모색 또한 투박하거나 아둔해 보이게 마련일 터인데, 서너 걸음 밖에 와서 부복하고 있는 무녀의 자색에는 시골 생장 같지 않게 교태조차 곱상하였기 때문이다. 보일 듯 말 듯 지분을 다스린 곧은 이마와 콧날에는 땀이 송송 배어 있었다. 생모시 소매 사이로는 박속같이 희디흰 살신이 바라보였다. 장판방을 다소곳이 짚고 앉은 두 손은 살진 뱅어와 같았다. 가만히 오므린 입술은 붉게 젖어 있으니 버리기 아까운 총명도 함께 지녔다는 뜻이었다. 거동을 시종 바라보고 앉아 있던 민비는 하겟말로 입을 열었다.

「견차(肩次)*를 따져 어려워할 것 없네. 훨씬 가까이 다가앉게나.」

그때까지도 고개를 숙인 채로인 매월이가 돌돌 구르는 목소리로,

「망극하옵니다. 일개 미천한 계집이 감히 가까이 갈 수 없습니다.」

「내 신관을 보아 내가 열문(熱門)의 아낙네라는 눈치는 채었겠지만, 사실 나는 이번의 서울 난리에 낙척을 당하고 이 친척집에 와서 거접(居接)하고 있으니 척간의 푸대접은 받지 않는다 하나 천지간에 이렇게 겸연쩍고 고달픈 일이 어디 있겠나. 파적이나 할까하여 자네를 보자 하였으니 가까이 와서 앉게. 가근방에서는 영험한 만신으로 이름이 나 있다면서?」

구태여 가까이 앉기를 채근하건만 매월이는 끝까지 겸사하면서,

「하향(遐鄉)*의 미천한 계집이 존귀하신 마님을 지척으로 뫼시게되니 그 은혜가 하해와 같사옵니다.」

「자네의 범절이며 언사를 보자 하니 이곳이 안태 고향은 아닌 듯싶은데?」

민비가 그렇게 묻자, 매월이가 얼른 돌라대기를,

「쇤네는 충주 태생으로 과년해서 출가하였으나, 이태를 넘기지 못해 홀로되어 이곳으로 와서 수절하는 중입지요. 여쭙기 황송하오나 쇤네는 관왕(關王)의 딸로 점지되어 무복에 종사하고 있사옵니다.」

매월이가 둘러대는 말이 관왕의 딸로 부왕의 혼령을 뒤집어썼다 하면 바로 촉한(蜀漢)의 장수인 관우(關羽)를 일컬음이니, 허무하고 방자한 대꾸가 아닐 수 없었다. 그러나 계집이 관왕의 딸이든 유하혜(柳下惠)의 아우로 악한 짓만 골라 했던 도척의 소생이든 그런 것을 따지고 있을 경황이 아니었다. 민비는 다만 씁쓰레하여,

「자네는 그러하네만 나는 비색(否塞)하고 팔자 기박하여 화망(禍網)에 채고 이웃에게 괄시받아 이렇게 떠돌아다니는 입장이 되었

---

*견차 : 자기보다 아랫자리에 있는 이를 이르는 말.
*하향 : 중앙에서 멀리 떨어져 있는 지방.

네.」

「팔자 기박하시다니요, 어불성설입니다. 쇤네가 이 댁으로 들어올 적에 벌써 용마루에 비치고 있는 서운(瑞運)을 보았삽고, 또한 마님을 승안하니 길운이 내리실 존귀하신 상이옵니다.」

「많이 발서슴하고 돌아다녔겠으니 존귀하다는 상도 보았겠고 천격 또한 없지 않았겠지만 나에게 존귀하다니 우선 듣기에는 귀에 달다네.」

「쇤네가 임시처변으로 한 말은 아니옵니다. 이처럼 존귀하신 상은 나라를 통틀어도 한두 분 있을까 말까 한 상이랍니다.」

「어쨌든 육효나 한번 뽑아 주게나.」

「벌써 뽑아 보았습지요. 마님께서는 귀인의 상에다가 또한 길조(吉兆)가 바로 턱밑으로 다가와 있습니다. 이 집이 들어앉은 곳이 뫼산이라 하옵는데, 산의 형국이 갈마음수(渴馬飮水)라 해 말이 물을 먹고 있는 형국입니다. 게다가 멧부리를 국망봉(國望峰)이라 하였으니 마님은 지금 이곳에서 나라를 굽어보시고 계시는 것입니다. 칠월이 다 가기 전에 기쁜 기별이 올 괘요, 팔월에 접어들어 초승께는 분명 서울 본댁으로 돌아가시어서 누대로 향화를 누리실 괘입니다.」

물론 민비는 그 말을 믿지 않았다. 계집의 입성이 맵짜고 성적을 곱게 한 솜씨가 촌생장 같지는 않다 하더라도 궁중에 불러다 굿청을 벌이던 서울의 명자가 나 있다는 수심방*들을 따를 수는 없겠기 때문이었다. 민비는 잠시 주저하다가 에멜무지로 한마디 툭 던졌다.

「자네가 그렇게도 통달하다면 장차 이 나라의 장래는 어떠하겠는가?」

---

*수심방 : 우두머리가 되는 무당.

「지금까지는 호환(虎患)의 괘에 들어 번거롭기 짝이 없었지요. 그러나 차후로는 용이 구름을 얻으니 비룡(飛龍)의 기상이라 종묘사직과 억조창생이 복락을 누리겠으며 양위 전하께옵서도 만수무강하시게 되었습니다.」

그때, 민비의 입가에 씁쓰레한 웃음이 감돌았다. 짧은 한숨이 민비의 입에서 들릴 듯 말 듯 흘러나왔다. 무복을 불러 달라고 성화를 부렸던 것을 민비는 당장 후회하였다.

「자네가 가근방에서는 명판(明判)으로 명자가 있다 할는지 모르겠지만 아직 신탁(神託)이 몹시 서툴구먼. 그러고도 감히 무력(巫力)을 지녔다 하고 매복(賣卜)*하고 다닌단 말인가?」

심히 꾸짖는 말인데도 반죽 좋은 매월이는 안색 한 번 변하는 법이 없이 민비를 빤히 쳐다보고 앉아 있었다. 민비는 괘씸하다 하면서,

「망극하게도 중궁전께선 난리통에 승하하시어 팔도에 국상을 선포하고 거애(擧哀)*의 절차를 마련하고 있는 줄을 자네 역시 풍문으로 들었어도 번연히 알고 있을 터, 어찌 양전 마마께서 만수무강하게 되었단 말을 자발없이 내뱉을 수가 있단 말인가. 그것 하나로도 어폐는 고사하고 당장 거짓이 아닌가?」

민비의 시선이 이미 싸늘하게 식어서 미구에 물러가라는 불호령이 떨어질 조짐인데도 매월이는 가위눌려 하기는커녕 끄떡없이 버티고 앉아 있었다. 매월이는 방 안으로 들어설 때부터 보료 위 안석(案席)에 기대앉은 여인네가 천만뜻밖에도 중궁전 민비라는 걸 알았다. 그러나 궐녀가 민비라는 것을 알아채는 순간, 이를 내색한다면 환난을 입을 것으로 알았다. 살아 있는 민비를 바로 코앞에 두고 매

---

*매복 : 돈을 받고 점을 쳐줌.

*거애 : 죽은 사람의 혼을 부르고 나서 상제가 머리를 풀고 슬피 울어 초상난 것을 알림.

월이는 강개한 어조로 내뱉었다.

「하늘에 맹세코 중전 마마께서는 승하하시지 않으셨습니다.」

「자네 눈으로 본 듯이 좌단을 하는구면. 망극하다 하여 죽었단 사실조차 은휘하겠다는 어처구니없는 말이 어디 있는가. 내 희언을 농했다는 것인가, 아니면 자네가 물정에 어두운 탓인가?」

「마님께서 희언을 하신 것도 아니고 쇤네 또한 시색에 어두운 탓도 아닐 것입니다. 다만 중전 마마께선 어딘가에 살아 계신단 뜻이지요.」

「큰일날 소릴 하는구면. 그렇다면 그분께서 어디에 살아 계신단 말인가? 자네가 영험 있는 만신이라면 좌향이라도 알 수 있을 터, 주저할 것이 없네.」

민비가 우정 목소리를 낮추어 은근히 꼬드겼으나 매월이는 고개를 좌우로 살래살래 흔들었다.

「설령 중전 마마께옵서 살아 계시옵고 쇤네의 무력으로 좌향을 점지할 수 있다 할지라도 여기서 토설할 수는 없습니다. 이로 인하여 쇤네의 보잘것없는 육신이 만 갈래로 찢기는 처참을 당한다 할지라도 결단코 발설하지는 않을 것이니 마님께서는 그렇게 알아주십시오.」

민비는 그때 매월이의 모시적삼 겨드랑이 사이로 땀이 배어나는 것을 바라보고 있었다. 그러나 놀라고 가슴이 뛰는 것은 되레 민비 쪽이었다.

「발설치 않으려는 것은 자네가 나를 믿지 못하는 소치가 아닌가?」

「황송하오나 그러합니다. 흥선군(興宣君)인지 흉선군(凶鮮君)인지가 시방 눈에 살기를 품고 일변 국상을 선포하고 은밀히 중전 마마를 찾고 있을 것인즉, 쇤네가 자발없는 한마디를 불쑥 내뱉었다가 중전 마마의 안위를 위태롭게 할 수는 없겠지요. 쇤네 미천하고 이름 없는 무당에 불과하나 이제까지 성은을 입고 살아온 백성으로서의 도리가 어찌해야 한다는 것은 어렴풋이나마 알고 있습니다. 청하옵건대 마님께서는 더 이상 캐물지를 말아 주시면 고맙겠습니다.」

민비는 속으로 적이 놀랐다. 7월이 다하기 전에 좋은 소식이 있을 터이고 8월 초순에 서울로 회정하게 된다는 것은 민비 자신에게 있어선 곧 환궁을 의미하는 것이 아닌가. 두 가지 일이야 겪어 보아야 알 것이로되, 나라에서 국상도감까지 차려 놓고 있는 일을 두고 부득부득 중궁전이 살아 있다고 우기고 드는 데는 놀랍고 또한 말투로 보아 그것을 굳게 믿고 있다는 증거가 아닌가. 서울에서도 영험하다는 수심방들을 만나 본 일이 없지 않았건만 무력이 이처럼 박통한 무녀는 만나 본 일이 없었다. 게다가 중전 마마의 은신처를 알 수 있다 하여도 목숨을 내걸고서라도 발설할 수는 없다 하지 않았던가. 민비는 그 순간 벌떡 일어나서 무녀의 손을 싸잡고 내가 바로 중궁전일세 하고 소리라도 치고 싶었지만, 그러나 아직은 계집의 본색을 속속들이 알 수가 없으니 체통을 지켜 참고 앉아 있었다.

나중에야 어떻든 당장에는 마음의 안위를 얻었으니 민비는 무엇이든 이 낯선 무녀에게 건네주고 싶었다. 민비는 끼고 있던 옥지환을 풀어 앞에 놓인 서견대 위에 놓았다.

「명색 사대부의 아녀자란 체모를 보전하자면 모양 있게 복채를 내리는 것이 도리에도 그럴싸하겠지만, 당초에 얘기했듯이 지금의 처지가 척간에 의탁하여 입이나 살고 있지 않은가. 보잘것없네만 나와 자네가 만났던 증표로 삼아 넣어 두게나.」

「아닙니다. 쇤네 받을 수 없습니다. 쇤네, 평생 이처럼 존귀하신 어르신네를 승안하게 된 것만도 황감이온데, 어찌 감히 복채까지 챙길 수가 있다는 것입니까. 산협에 살고 있어 견문 없고 버릇없는

94

무복이라 하나 도리에 어긋남이 무엇인지는 알고 있으니, 마님께
서 되레 거두어 주시어야 하겠습니다.」

「이것은 복채가 아닐세. 나와 자네가 만났던 증표로 삼자 하였으
니 뜻이 거기에 있는 것일세. 어려워할 것이 조금도 없는 물건일
세.」

그러나 매월이는 한동안 꿈쩍도 않고 앉아 있었다. 민비가 몇 번
인가 성화를 먹인 후에야,

「마님의 뜻이 그러하시다면 쇤네가 넣기는 하겠습니다만, 이것은
쇤네의 가문에 길이 남길 것입니다.」

「오늘은 일색이 다하였으니 여기서 묵고 가는 것이 어떠하겠나?」

「아닙니다. 재촉받아 다급하게 오느라 삽짝 단속조차 하지 못한
데다가 신당에 치성을 드려야 하겠기에…….」

「내일 다시 올 수 있겠나?」

「마님 분부라면 쫓아와서 보입지요.」

「제발 그렇게 해주게.」

매월이가 총총히 하직을 여쭙고 민씨 댁을 나섰을 때에는 먼 산협
길로 이제 막 어둑발이 희미하게 내리깔리고 있을 즈음이었다. 대문
을 나서고 보니 온몸에 배어난 땀이 목간하고 나온 사람 같았다. 한
터 괴목나무 등걸 아래에서 잠시 지체하여 땀을 들인 다음, 익금골
두옥까지 시오 리 회정길을 돌아왔을 때에는 날이 완전히 저물어 있
었다. 부엌 보꾹에 매달아 놓은 용수*를 내려 식은 보리밥을 물에 말
아서 끼니를 때웠다. 혼자 사는 살림살이에 챙길 것도 없었고 치울
것도 없었다. 신당에 가서 치성을 드리는 일 외에는 자고 일어나는
것이 다만 허전하고 적막할 뿐이었다. 뒤꼍으로 가서 목물을 하고

───────────

*용수 : 싸리나 대오리로 만든 둥글고 긴 통. 대체로 술을 거르는 일에 쓰거나
죄수들의 얼굴을 가리는 데 쓰기도 하였다.

난 뒤 방으로 돌아와 삿자리 위에 몸을 뉘었다. 내왕 30리 걸음에도 도통 피곤을 느낄 수가 없었으니 민비를 만나게 된 흥분 때문일 것이었다.

뒤꼍 울바자에서 밤벌레 소리가 요란하고 장지 밖으로는 달빛이 흐드러졌다. 궐녀는 몹시 더웠으므로 덧문을 삐쭘하니 열고 돌쩌귀에다 몽당빗자루를 끼워 놓았다. 한결 시원한 바람이 토방 안으로 스며들었다. 매월이는 민비가 건네준 옥지환을 오래도록 만지작거렸다. 문득 아랫배와 사추리가 뿌듯해 오는 것을 느꼈다. 정욕이 스며드는 것이리라. 매월이는 벌떡 일어나서 자리끼로 떠놓은 냉수를 몇 모금 들이켰다. 그때 울바자 밖으로 인기척 같은 걸 느꼈다. 귀를 기울여 보았으나 다시는 아무런 기척이 없었다. 장지를 닫아걸고 베개에다 한쪽 볼을 묻고 누웠다. 그러다가 문득 잠 속으로 빠져 든 것 같았다. 잠결에 문고리를 조심스레 잡아 흔드는 소리가 들린 것 같았다.

잠든 동안이 길었던 것도 같고 아닌 것도 같은데, 소스라쳐 깨어난 매월이는 우선 홑이불자락으로 젖무덤부터 가리고 앉았다.

「이 야밤에 짐승이오, 사람이오?」

겁에 질린 매월이가 기어드는 목소리로 묻자, 그제야 잡아 흔들리던 문고리 소리가 멈추고 굵직한 사내의 목소리가 들려왔다.

「여보게, 날세.」

「내가 누구요?」

「대동청 창관인 길소개를 잊었는가?」

「길소개라니, 그게 누구요?」

「허, 이 사람, 딱도 하구먼. 대동청 창관인 길소개가 하나지 여남은 명이나 되는가? 어서 문이나 따주게.」

「아아니?」

「설마 구면인 나를 문전 박대야 않으렷다? 어서 문 따게.」

걸걸한 목청하며 빈정거리는 말투가 분명 길소개인지라, 매월이는 그것이 길소개가 아닌 것보다 더욱 놀랐다. 이 화상이 예까지 뒤쫓아오다니, 매월이는 도깨비에 홀린 계집처럼 엉겁결에 문을 따고 말았다. 옷매무시를 수습할 경황조차 없는데 어느새 키꼴이 성큼한 도포짜리 하나가 문지방을 넘어 들어섰다. 아주까리기름 등잔에 불을 댕기는 사이에 길소개는 벌써 방 한편 횃대 아래로 가서 좌정하고 있었다. 등잔불을 썩 디밀어서 견양을 살피자 하니 역시 길소개였다. 매월이는 말구멍이 막혀 앉았다가 등잔에다 담뱃불을 댕기고 있는 길소개를 보고 황망히 물었다.

「수행 하나 없이 어쩐 연유입니까. 여기를 어찌 알고 오셨단 말씀입니까?」

「자네만 신통력이 있는 줄 아는가. 나 또한 신통력에는 남의 훈수 기다릴 것 없는 사람일세.」

「이런 곡절 모를 일이 어디 있습니까?」

「홀현홀몰하는 게 어디 도적뿐이던가. 자네가 나와 의절하고 잠복한 걸 알고 찾아 헤매기 달포가 넘었다네. 나와 의절하다니, 이런 못된 행사가 어디 있는가.」

담뱃대를 빨다 말고 이죽거리고 있는 길소개는 이승의 사람 같지 않았다. 그 눈치를 길소개가 먼저 알아채고,

「내 오밤중에 홀연히 나타났다 하여 저승사자는 분명 아니니 옥추경 욀 요량은 아예 말게. 난리통에 다소간 곡경을 겪었고 체통에 견모가 되긴 하였네만, 옹골진 성깔을 타고난 덕분으로 이렇게 멀쩡하게 살아 있다네.」

「제가 이곳에 비접 나온 것은 뉘게서 엿들으셨습니까?」

「엿듣다니? 쥐도 새도 모르게 잠행해 버린 터에 누가 알고 내게

말전주를 한단 말인가. 내게도 신통력이 있다는 것을 믿지 않을 작정인 것 같은데, 그러면 못쓰네.」

「세상에 해괴한 일도 많고 망측한 일도 없지 않다 하나, 설혹 신통력을 가지셨다 할지라도 정녕 놀랍고 말문이 막혀 실혼을 할 지경입니다.」

「말문 막힌다는 사람이 주절주절 잘도 지껄이고 있구먼. 이 괴괴한 집 안은 자네가 도차지해서 살고 있는감?」

「내게 무슨 근력이 있어 여기까지 와서 군서방을 보겠습니까.」

「기특한 일이나, 요상한 일이군. 음탕한 자네가 수절과부 행세를 톡톡히 하다니. 지난 이야기는 나중 하고, 나가서 다담이나 한 상 후딱 차려 오게나.」

「시방 다담 차릴 경황이 있습니까. 어찌해서 접부채 하나만 달랑 쥐고 오시게 되었는지 곡절이나 알고 보십시다.」

「엄살떨 것 없네. 나도 장원촌 청미천나루 객점까지 내려와서 피신하고 있었다네. 때마침 뫼산으로 올라서 민씨 집을 엿보던 중 천만뜻밖에도 자네가 출입하는 것을 보았을 뿐이라네.」

「이런 맹랑할 데가 없구려. 그렇다면 그 산에는 왜 올라 다니셨습니까?」

「내 행사 개 주겠나? 하던 이력이 그러하니 남의 일 엿보는 데는 이골이 났지 않은가. 그 집에 서울서 피신해 온 사람이 숨어 있기 때문이지.」

「그것이 뉘신데요?」

「의뭉 떨지 말게. 해 질 녘까지 마주 쳐다보고 나온 자네가 되레 내게 묻는다면 이런 고약한 데가 없지 않은가.」

「들어오실 때 혹여 이웃에서 엿보는 사람은 없었습니까?」

「인적 드물 때를 기다리느라고 밤이슬을 맞으며 있지 않았는가.」

「장원촌까지는 어찌해서 내려오시게 되었습니까?」

「헛, 말 배우는 아이처럼 꼬치꼬치 되묻고 있네그려. 살아 있는 짐승이 신명이 뻗치면 조선 팔도 어디를 못 갈까. 다담이나 차려 오라니까 그러네.」

길소개의 성화에 못 이겨 매월이는 그제야 대강 옷매무시를 수습하고 부엌으로 나가서 주섬주섬 주안상 하나를 보아 왔다. 술 한 잔으로 목을 축이고 난 길소개는 제 집 안방에 든 것처럼 도포를 벗어 횟대에 걸고 의관을 벗어 말코지에 건 다음, 매월이를 제 계집 보듯 바라보고 앉았는데,

「입성은 남루하고 신색은 육탈이 되어 불성모양일 줄 알았더니, 어찌해서 신수가 헌칠하시던 옛 그대로입니까? 어쨌든 그 난리통을 빠져나오신 재간에는 혀를 내두를 지경입니다.」

「사람이 관변의 물을 오래 먹다 보면 뱃심도 달라지고 수단도 터득하는 법이 아니던가. 그래, 그 민씨 집은 듣기로는 국척(國戚)이라 하던데 피신해 있는 사람은 도대체 뉘시던가?」

「나으리께서 구태여 발기 잡아서 무엇에다 쓰시려오?」

「도저하게 굴 것 없네. 자네와 나는 오월(吳越) 같은 사이지만 구차할 때마다 동주(同舟)가 아니었던가. 자네 염량에 내 궁리를 합친다면 구름이 바람 만난 격으로 순탄하지 않았나. 살길이 트일 수도 있는 법, 각색하게 굴지 말고 토설하게나.」

「신청(信聽)*하실지는 모르겠습니다만 그 댁에 중궁전 민비가 있었습니다.」

「일테면 고종의 내자인 민 중전 말인감?」

「믿기가 어렵겠지만, 그렇습니다.」

---

*신청 : 곧이들음.

「믿지 못하다니, 나도 그만한 짐작은 하고 있었네. 민비 일행이 안태 고향인 능촌골 민영위의 집에 피신했다가 탄로 날 것이 두려워 며칠 있지 못하고 떠났다는 소문을 들은 데다가, 마침 장원촌 민씨 집 문단속이 도둑놈 제 집 단속하듯 하고 노복이며 상전이며 할 것 없이 기침 소리 크게 내는 법 없이 며칠을 지내는 것을 보고, 그 집에 피신해 있는 인사가 보통 존귀한 분이 아니란 것은 눈치를 채었지. 그런데 한 가지 이상한 것은 은신처에서 툇마루에까지도 안면을 내밀지 않는 분이 자청해서 중전이라고 발설하지는 않았을 터, 의자하게 지내지도 않았을 자네가 중전을 어찌 알아보았단 말인가?」

「물론 중궁전께서 당신을 두고 중전이라고는 하지 않았지요.」

「아랫것들이 수군거리는 소리를 엿들은 거로군.」

「그것도 아닙니다. 내가 그분의 모색을 알아보았을 뿐이지요.」

「자네가 알아보았다니?」

「옛날 신어미를 따라 창덕궁 굿청에 몇 번 가본 일이 있지 않습니까. 그때 나는 중전 마마를 눈여겨보았습니다만 중전께서는 수심방을 수발하면서 무구(巫具)나 챙기는 선무당을 눈여겨보았겠습니까. 나를 알아보실 리 만무겠지요.」

「그래서 자넨 중전 마마가 아니시냐고 아예 딱 까놓고 대들었겠구면?」

길소개의 그 말에 웃기만 하던 매월이가 손사래 치면서,

「아닙니다, 모른 척하였지요.」

「용이 여의주를 얻은 셈인데, 숙맥도 아닌 자네가 알거냥하지 않았을 리가 없지 않은가.」

「미련한 말씀 골라서 하시는구려. 아녀자의 좁은 소견이라고 나 또한 그렇게 해망쩍은 줄 아슈? 곧이곧대로 알거냥했다간 나는 귀

신도 모를 죽음을 당했을 게 아닙니까. 아니래도 소문이 새어 나갈까 봐 숨을 죽이고 있는 판국에 내가 출싹거렸다간, 하찮은 시골 무당 그 당장 고방에 내려 가두고 멸구를 시켰을 건 뻔한 일이 아닙니까. 발설하지 않겠다고 천만번을·되뇌어 바친들 믿어 줄 리 만무지요. 내 모가지 아까운 줄 번연히 알면서 자발없게 주둥이를 놀릴 수야 없지 않습니까.」

「과연 천 년 묵은 구미호가 있다더니 자네야말로 천 년 묵은 여우를 여러 마리 삶아 먹고도 남겠네. 총명하고 식견이 투철하기가 나라에서 제일이라는 중궁전쯤이야 하루아침에 말아먹을 계집이로세.」

술잔을 들고 있던 길소개의 손이 떨리었다. 매월이는 자신도 경황 없게 사실대로 토설해 버리고 만 것이었다. 너무나 엄청난 일이라 아금받은 매월이도 주체할 수 없었기 때문이었다. 떨리는 손으로 술잔을 내려놓은 길소개가,

「자넬 불러 댄 연유는 무엇이던가?」

「무자라도 불러 육효나 뽑아 보고 답답한 심기를 달래 보자 하였던 것입니다.」

「육효를 뽑았던가?」

「미구에 길운이 닥칠 괘였습니다.」

「중전이 굴칩(屈蟄)한 지 여러 날째인데 길운이라니, 가당치도 않은 괘가 아닌가? 길운이란 도대체 무슨 뜻인가?」

「중전께 길운이라면 환궁하실 일밖에 더 있겠습니까.」

「꽤나 허무하고 맹랑한 괘로군. 소도 언덕이 있어야 비비더라고 비빌 곳도 없는 분이 환궁이란 될 법한 일인가. 대원위 대감의 두 눈이 화등잔 같고 게다가 국상도감까지 차린 터에 말일세.」

「나만은 그것을 믿지요.」

「어쨌든 양단간에 두고 볼 일이야. 환궁만 한다면 자네의 육효에 영험이 있다 하여 크게 상급을 내릴 수도 있겠지. 그렇다면 나 또한 한시름 놓게 될 터.」

「만일 이 말을 발설하였다간 나으리 역시 살아남지 못할 것이오.」

「내 모가지 달아나는 게 뭐란 것을 모를까 보아 오금을 박는가? 벽해가 상전 된들 내 입 닥치고 있을 것이네.」

「어서 상을 내주시고 하처 잡으신 숙소참으로 돌아가십시오.」

「돌아가라니, 이런 박절할 데가 있나?」

「수절을 한다는 계집이 밤중에 몰래 개구멍서방을 불러들여 희학질을 논다는 소문이 삼이웃에 퍼지면 내게 이로울 것이 없지요.」

「수절 타령 그만하게. 삼이웃 아니라 온 나라가 자넬 두고 논다니 화냥년이라고 입방아를 찧는다 하여도 자네와 나 사이라면 이렇듯 매정하게 헤어질 수는 없지 않은가. 자네와의 계련(係戀)*에 끌리어 여기까지 찾아온 대장부의 처지도 유념해야 할 터, 그렇게 고달을 빼고 있어야 맛이란 말인가.」

「저도 성년의 계집으로 정욕에 끌리지 않는 것도 아니고 또한 오랜 공방살이에 사내의 억센 살결이 그립지 않은 것도 아닙니다. 그러나 장차의 일을 살피건대 당장 코앞에 떨어진 정욕을 다스리는 것보다 먼 장래의 입신이 더욱 중하니 그 길을 택하는 것이 정당한 이치가 아니겠습니까.」

그러나 이미 길소개의 한 손은 속것만 걸친 매월이의 불두덩 근방에까지 와 있었다.

「그렇게 조빼지 말게. 내 뜻밖에 상배(喪配)를 본 이후로 계집과 침석을 같이한 일이 없어, 이러다간 자칫 꼴사납게 잠양(潛陽)*이

---

*계련 : 몹시 그리워하며 잊지 못함.

*잠양 : 과음 또는 금욕으로 얼마 동안 성욕이 없어져 양기가 동하지 않는 일.

나 되지 않을까 하여 걱정이 태산 같다네.」

「그런 말 마십시오. 나으리께서 저승 간 지어미의 정분을 잊지 못해 색사를 삼갔을 위인도 아니려니와 설혹 색념이 동하지 않았다 손 치더라도 그것은 국계(國計)에서 범포(犯逋)*하고 주구(誅求)에 더욱 신명이 나서 채화(採花)할 경황이 없어 그렇게 되었을 뿐이란 걸 내가 번연히 알고 있지 않습니까.」

말은 그렇게 내뱉으면서도 매월이는 속으로 이 위인과 하룻밤 색사를 질탕하게 벌이고 싶었다. 색정은 남달리 아금받게 타고났으되 팔자 기박하여 지아비를 두지 못하였고, 또한 수절과부로 행세해야 할 경우가 여러 번 닥치게 되니 팔자를 언제까지 거꾸로 살아야 할지, 영험이 있다는 궐녀도 자신의 팔자에는 모를 일이 전부였다. 초례 치른 지아비가 있는 계집은 하룻밤에 열 번의 색사를 가진다 한들 간섭할 위인이 없었다. 그러나 홀로된 계집은 1년에 한두 번 개구멍서방을 보았어도 그것이 곧 화냥년이니, 이는 인간의 도리가 절박하달지라도 법도에 따라야 한다는 것을 가리키려 함일 것이었다. 어째서 자기는 필부(匹夫)와 살 수 없는 것일까.

길소개와 살을 섞은 지도 이미 오래전의 일이었다. 그동안 몇 번의 색사도 없지 않았고 또한 궐자가 상처한 이후로는 상면이 예사로울 수도 있었다. 그러나 꿈에라도 길소개의 정실은 물론이요 측실의 자리나마 탐해 본 적이 없었다. 그것은 길소개라는 위인의 포악함과 비루함이 매월이 자신과도 같다는 것을 너무나 잘 알고 있었기 때문이다. 사정이 그러하매 설혹 육신은 이런 패악한 위인과 살을 섞고 있으되 마음만은 항상 천봉삼에게 가 있었다.

길소개를 상종할 때마다 위인의 술수나 아유에 놀아나지 않아야

---

*범포: 국고에 낼 돈이나 곡식을 써버림.

한다고 마음만은 몇 번인가 다짐을 두건만, 위인의 손길이 살신에 닿고 보면 궐녀는 자신도 모르는 사이에 저 폐부 깊숙이 잠자고 있던 정욕이 귓밥을 곤두세우고 발딱 일어나서 귀와 눈을 어둡게 하고 가슴을 달뜨게 만들고 하초에 감긴 속곳을 흥건하게 적시고 말던 것을 몇 번인가 경험했다.

미욱하고 별미쩍은 천봉삼. 길소개와 살을 섞어 질탕하게 색사를 어르는 사이라도 뇌리에 떠오르는 천봉삼의 얼굴을 향해 매월이는 잇몸이 시리도록 어금니를 앙다물곤 했었다. 그와 가약(佳約)을 맺어 감히 호강을 넘볼 수 없는 한낱 필부(匹婦)로 처신하였다면 음탕한 계집으로 이웃의 지청구가 되지 않았을 것은 물론이요, 길소개와의 치욕스러운 인연도 진작에 종말을 보았을 것이다. 심지어 궐녀가 스스로 동하여 저지른 음행에까지도 모든 과실과 불찰이 천봉삼에게 있다고 생각하고 있었다. 갈피 잡지 못하고 있는 매월이의 심기엔 아랑곳없이 길소개는 거두어 온 옛 정분에 미련 두어 살수청을 들라고 짓조르고 있었다.

「벼락이 뒤쫓아 온다 하여도 오늘 밤만은 임자의 집에서 유숙해야겠네.」

「유숙을 하시다니요? 망령된 말씀 골라서 하시는구려. 수절과수 안방에 뛰어들어 이 무슨 능멸이십니까.」

「수절과수 안방이라, 거 말만 들어도 입 안에서 군침이 도는군그래. 나를 내칠 요량이었다면 진작에 방문은 왜 따주었으며, 이 주안상은 오늘 밤 가약하자는 합근례*가 아니고 무언가. 말 한 마리 다 먹고 말뚝내 난다 한다더니만, 자네 나와 실컷 농탕치다가 이 무슨 난데없는 앙탈인가. 자네의 절개가 이지러진 지 이미 오래전

---

*합근례 : 결혼식을 예스럽게 이르는 말.

일이 아니던가.」

　말버슴새를 들자 하니 눈꼴이 시리긴 길소개도 마찬가지란 얘기였다. 콧방귀를 뀌는 길소개의 말에 매월이는 뒤를 죽여서,

「서답을 본 지가 보름째 되는 날이라 자칫 배태될까 두렵기도 하고, 또한 나으리와의 정분은 서울을 하직할 적에 이미 옛날 일로 돌리었답니다.」

「자네가 내 못 가진 음문을 끼고 있다면 나는 자네가 못 가진 고깃방망이를 차고 있지 않은가. 이성지합(二姓之合)이 돌아서지 못하는 연유가 모두 여기에 있지 않은가. 그동안 소원했던 사이에 나와의 정분이 점차 성기는 것인가?」

「당초부터 정분 두고 나으리께 실수청을 든 것은 아니었지 않습니까. 천성이 정욕이 승한 데다가 의롭지 못한 생리를 좇는 데 한통속이 되다 보니 은연중 나으리와 배를 맞춘 것이지요.」

「옛날에는 심덕이 꽤나 무던하더니만 자네도 배알이 꽤나 뒤틀려 있군그래. 앙탈 부리지 말고 침석이나 깔게. 내 오늘 단판씨름으로 자넬 저승 구경까지 시켜 줌세.」

「스스로 목숨을 지우지 못한 오욕된 삶이라 하나 허술하게 나으리 손에서 저승 구경을 할까요.」

「내가 자넬 멸구하자 하였던가. 저승 야차를 따라가지 않더라도 저승 구경 할 방도가 있다는 걸 임자도 익히 알고 있는 일 아닌가.」

「눈시울이 잠깐 까뒤집힌다고 저승 구경이 될까요.」

「뜸도 그만하면 어지간히 들인 셈이니 그만 채비하고 눕게나.」

「뜸은 고사하고 나으리의 상호를 보자 하니 이빨이 싸늘할 지경입니다.」

「잔소리 낭자하고 심통깨나 부리고 있네그려. 임자나 나나 털고

보면 모두가 부처님 밑구멍이 아닌가. 똑같은 것들끼리 앉아 자웅을 겨룬들 남이 보면 웃겠네. 그만두고 눕게나.」

앙탈을 부려 보았자 이미 씨알이 먹혀들 것 같지 않게 되었음을 깨달은 매월이는 겨우 반허락을 하는 체하였다.

「그렇다면 기왕에 오신 걸음이니 잠깐 침석에 드시었다가 새벽닭이 울면 사처로 돌아가시어야 합니다. 이웃에 소문나면 제 처지가 난감합니다.」

「알았네. 불이나 끄게.」

매월이가 힐끗 돌아다보니 길소개는 그사이 잽싸게도 저고리 벗어부치고 대님 풀고 탈망건까지 하고 바람벽을 등지고 앉아 있었다. 놀랍고 당차고 뱃심 좋은 사내였다. 그러하니 이 난리통에도 명을 부지하였겠지, 속으로 되뇌면서 매월이는 입으로 훅 불어서 등잔불을 껐다. 길소개가 목젖으로 침 삼키는 소리에 뒷집 잠자던 개가 깰 지경이었다. 삼이웃의 마소가 모두 깊은 잠에 빠진 야삼경에 덧문 밖에 흐르는 달빛은 칼날처럼 시퍼런데, 담장 너머 옆집 수숫대가 기대선 디딜방앗간 보꾹에 매달린 어리통에서는 씨암탉이 마침 사흘째 알을 품느라고 깨어 있을 뿐이었다. 인적이 끊어진 고샅길을 따라 나간 돌담 위로 박꽃이 밤의 찬이슬을 피해 화변을 오므려 닫았다. 이엉으로 덮인 앞집 벌통 아래 습기 찬 땅에 엎드려 하루내 벌을 삼켜 포식한 두꺼비 한 마리가 때마침 매월이의 집 마당으로 엉금엉금 기어 넘어오고 있었다. 울바자를 벗어난 두꺼비는 매월이의 집 봉당 아래까지 와서 한동안 숨을 돌리고 난 뒤 봉당 위로 기어오르려다 말고 뒤로 미끄러지고 기어오르려다간 또한 미끄러지는 것이었다. 이미 숨이 턱에 와 걸린 매월이의 입 언저리에서 훅훅 단내가 풍기는가 하였더니, 옛날 같지 않게 방아질이 서툴러진 길소개에게 한마디 툭 쏘아붙였다.

「저승 구경을 시킨다더니 용색이 이게 무어요. 이 허우대를 해가지고 세 뼘도 못 되는 언덕을 못 오르시니 경마잡이라도 불러 대령할깝쇼.」

그러나 길소개의 대꾸는 느긋하였다.

「허, 임자, 조급도 하이. 내 아주 작정하고 한판 올러 보는 중일세. 종기가 커야 고름도 많더라고 오래 끌다 보면 저승 구경 하겠지. 고깃방망이가 박달나무 몽둥이로 변하는 일이 어디 그렇게 수월한 일이던가.」

「내심으로는 난군들에게 적몰당한 서울의 재물을 생각하는 거지요.」

「괴이하게 여기진 말게. 그것도 파정(破精)*을 늦게 잡는 데는 명약이 아닌가.」

「호경골을 구워 잡수시었소? 다리 힘도 좋소.」

「호경골 구워 먹은 적은 없네만, 양도(陽道)가 승한다 하여 객점 상노아이놈에게 메추라기를 잡아 오래서 보양제로 먹기는 하였네.」

그때 비로소 매월이는 소식이 왔는지 온 삭신을 힘주어 뒤틀고 입 안에서 어금니 마치는 소리를 냈다. 둘 중에 누가 그랬을까. 파정에 겨워 발뒤축으로 방구들을 탕 하고 힘껏 걷어찼다. 그때까지 한사코 배밀이를 거듭하다가 겨우 봉당에다 턱을 걸치려던 찰나에 있던 바깥의 두꺼비란 놈이 방구들 걷어차는 사품에 그만 뒤로 벌렁 나자빠지면서 봉당 아래로 굴러 떨어지고 말았다. 뒤로 자빠진 두꺼비는 퉁퉁 부어오른 뱃구레로 가쁜 숨을 몰아쉬며 버둥거리고 있는데, 이마에 땀이 흥건한 방 안의 길소개도 바람벽 쪽으로 몸을 뒹굴렀다. 봉노 안은 그동안 뿜어낸 단내로 하여 삼굿 속처럼 숨이 막힐 지경

---

*파정 : 사정(射精).

이었다. 겨우 숨을 돌린 길소개가 물었다.

「임자, 저승 구경 하였는가?」

「저승 구경은 못했어도 별은 여러 개 보았습니다.」

「염라대왕 앞까지는 노자가 모자라던가?」

「노자가 모자라는지 기력이 모자라는지 모르겠습니다만 별 구경
을 여럿 하였으니 저승 문턱에 턱은 걸었던 셈이겠지요.」

「내가 지성껏 품앗이를 하였으면 못 갔어도 저승은 갔었다 해야지,
임자는 각색하기가 어찌 올곧은 소리만 하는가.」

「오래도록 남정네와 침석을 같이하지 못해서 그런가 봅니다. 이제
새벽닭이 홰를 쳤으니 객점으로 돌아가십시오.」

「마땅한 혼처도 없을 터, 또한 자네와 같은 천격이 범상한 지아비
를 만나기란 하늘의 별 따기일 터, 그만 내 측실로 들어앉는 게 어
떤가?」

「시방 나으리의 처지가 어떠하시다고 오지랖 넓은 말씀 하고 계십
니까. 측실 아니라 정실이란들 그런 심지 품어 본 적 추호도 없으
니 아예 말씀도 꺼내지 마십시오.」

「도대체 내게 살수청을 들면서도 동락하기 싫다니 자네의 소갈머
리는 알다가도 모르겠네. 대동청 창관의 측실이라면 그게 산협에
있는 토반의 여식인들 쉽게 얻어질 복덕이 아니지 않은가.」

「제가 나으리께 허신을 한 것은 타고난 정욕의 탓이지 결코 사리
와 분수를 따르고자 함이 아니었다 하지 않았습니까.」

「알았네. 그렇다면 나 또한 심사에 불질러 가면서 자네에게 적선
을 빌 것까지야 없지. 그러나 단 한 가지 아퀴 짓고 넘어가야 할 일
이 없지 않네. 그것은 발천(發闡)에 대한 일인 이상, 자네와 나는
척을 지고 살 수 없는 처지란 것은 잊지 말게. 그것만 약조한다면
나도 자중할 요량일세.」

「그것을 잊을 턱이 있겠습니까.」

 길소개가 몇 모금 담배를 빨다가 도둑놈처럼 집을 빠져나간 뒤 매월이는 다시 뒤꼍으로 가서 오랫동안 뒷물을 하고 앉아 있었다. 계집의 팔자가 어쩌면 이토록 뒤틀리고 기박한 것일까. 죽도록 상사하고 연모하는 천봉삼은 그토록 수소문해도 다시 만나지 못하면서, 결코 마주치지 말아야 할 길소개는 어찌 떨치지 못하고 살을 주어야 하는 것일까. 그때마다 수치로 떨면서 또한 자문의 길을 택하지 못하고 이토록 길게 명을 부지하면서 살아 있어야 하는 것인지. 천지간에 헤아릴 수 없는 계집이 바로 자기란 생각이 들었다. 남진계집들도 외간 사내와 놀아남이 적지 아니하고 또한 한두 번 실절한 지어미들도 없지 않다지만, 여러 남자와 살을 섞어야 했던 지난날의 치욕으로 인하여 길소개와 동사하게 된 업보를 낳은 것이 아닌가 하여 매월이는 공허한 심사에 모처럼 눈시울이 뜨거워졌다.

 매월이는 길소개가 다녀간 뒤로 내리 사흘 동안 문밖출입도 않은 채 집에 틀어박혀 있었다. 이튿날 다시 오겠다고 약조하고 민씨 집을 떠나온 것이, 심사의 울화를 끄느라고 사흘을 넘긴 것이었다. 그러나 심란한 가운데서도 마음속으로는 겨냥하는 바도 없지 않았다. 아니나 다를까, 나흘째가 되는 날 장원촌 민씨 집 침모가 헐레벌떡 찾아와서 매월이를 잡아끌다시피 일으켜 세웠던 것이다. 대문간까지 쫓아 나온 청지기가 설설 기는 시늉으로 앞장서서 곧장 내당의 대방으로 매월이를 안내하는 품이 대접이 전 같지 않게 융숭했다. 상종이 없었던 사흘 사이에 변고가 있었던 게 분명했다.

 매월이가 대청을 건너 대방으로 들어서자, 모색에 환하게 꽃이 핀 민비는 일어나 쫓아 나올 듯이 들먹이면서 매월이를 맞이하였다. 매월이의 공손한 절을 받은 뒤에,

「잘 왔네. 며칠 전까지만 하여도 몽마에 시달려 도통 잠을 이루지

못하였더니 자네 한 번 다녀간 뒤로는 가위 한 번 눌리는 법 없이 편히 잘 수 있었으니, 이것은 도대체 무슨 조화인가. 아마도 하늘이 점지한 일이 아니고서야 자넬 만날 수가 없었겠지?」

그때서야 국궁하고 있던 매월이는 우러러 민비의 얼굴을 쳐다보았다. 양미간에 화색이 돌고 두 볼에는 서기(瑞氣)가 서려 있었으니 변고가 생기긴 하였으되 분명 추달 받을 일로 부른 것은 아니었다.

「내 이제야 자네에게 토설해야 할 일이 있다네.」

「쉰네는 진작부터 알고 있었습니다.」

「알고 있었다니, 그것이 무언가?」

「서울에서 기쁜 소식이 당도한 것입니다.」

「영험 있고 귀여운 사람이로고. 그동안 서울에다 은밀히 사람을 놓아서 조정의 소식을 탐문하였더니, 국태공(國太公)*인지 국개공인지가 청군에게 잡혀 남양만으로 끌려갔다는구먼. 국권을 좌지우지하던 그도 이젠 한낱 피수(被囚)*의 몸이 되었다네. 이것이 내겐 둘도 없는 기쁜 소식이 아니고 무엇인가. 자네가 날 초대면하여 관우의 딸이라고 말했을 때까지도 내 속으로 적잖이 의아하고 또한 방자하다 여겼거늘, 자네 간 뒤 새벽에 이토록 기쁜 소식 당도하고 보니 내 잠깐이라도 자넬 업수이여긴 것이 얼마나 후회되었는지 모른다네. 이 일을 어찌하면 좋은가.」

「기쁜 소식 당도는 쉰네 이미 예견하고 있었던 일이니 별로 놀라울 것이 없습니다. 그러나 이런 때일수록 마님께서는 자중 자애하시어 본가로 회정하실 때까지 신기를 무사히 보전하시어야 합니다.」

「저런 고마울 데가 있나. 심덕도 무던하여 사람이 진국이로구먼.

---

*국태공: 흥선 대원군 이하응을 높여 이르는 말.
*피수: 옥에 갇힘.

이번의 난리는 필시 자네를 만나게 하려는 하늘의 뜻이 아닌가.」

「쇤네는 다만 황송할 뿐입니다. 일개 이름 없는 천격에게 하늘 같은 대접을 하시니, 다만 어리둥절하고 또한 몸 둘 곳이 마땅찮을 뿐이지요.」

「이리 더 가까이 오시게. 오늘부터 자네와 나 사이에는 격이고 무엇이고 모두 파탈하세.」

「쇤네를 두둔해 주시는 것만도 망극이온데 어찌 쇤네가 마님과 평신(平身)할 요량을 하겠습니까. 파탈하시자는 말씀은 거두어 주셔야 합니다.」

「내 호의를 마다 말게. 자네를 만난 것은 내가 후사를 보았을 때의 기쁨과 비견해서 결코 기울지 않는다네.」

자제력이 있다는 민비도 그때만은 체모에 구애됨이 없이 오랜 지기를 맞이하여 환담하는 듯하였다. 서울로 올라갔던 이용익이 가져온 소식은 민비를 들뜨게 하는 데 충분했다.

5

지난봄부터 문의관(問議官)으로 청(淸)에 가 있던 어윤중(魚允中)이 상해(上海)로부터 천진(天津)으로 가서 영선사(領選使)로 머무르고 있던 김윤식과 함께 유숙하였다. 6월에 느닷없이 본국으로부터 군란이 일어나 민비가 시해(弑害)되었다는 놀랍고 망극한 소식을 듣게 되었다. 두 사람은 이홍장(李鴻章)을 만나 보고 죄를 물어야 한다고 빌다시피 청하였다.

물론 표면으로는 청이 왜국보다 앞서 파병하여 국왕을 보호하고 난을 진압시켜 줄 것을 청한 것이었다. 이홍장도 대원군이 왜국과 야합할 우려가 없지 않다고 여겼다. 차제에 일본국에다 위엄을 보여야겠다고 작정하여 마건충(馬建忠)과 정여창(丁汝昌)에게 수병(水兵) 수천 명을 조발하라고 명하였다. 6월 초나흗날 오장경(吳長慶)·정여창·원세개(袁世凱)와 김윤식이 동승한 배가 등주(登州)를 발행하여 동쪽으로 내려오더니 남양만 마산포에다 닻을 내리었다.

그 당시 고종은 특지(特旨)를 내려서 흥선 대원군이 출입을 할 적에는 팔인교(八人橋)를 타게 하고 쌍파초선(雙芭焦扇)을 든 사령을 따르게 하였으며 공복(公服)에 귀배(龜背)를 입게 하고 수십 명의 전후배 사령들이 따르도록 하니, 이는 대원군의 체통과 위엄을 조정에 보이고자 함이었다. 대원군의 위엄이 하늘에 떨쳤지만 청군이 출동했다는 소식을 접한 조정에서는 병조 판서 조영하(趙寧夏)와 공조 참판 김홍집(金弘集)을 접견 대관(接見大官)으로 임명하여 부랴부랴 마산포로 떠나보냈다. 그 후 7월 열이튿날에는 비가 내리고 있는데도 아랑곳 않고 시위를 겸한 청국 군대의 입성이 거칠 것 없이 진행되었다. 대원군은 할 수 없이 훈련대장 이재면으로 하여금 과천까지 나가 마중하도록 하였다. 시위를 한 청군은 오장경이 인솔하는 군대만 숭례문 밖에 남겨 두고 나머지는 모두 서울로 들어온 것이었다. 조정과 백성들이 그들의 등등한 기세와 능멸에 놀라고 당황하였으나 다만 바라보고만 있을 뿐 별수단이 있을 수가 없었다. 다음날 오장경과 마건충은 고종을 청알한 다음, 저들 신명이 뻗치는 대로 사전 통지도 없이 운현궁으로 흥선 대원군을 예방하였다. 구실인즉슨 대원군을 숭례문 밖에 있는 저들의 진영으로 초청한다는 것이었다. 흥선 대원군이 구미가 당길 리 만무였다. 그러나 사태로 보아서 아니 가면 더 큰 사단이 벌어질 조짐이었다. 뒤가 켕기는 걸음으로 저들 청진(淸陣)에 당도하고 보니 예기치 않게 여러 장수들이 나와 줄지어 서서 국궁으로 환접하니 애당초 먹었던 긴장이 풀렸다.

그 뒤 또다시 초청이 있었기로 대원군은 아무런 걱정 없이 수레를 등대하도록 분부를 내렸다. 그때 정현덕(鄭顯德)이 만류하고 나섰다. 이번 걸음에는 필시 돌려보내지 않을 심산이니 삼가시는 게 좋다고 간곡히 만류했던 것이나 대원군의 고집이 듣지 아니하였다. 그 길로 대원군은 청진에 당도하였다.

진영의 제1문에 이르러서는 교자를 내리게 하였고, 그다음 문에 이르자 뒤따르던 종자를 내치는 것이었다. 진영의 군졸들과 종자들 사이에 잠시 실랑이가 있긴 하였으나 장수들이 이를 제지했다. 대접하는 거동이 전일과는 매우 딴판이었으므로 무슨 변이라도 일어날 조짐으로 알았으나 이미 발길을 되돌리기에는 진영 깊숙이 들어온 것이었다.

사위를 살펴보아도 아무런 방책을 세울 만한 도리를 찾지 못하였다. 마건충과 만나 몇 마디 필담을 채 나누지도 못했는데 별안간 그의 입에서 흥선 대원군에게 오라를 지우라는 명령이 떨어졌다. 밖에서는 난데없는 포성이 터지고 군졸 십수 명이 일시에 달려들어 대원군을 포박하고 입을 밀랍으로 막아서 소리 내지 못하게 잡도리했다.

그때 다시 한 떼거리의 장졸들이 뛰어들어 대원군을 메고 뒷문으로 빠져나가는가 하였더니, 단숨에 동작나루를 건너서 밤새 남양만 마산포에 이르렀다. 진영 밖에서 기다리고 있던 종자들이 오랫동안 대원군이 나오지 않으매 괴상하게 여기고 신변에 무슨 변고가 있느냐고 물었다. 그러나 국태공 합하(閤下)*께서는 긴급히 타협하실 일이 있어 오늘 밤을 진영에서 유숙하시고 내일 회정할 것이라는 대답뿐이었다.

이튿날이 되었다. 놀랍게도 흠차 제독(欽差提督)* 정여창의 명의

*합하 : 정일품 벼슬아치를 높여 부르던 말.
*흠차 제독 : 황제의 명령으로 파견된 해군 함대의 사령관.

로 숭례문과 종가 곳곳에는 포고문이 게첩되었다. 대원군이 중전을 시해하였다는 말이 중국의 조정에까지 미치어 그 진위를 가리기 위해 대원군을 데려간 것이니, 일이 명백해지면 다시 돌려보낼 것이므로 백성들은 놀라지 말라는 것이 그 내용의 전부였다. 백성들이 어찌 놀라지 아니하고 조정이 당황하지 않겠는가. 게다가 포고문을 게첩한 지 이틀이 지난 뒤에는 돌연 이재면을 남별궁에다 유폐시키는 일변, 군졸들을 풀어서 왕십리와 이태원 등지를 야습하여 그곳에 살고 있는 군정들과 그 권속들을 포박하고 감금하는가 하면, 대항하는 군졸 십수 명을 무고하게 목 베는 참사까지 벌인 것이다. 순망치한(脣亡齒寒),* 이미 대원군을 잃어버린 저들은 너무나 거창하고 드센 청군의 무력에 치를 떨고 주먹을 부르쥐었을 뿐, 그들의 패악에 설분할 아무런 방도도 찾을 수 없었다. 장안의 인심이 삽시간에 크게 흔들렸고 군란에 가담하고 부세했던 백성들도 가산을 버리고 인근의 산협으로 피신할 수밖에 없었다.

　서울로 올라갔던 이용익이 이토록 자세한 장안의 소식을 가지고 장원촌으로 회정하였으니, 민비로 봐서는 천만의외의 왕기를 얻고 근와(根窩)인 흥선 대원군을 손 한 번 까딱 않고 폐적(廢籍)시킨 셈이 되었다. 또한 의대로 가렴(假斂)*하여 재궁(梓宮)*이 되었다는 자신은 피난길에 가위눌려 약간 수척해 있을망정 멀쩡하게 살아 있음이 아닌가. 게다가 이용익이 지니고 온 왕의 밀지(密旨)에는 지아비로서의 애틋한 그리움이 자구마다 넘쳐흐르고 머지않은 장래에 영접사를 내려 보내 중전을 정중하게 대궐로 모시겠다는 간곡한 글발

*순망치한 : 서로 이해관계가 밀접한 사이에 어느 한쪽이 망하면 다른 한쪽도
　그 영향을 받아 온전하기 어려움을 이르는 말.
*가렴 : 임시로 염습함.
*재궁 : 왕, 왕대비, 왕비, 왕세자 등의 시체를 넣던 관.

이 적혀 있었던 것이다. 사실 그러한 소식이 당도하리라곤 민비는 물론이려니와 매월이 또한 예견할 수 없었던 일이었다. 육효의 괘가 그러하였고 신수가 또한 그러했다 할지라도 그것은 진흙 속에서 바늘을 찾는 것만큼 허황된 일이었으므로, 그러한 소식에 매월이 자신 또한 놀라지 않을 수 없었다. 그러나 영험이 있다는 만신으로선 그것을 굳이 내색할 까닭도 없었고 또한 그렇게 해서는 안 되는 일이었다.

어쨌든 그날부터 민비는 한시라도 매월이를 놓치지 아니하고 곁에 두고 보자 하였다. 심지어는 자기가 중전이란 것까지 직토하게 되었고 고종과의 침전에서의 일을 비롯하여 성적하고 몸가축하는 일에까지 일일이 매월이의 훈수를 듣고자 고집하였다. 곁에서 호자 (虎子)* 헹구는 일까지 일일이 찾아 수발하던 민씨 집의 가전들이 눈살을 찌푸리기에 이르렀다. 그러나 중궁전께서 즐겨하매 어느 누구도 그 앞에 나아가서 직언으로 만류하지 못했다.

매월이가 민씨 집에 칩거한 채 바깥으로 모습을 드러내지 못하게 되자, 똥끝이 타는 것은 날마다 뒷산으로 숨어 올라서 일구월심 동정을 살피고 있는 길소개였다. 게다가 이틀돌이로 한 번씩 객점으로 찾아와서 상종해 주던 이용익도 이번 서울 길에서 회정한 뒤로는 도통 바깥으로 코빼기를 내밀지 않고 있었다. 매월이를 만나든지 이용익을 만나든지 해야 할 텐데 그것이 여의치 못했다. 술수엔 통달했다는 길소개도 혼자서 속만 태울 뿐 슬기구멍이 막혀 버린 것을 깨달았다. 행객을 가장하고 민씨 댁으로 무작정 뛰어 들어갔다간 자칫 어육되기 십상이요, 매월이나 이용익이 안면을 잡아떼고 모른 체한다면 영락없이 실성한 놈으로 지목이 될 것이었다. 객점의 상노아이

---

* 호자: 요강.

를 꼬드겨 두 사람 중 한 사람에게 은밀히 찰을 띄우는 것도 방도 중한 가지이긴 하였다. 그러나 천생 진서글에 토도 온전하게 달 수 없는 짧은 식견이라 가진 심사를 십분 토로할 수 없는 데다 서찰이 제대로 전달된다는 것도 겨냥하기 어려운 처지였다.

이래저래 심화를 끄느라고, 객점으로 돌아오면 밤을 지새워 술방구리를 비워 댔다. 가진 노자도 없는 터수에 연채는 늘어만 갔다. 객점에서 수발하는 거동도 예같이 고분고분할 리 없었고 술막질하는 식주인(食主人)도 목자 험악한 꼴이, 심통을 부렸다 하면 행짜깨나 장하게 생겨 먹었다. 그렇지만 길소개의 지체를 보아하니 체통깨나 지킨다는 반열인지라 근근이 참아 넘기고 있었다. 그러나 요사이 참없이 마셔 대는 술에 연채 밀린 일을 아귀 짓고 넘어가야 되겠다 싶었던지 상노아이를 제치고 몸소 술소반을 들고 봉노로 기어들었다. 소반에다 군동내가 들쩍지근한 푸새김치 한 보시기와 주모가 손가락으로 찍어 붙인 된장 종지가 놓였고 술 한 방구리가 겨우 놓였을 뿐이었다.

「나으리, 근자에 심화가 대단하신 모양이십니다요.」

「어인 간섭인가?」

「정작 끼니 수발은 마다하시면서 술상만 참 없이 들이라 하시기에 말씀입니다요.」

길소개는 술방구리 속으로 잔을 집어넣다 말고 삼베등거리 섶 사이로 비치는 식주인의 시꺼먼 가슴털을 흘기면서,

「자네가 왜 난데없이 내 턱 앞에 뛰어들어서 도저하게 주절거리고 있는지 내 모를 줄 아는가? 일테면 내 꼬락서니가 구차해지니까 오그라진 팔자에 청승만 늘어 간다 그 말인가?」

「혹여 곡해는 마십시오. 사실은 나으리의 식대가 수월찮게 밀려 있는지라…….」

「내가 소문난 장안 갑부는 아니네만 내가 지고 있는 식대뿐이 아니라, 이 하찮은 시골 객점을 도거리*로 산다 하여도 가전 치를 형편은 되니 너무 짓조르지 말게.」

「남의 집 금송아지가 비루먹은 우리 집 개보다 못하더라고, 남의 전대에 든 거금이 내 수중의 서푼보다 달가울 것이 무엇입니까.」

「고이연, 자네가 그 꼴같지 않은 연채를 가지고 나를 능멸하려는 것이 아닌가. 사람이란 항상 뒤를 두고 보아야 한다는 것을 왜 모르나? 자네가 시방은 이 산협의 나룻가 객점에서 술막질이나 하고 연명한다지만 내 부추김을 받아서 입신양명하게 될지 누가 알겠나?」

「물방앗간에서 고추장 찾기입죠. 진서는 고사하고 언문도 뜯어볼 줄 모르는 천격이 양명이라니, 가당찮은 말씀입죠. 자리 봐가면서 똥 싸더라고 철든 사람이라면 분수껏 살아야지요. 그런 점에선 나으리도 마찬가지입죠.」

식주인의 그 한마디가 길소개의 부아를 돋우고 말았다. 길소개는 마침 소반 위에 놓인 술방구리를 들어서 식주인의 상투께를 정통으로 내리찍어 버렸다. 술방구리가 당장 두 동강으로 바스러지며 술찌끼가 식주인의 이마 위로 좌르르 쏟아졌다. 술방구리가 두 동강으로 바스러질 정도라면 식주인은 응당 삿자리 위로 콧등을 박고 쓰러져야 옳았다. 그러나 술찌끼를 잔뜩 뒤집어쓴 채 뻣뻣하게 앉아 있던 식주인은 그 순간 벌떡 자리에서 일어났다. 그리고 길소개의 멱살을 뒤틀어 잡고 봉당 아래로 끌어내었다.

「문자에 적반하장이란 글귀가 있다더니, 이런 맹랑한 놈을 보게. 굴러 온 돌멩이가 박힌 돌 뽑으려 드네그려. 네놈이 만진(萬塵)중

---

*도거리 : 따로따로 나누지 않고 한데 합쳐 몰아치는 일.

의 외장수* 꼴로 유난을 떤다마는, 네놈 아니라도 반명을 한다는
놈들은 처깔렸다. 네놈도 죽어 보아야 저승을 알 놈이여, 상것들
따끔한 매맛을 구경하련.」

식견이라면 몰라도 완력으로 어른다면 길소개도 제 앞을 닦는 사
람이었다. 그러나 이 난데없는 식주인에겐 어찌할 재간이 없었다.
식주인은 목덜미째 질질 끌려오는 길소개를, 작년 햇곡머리에 베어
다 세운 수숫대가 늘어선 마당 귀퉁이를 돌아서 감나무 아래로 끌고
갔다. 감나무 아래엔 버캐가 허옇게 낀 찌그러진 오지항아리 하나가
놓여 있었다. 식주인은 길소개의 엉덩이를 슬쩍 한번 추슬러선 오지
항아리 속으로 길소개의 상투를 일 같잖게 풍덩 집어넣었다.

「네놈은 남의 낯짝에 술치레하기 좋아한다만 내가 좋아하는 것은
벼슬아치 상관에 똥치레다, 이놈. 장두전도 없는 주제에 참 없이
술상 들이라 말고 똥오줌이나 걸게 마셔라, 이놈.」

「아아푸…… 겔겔…….」

「이놈, 아주 어린양하네. 기왕 시작한 김에 아주 포식을 하고 말거
라.」

「나, 날 살려라.」

「이제 양이 한껏 찼느냐.」

식주인이란 위인은 완력만 드센 작자가 아니었다. 상것의 처지로
서는 감히 똑바로 쳐다볼 수도 없는 대동청 창관의 상투를 오지항아
리에 처박는다는 일은 만고에 없던 일이었다. 상것의 도리로선 감히
있을 수 없는 일이겠거늘, 술청에서 술추렴을 하고 있던 뜨내기들도
식주인의 패악을 멀찍이서 바라보고만 있을 뿐 행패를 말리려 들지
않았다. 어쨌든 한 시절에는 주지육림도 귀찮아 거들떠보지도 않았

---

*만진중의 외장수 : 어지러운 환경 속에서의 귀중한 존재를 이르는 말.

던 길소개는 복에 없던 똥오줌을 잔뜩 켜고 난 뒤 마당 귀퉁이 썩은 바자 아래로 벌렁 나자빠졌다. 식주인이 다시 삽짝 밖으로 끌어내 버렸다. 수채를 뒤지던 개들이 쭈르르 달려와서 길소개의 상투에 코를 대고 끙끙대다가는 컹컹 짖어 댔다. 식주인은 사립문을 부서져라 처닫으며 공짜 끼니 공양한 것을 후회하는 것이었다. 그래도 뒤꼭지가 저렸던 주모가 달려 나와서 길소개에게 물을 끼얹고 부추겨 세우려 하였으나 식주인이 달려와서 안해를 끌고 들어갔다.

「이녁, 나중 일을 어찌하려고 이런 행패를 저지르시오. 이제 몇 조금 못 가서 주기를 내려야 할 것은 빤한 이치요, 이녁도 홍살문 안으로 끌려가서 치도곤을 당하게 생겼으니, 망령 든 어머님이며 우리 일곱 식솔 이제 쪽박 들고 유리걸식하며 면면촌촌으로 흩어지게 되었소.」

「까짓것, 한 번 죽지 두 번 죽나. 초가삼간 다 태워도 빈대 죽는 꼴 보니 속 한번 후련하구먼.」

길소개가 장원촌 객점에서 그런 수모를 당하고 있을 즈음, 조정에서는 민비를 환궁시킬 일로 부산을 떨었다. 흥선 대원군이 청국으로 납치되자 고종은 팔역의 백성들에게 간곡한 윤음(綸音)을 내리었다. 한동안 천보가 비색하여 지난 6월에 일어난 군란은 천고에 있을 수 없는 일이었다. 창망중에 이를 감교(勘校)*하고 징벌치 못하여 여항의 민심이 흉흉하고 조정이 심히 어지럽던 중에, 다행히 상국에서 군사를 파견하여 난군 주모 10여 명을 중형에 처하고 민심은 바로잡히었다. 무릇 나라에 백성과 군대가 없으면 어떻게 국기를 지탱하리오. 죄 없는 자는 용서할 것인즉 대소 군민들은 군무에 복종하고 뜬소리를 듣지 말아야 할 것이다. 임금의 말은 자고로 변경하는 일이

---

*감교 : 자세히 조사하고 대조하여 잘못된 것을 바로잡음.

없다. 백성들은 각기 자기의 생업에 신명을 다하도록 하라. 과인은 덕이 없음에도 불구하고 벌써 19년이나 보위에 있었다. 덕치(德治)를 쌓지 못하여 백성들의 죄가 모두 과인의 한 몸에 든 것을 알고 있노라. 그러나 이제 와서 통탄하고 후회한들 소용이 있을까. 과인이 즉위한 이래로 과중한 토목공사로 백성들은 궁핍을 면치 못하였고, 통용 화폐가 여러 번 바뀌어 나라의 재정이 크게 혼란되었다. 사원을 철폐한 것도, 미신을 과신하여 국계를 크게 낭비한 것도, 인재를 등용함에 편견이 있었던 것도, 궁중을 단속하지 못한 것도 모두 과인의 실책으로 알아 마땅하리라. 뇌물로 공행(公行)케 한 것이나 국고가 빈 것도, 변고가 자주 일어나 백성들을 어지럽힌 것도, 권세 있는 자만이 살고 백성은 한낱 포화에 그친 것도 또한 과인의 과실이겠으니, 차후로는 이 점에 유의하여 정치에 정려(精勵)*하겠노라는 것이 윤음의 내용이었다.

그러면서 고종은 탑교(榻敎)*를 내리어 어윤중(魚允中)으로 하여금 청나라 군사 중에서 민비 환궁 호위병으로 1백 명을 조발해 줄 것을 당부하였다. 청나라에서는 협력할 것을 쾌히 승낙하고 청군 장교 진운용, 오장순 등이 영솔하는 1백 명을 영접사 일행을 따라 내려 보내니, 7월 스무엿샛날에는 충주목에 당도하였다는 소식이 들렸다. 그렇게 되고 보니 8월 초순에 환경(還京)하리라던 매월이의 말도 영락없이 적중되고 말았다. 1백여 명의 호종(扈從)할 시위군이 이름 없던 촌락인 장원촌에 당도하고 합리산(哈利産)* 흑마 두 필이 이끄는 가교(駕轎)가 민씨 저택 한터에 대령하자 장원촌 일대는 발칵 뒤집히고 말았다. 가후(駕後)*가 1백여 명을 헤아리고 벽

---

*정려 : 힘을 다하여 부지런히 노력함.
*탑교 : 왕이 의정을 불러서 직접 전하는 명령.
*합리산 : 외몽고의 말 생산지.

120

제할 가도(呵導)가 십수 명이었다. 가근방 열읍(列邑)의 백성들이 민비의 거동을 구경하겠답시고 구름처럼 모여들었다. 민비가 살아 있다는 풍문은 여항간에 심심찮게 돌고 있었으되, 민씨 집 대방에 은둔해 있었으리라곤 아무도 예견치 못했던 일이었다. 서울로 발행하기 전날 밤 침석에 들려고 자리옷으로 바꿔 입은 민비가 넌지시 매월이를 불렀다.

「내일의 환궁은 자네의 덕분인 터, 자네도 공규를 지킬 것 없이 내일 같이 가지 않으려나? 자넬 홀하게 대접하지는 않을 것이니 그리 하시게.」

「중전 마마, 마마의 환궁이 어찌 쇤네의 덕분이라 하십니까. 이는 나라님의 은총이 아니십니까.」

「자네의 영험이 아니었더라면 그동안 내 어찌 마음의 평정을 찾을 수가 있었겠나. 내가 건강한 모습으로 상감을 뵙게 된 것은 자네의 덕분이 아닌가.」

잠깐 뜸을 들이는 것 같던 매월이의 입에서 천만의외의 대꾸가 불쑥 흘러나왔다.

「대명을 우러러 받자 하니 이런 호광 만고에 없사오나, 마마의 환궁 행차에 쇤네 같은 천출이 배종을 한다 하면 마마의 체모에 욕이 될 것입니다. 쇤네 또한 산협에 주질러 앉았어도 임금의 덕화 가운데 살면서 구차하나마 생리를 얻는 것이 천격의 분수에는 맞는 일이 아니겠습니까. 다만 이곳에 계실 동안 내려 주신 하해 같은 은총은 각골명심(刻骨銘心)으로 아로새겨 누대에 남기려 하옵니다.」

구변이 출중하기로는 소진(蘇秦)과 장의(張儀)*의 혀가 당할 재간

---

*가후 : 임금이 행차할 때에 가교의 뒤를 따르며 시위를 맡던 군사.
*장의 : 중국 전국 시대 위나라의 정치가.

이 없는 줄을 알 턱이 없는 민비가 다시,

「자네가 내 소청을 내치다니, 이제껏 아름답게 지내 오다가 이 무슨 외람된 일인가. 혹여 자네의 생업에 간애(干碍)*를 저지를 마음은 추호도 없고 자넬 홀대하지 않겠노라고 몇 번이나 다짐해야 하는가.」

몇 방울의 눈물이 무릎 위에 놓인 매월이의 손등으로 떨어졌다.

「이제까지 마마께옵서 베풀어 주신 은덕만으로도 쇤네 평생 잊지 못할 것이온데, 어찌 배종하여 또한 폐단을 저지를 수 있단 말씀입니까. 제발 분부 거두어 주신다면 쇤네 한낱 촌부로 남아 있겠습니다.」

「안 되네. 자네가 탁고(託故)*하고 나와 남북으로 유리된다면 나 또한 어찌 발길이 가벼울까. 중전의 말을 내치며 이토록 속을 썩이다니……」

「아니 됩니다. 쇤네가 마마 곁에 있으면 폐단이 될 것입니다.」

「겸사도 지나치면 폐단이 아닌가. 성품이 그토록 올곧은 자네가 중전에 기대어 호가호위(狐假虎威)할 생념을 품을 것도 아닐 터, 내 간지(懇志)를 그토록 내치지 말게. 사람으로서 부실하달 수 있는 세 가지가 있으니, 그것은 곧 어리면서 장자 섬기기를 게을리 하고, 천격이면서 지체 있는 사람을 아랑곳하지 않으며, 불초한 자가 현자를 우러러볼 줄 모르는 것이니, 자네는 백성이면서 어찌 중전의 분부를 이지러지게 만들려 하는가. 자네가 끝내 가지 않겠다 하면 나 또한 평생을 두고 자네에게 원성을 보낼 것인즉, 그 폐단은 가서 저지를 폐단보다 더욱 큰 고질이 아니겠나.」

「중전 마마, 마마께서 쇤네를 그토록 아름답게 보신다면 어명대로

* 간애 : 방해가 되는 짓.
* 탁고 : 어떤 일을 내세워 핑계를 댐.

122

각별 거행하겠습니다.」

그제야 민비는 매월이의 치맛자락을 놓아주었다. 이튿날 아침, 민비를 모신 가교가 민씨 저택을 하직하고 떠나려 하였다. 그동안 배행하였던 민응식과 이용익은 물론이요, 매월이 또한 따르려 하였다. 전날까지 구름처럼 모여든 인근의 백성들은 한터 멀찍하게 원진들을 치고 엎드려 민비의 환궁을 묵묵히 지켜보았다. 행차의 규모는 왕의 거둥보다 거창하였다. 민비가 가교에 오르자, 봉도별감(奉導別監)*이 가교의 머리채를 잡고,

「시위, 충이지 말고 반듯이 도시위 예시위.」

하는 갈도성(喝道聲)을 내지르니, 여러 별감들이 일제히 화창(和唱)하면서 막 민씨 저택 한터를 떠나려던 참이었다.

멀찍하니 원진을 치고 물러서 있던 백성들 무리 사이에서 입성이 남루하고 부서진 갓철대가 어깨에 처진 한 사내가 시위하는 별감배들 사이를 뚫고 쏜살같이 가교 아래까지 굴러 오더니 땅에 엎드려, 중전 마마 만수무강하옵소서 하며 대성통곡하는 것이었다. 그러나 날쌘 별감배들이 곧장 달려들어 사내를 멀찍이 끌어내었다. 민비가 그것을 놓칠 리 없었다. 오욕과 수모를 겪은 지 50여 일, 그 짧디짧은 세월에서도 민비는 50년 맞잡이라 할 만한 인생을 편력한 느낌이었다. 장례까지 치른 사람이 되살아나서 영화의 자리에 복귀한다는 일이 심청이를 빼고는 고금에 없던 일이 아니던가. 환궁하는 첫걸음에 뛰어와 엎디는 이름 없는 백성의 거동이 결코 미울 수 없었다. 다른 백성들은 멀리 서서 국궁만 하고 무표정하게 서 있는 터에 이 아니 기특하고 아름다운 정경이 아닌가. 민비는 가교를 멈추도록 분부를 내렸다.

---

*봉도별감 : 액정서에 속하여 임금이 거둥할 때 봉도를 선창하던 잡직 벼슬.

원진하고 있는 백성들에게 왕비의 자상한 면목을 또한 보여서 나쁠 것이 없었다. 끌려 나가는 백성을 불러오라고 일렀다. 흘낏 바라보니 행색은 당장 초라하나 본래의 바탕이 생판 상것은 아닌 성싶었다. 국궁하고 서 있는 궐자를 한동안 바라보던 민비가 말했다.

「선비는 어디 사는 뉘시오?」

마침 곁에 있던 영접사 어윤중이 민비의 말을 받아 내리었다. 어윤중이 다시 말을 받아 올리었다.

「인근의 백성이 아니라 합니다.」

「그러면 이곳을 지나가던 행객이었던가?」

「소생은 원래 대동청의 창관으로 주변하였사온데 지난번 유월의 군란으로 가옥은 불타고 권속들은 모두 흩어져 이런 누추한 꼴로 유리걸식하던 중이었습니다.」

「오오라, 난을 피해 내려왔다 하면 지금껏 내가 겪은 곤욕과 크게 다를 바가 없었겠구려. 내가 그러했거늘 창관의 고초는 더욱 자심했겠지요. 그래 가향(家鄕)이 어디인지는 모르겠으나 그곳에는 척간들이 없었더랬소?」

민비가 묻는 말에 길소개는 더러운 소맷자락을 들어 한동안 눈자위를 닦아 내고 있었다. 왕비의 말을 받아 내리던 어윤중이 조용히 뒤축을 굴러 길소개를 재촉하였다.

「가향으로 내려갔으나 그들 또한 모두 유리되고 없었습지요.」

「그렇다면 이 장원촌에는 어찌 걸음 하게 되었소?」

「과갈 간에 가속들이며 척간들의 생사존몰이 막연한 중에 마침 홀로된 외사촌 누이 하나가 장원촌 익금골에 살고 있다는 소식을 듣고 잠시 의지하고자 찾아왔으나 또한 인연이 없어 만나지 못해 눈앞이 캄캄한 중입니다.」

「누이가 혹은 간련(干連)으로 관의 침탈이나 당하지 않았는지 관변에 수소문이라도 해보지 그랬소.」

「소생으로 인하여 소생의 누이가 연좌되어 관의 침탈을 입지 않은 게 확실합니다. 소생의 누이는 과년하여 혼인하였으나 얼마 가지 않아서 상부(喪夫)를 당하더니 천만의외로 무병(巫病)을 앓고 난 뒤 가권들과는 하직하고 이곳으로 와서 무업에 종사하며 공규를 지키고 있다는 소문만 들었으니 행여 소생으로 인하여 연좌될 까닭이 없사온데, 가장집물(家藏什物)*을 그대로 둔 채 행방만 묘연하니 그 행지를 도통 알 길이 없을 뿐입니다.」

「무업에 종사한다는 만신의 택호가 무엇이오?」

「익금골 이씨라고만 합죠.」

「이런 기막힌 인연이 있나. 내 자칫하였다간 한집안의 동기간 상봉을 훼방할 뻔하지 않았소. 창관이 찾고 있다는 누이는 지금 나와 동행하여 환경 중이니, 이를 어찌하면 좋소.」

「바라옵건대 천지간에 외롭고 의지 없는 누이입니다. 소생 또한 동기간끼리 정리를 나눈 지도 오래되었으니 설혹 중전 마마께 패리한 거동 보여 끌려가는 처지일지라도 한 번만이나마 만나 보게 해주십시오.」

「끌려가는 처지가 아니라 나와 같이 가는 것이오.」

「소생의 누이라 하나 그럴 만한 자질이 못 되는 사람인데 어찌 된 연유인지 소생은 궁금합니다.」

「오래도록 상면치 못하였다 하나, 만나 보면 서로의 모색이야 알아볼 터이지요.」

「여부가 있겠습니까.」

민비가 분부를 내리어 뒤따르던 매월이를 불러오게 하였다. 길소

---

*가장집물 : 집에 놓고 쓰는 온갖 살림 도구.

개 앞으로 불려온 매월이는 어느새 눈물을 찍어 내는 것이었다. 민
비가 물었다.

「이 선비와는 동기간인가?」

「예, 십수 년이나 서로 소식 두절되어 수소문만 하다가 지친 것입
니다.」

「경사로다. 내 환궁하는 날에 십수 년 동안이나 서로 상봉코자 하
던 동기간이 또한 내 면전에서 서로 만났으니 이는 경사에 또한
경사가 겹친 것이로다. 자네가 집을 나온 것이 불찰이었으되 그것
이 또한 나를 만나게 하려는 하늘의 점지였고, 이제 와서 동기간
이 또한 서로 상봉케 되었으니 흡족하기 이를 데 없네. 자네의 동
기간이라면 나 또한 홀대할 수야 없지. 오늘 나와 동행하는 것이
어떠하겠소?」

매월이가 훼방 놓을 까닭이 없었다. 이 자리에서 만약 길소개의
비위를 거슬러 놓았다간 어떤 변고가 일어날지 예상할 수 없었기 때
문이다. 중전을 속이는 일이 마음에 꺼림칙하나 제가 살아남자 하니
중전 아니라 상감인들 속이고 들 수밖에 없었다. 매월이가 눈물을
찍어 내며 원망조로 여쭈었다.

「중전 마마 은혜 하해와 같습니다. 쇤네 진작 폐단이 된다고 여쭙
지 않았사옵니까.」

「다시 그런 말은 꺼내지 말게.」

매월이의 뒤를 따라 행렬 뒤로 걸어가는 길소개의 뒤꼭지가 뻣뻣
하기 이를 데 없었다. 봉도별감들 사이에 끼여 있던 이용익도 길소
개의 거짓된 행동거지를 낱낱이 바라보고 있었지만 잠자코 있을 수
밖에 없었다. 지금 당장 궐자를 고변할 수도 있었다. 그러나 그럴 경
우 그 화가 어디에 미칠 것인지 먼저 짐작하고 있었기 때문이다. 이
씨녀라는 이 무녀도 여간한 행내기가 아니요, 길소개 역시 모가지를

내걸고 중전 앞에 나섰을 바엔 본색이 탄로 났을 때 대처하는 방도
쯤은 먼저 생각했을 것이었다. 게다가 이씨녀라는 이 무녀에게 홀딱
빠져 있는 민비 면전에서 이씨녀를 폄하는 언사를 농하였다간 당장
미움을 사게 될 것이었다. 잠자코 있는 것이 지금 당장은 상책이랄
수 있었다. 그 자신 민비에게 기대어 현달할 것을 은근히 꿈꾸고 있
지 않은가. 세 사람만 우겨 대면 없던 호랑이도 만들어 낼 수 있다는
터수에 공연히 덧들였다가 망신만 뒤집어쓸 공산이 너무나 컸기 때
문이다.

울고 싶자 따귀 때리더라고, 아니래도 내정 간섭의 빌미를 찾고자
서울에 주둔했던 청국 병정들의 훈수를 빌려 군란이 평정되고 민비
가 창덕궁으로 환어한 이후, 고종은 몇 가지 놀랄 만한 윤지를 내리
었다. 첫째가 인재 등용의 길을 파격적으로 넓힌 데 있었다. 서북(西
北), 송도, 서얼(庶孼), 의역(醫譯), 서리(胥吏), 군오(軍伍)에 이르기
까지 모두 현직에 등용케 하며, 또한 탐오한 벼슬아치는 엄히 다스려
정죄(定罪)하며 비록 그 죄가 가볍다 할지라도 종신토록 서용(敍用)*
치 않는다는 것이었다.

또한 금위영(禁衛營)에다 정국(庭鞫)*을 열고, 군란 때 재수 죄인
(在囚罪人)*인 김장손, 정의길, 강명준, 홍천석, 유복만, 허시동, 윤상
룡(尹尙龍), 정우길(鄭又吉), 문창용(文昌用)과 같은 군총들을 모조
리 잡아들여서 추국케 조처하였다. 이어서 난군들의 손에서 백방이
되었던 유생 백낙관(白樂寬)을 또한 잡아들여 제주목(濟州牧)에 정
배(定配)시켰다. 군란의 근거지가 되었던 훈련도감을 혁파하고, 대
사간 신태관(申泰寬)의 소청(疏請)에 의하여 금위영과 어영청(御營

─────────────
*서용 : 죄를 지어 면관되었던 사람을 다시 벼슬자리에 등용함.
*정국 : 의금부나 사헌부에서 임금의 명에 의하여 죄인을 신문하던 일.
*재수 죄인 : 옥에 갇혀 있던 죄인.

廳)으로 하여금 궐내 숙위를 분장케 조처한 것이었다.

그런가 하면 중궁전 피난 때 배행하였던 윤태준과 이용익을 당장 승직시키고 가마를 메었던 교군 김성택을 종6품의 감목관(監牧官)에 차송(差送)하였다. 밖으로는 각국과의 통상 편의를 위해 금은전(金銀錢)과 문전(紋錢)을 통용케 하는 반면, 팔역의 보부상들에겐 목을 죄는 것과 다를 바 없는 조처를 내리었다. 흥선 대원군이 잠시 국사를 품결했을 때에는 영의정 홍순목이 소계(所啓)하여 각도의 방백들로 하여금 경내에 있는 부상들의 거주 이출(移出)을 닦달하고 검색케 하여 범률(犯律)이 있으면 체포하여 삼군부(三軍府)에 이보(移報)하라는 엄칙이 내려 부상들의 발이 묶여 있었다.

고종이 다시 삼군부에 배속시켜 얼마간의 훈료까지 내리던 보부상단을 혁파해 버린 것이었다. 명분인즉슨, 부상들은 원래 군오에 소속됨이 부당하니 향리로 돌아가서 그 생업에 복귀함이 옳다는 것이었다. 또한 군상배(軍商輩)*로서 사발통문하는 일은 비도(匪徒)의 난습(亂習)이라 하여 앞으로는 이를 모역(謀逆)의 율로 다스리겠다는 쐐기를 박아 버렸다.

보부상단들로서는 흥선 대원군에게 따귀 얻어맞고 고종에게 걸어차인 것이나 진배없었다. 그러나 하늘 같으신 나라님의 조처이시니 어디 가서 넋두리하겠으며 뉘게다 하소연할 수가 있을까. 팔역에 세웠던 척화비(斥和碑)를 모두 철거하고 8월 스무이튿날에는 조청상민 수륙무역 장정(朝淸商民水陸貿易章程)을 체결하여 청국의 상인들이 개항장뿐만 아니라 국내의 각 고을에 자유롭게 주거·영업·여행할 수 있게 하였다.

그에 앞서 흥선 대원군 납치 이후인 7월 열이렛날에 왜국과 맺었

---

*군상배 : 주로 군인들과 그 가족들에게 물품을 파는 무리들.

던 제물포조약과 수호조규속약(修好條規續約)의 체결로 부산, 원산, 인천 등 각 포구의 이정을 사방 각 50리로 하고 2년 후에는 다시 백리로 할 것을 허락하였으니, 청상과 왜상이 팔역을 신명 뻗치는 대로 활보할 수 있게 되었다. 그로 인하여 백성들은 생리가 구차하게 되었고 시속은 점차 야박하게 되었다.

재봉(再逢)

1

죽은 제갈량이 능히 살아 있는 중달(仲達)*을 혼찌검 내어 쫓는다
더니 죽었다던 민비가 앙숙인 홍선 대원군을 청국 깊숙이 묶어 두었
으니 조정은 다시 민씨의 척신들로 채워지게 되었다. 대원군이 섭정
에 복귀한 후 한 가닥 기대를 걸었던 축들도 모두 고개를 움츠려 버
렸다. 그런 와중에서도 신응조(申應朝)와 같은 사람이 있었다. 그는
평산(平山) 사람으로 형조·이조·예조 판서를 거친, 홍선 대원군과
는 이종 형제였다. 대원군이 앞서 섭정할 때 그 독단을 좋지 않게 여
겨 내왕을 끊고 지내던 사람이었다. 홍선 대원군은 심히 못마땅하게
여겼으나 그가 인망이 있었으므로 부득이 강원도와 평안도의 관찰
사로 연이어 제수하고 점차 조정 요직에 기용하려 하였다. 신응조는
여러 번 사양하다가 하는 수 없이 부임을 하고 조정의 은혜를 입은
것같이 하였다. 강원도와 평안도의 치적은 세상에 빛이 났다. 그러

---

* 중달: 중국 삼국 시대 위나라의 명장이자 정치가.

다가 갑술년(甲戌年)에 광주(廣州)로 돌아가 누워서 벼슬을 주어도 한사코 도임하지 않았다. 승지와 사관(史官)들이 광주 길을 뻔질나게 들락거리면서 우의정에 제수되었으니 기어이 나오도록 하려 했으나, 신응조는 숨이 끊어질 듯한 시늉으로 청맹과니 행세를 하며 대답할 때에는 땅에다 그림을 그렸다.

홍선 대원군도 그것을 알고 더 강요하지 않았다. 군란 이후에 중전의 국상을 반포하매 신응조는 가슴을 치며 통곡하기를, 어찌 의대로써 염(殮)을 할 수 있다는 것인가, 더구나 국모의 상(喪)을 그럴 수는 없는 것이다 하여 종시 거애(擧哀)도 않고 성복(成服)도 하지 않았다. 민비 환어 이후 사람들이 그의 선견(先見)에 탄복했고 이 말을 전해 들은 중궁은 더욱 그를 존경하고 흠모하는 정이 두터워졌다.

그러나 탁견(卓見)이 없는 군정들과 백성들은 물색 모르고 군란에 동조하고 부세하였으니 턱 떨어진 광대 모양으로 설 자리가 없어 우왕좌왕이었다. 협호나마 집구석을 지키고 있자 하니 전립*에다 동달이* 떨쳐입은 압뢰(押牢)들이 들이닥칠 것 같았고, 처자 권속을 솔권하여 멀리 떨어져 인총이 드문 산협으로 피신을 하자니 보습날이 제대로 먹혀드는 따비밭이나마 기다리고 있는 곳이 없었다.

홍선 대원군이 청국으로 치납되고 청군들이 왕십리와 이태원을 뒤져 군총들을 마구잡이로 검색할 때 용하게 모가지를 건져 낸 군총들은 유필호를 따라 우선 평강 처소로 내려갔다. 평강은 산림이 깊고 관변에서 멀어 압뢰들의 기찰과 검색을 따돌리기 손쉽고, 또한 다급한 지경에 이르면 비호처(庇護處)*를 구하기도 손쉽다 하여 평

---

*전립 : 조선 시대에 무관이 쓰던 모자의 하나.
*동달이 : 검은 두루마기에 붉은 안을 받치고 붉은 소매를 달며 뒷솔기를 길게 터서 지은 군복.
*비호처 : 감싸 보호해 줄 처소.

강으로 내려 보낸 것이었다. 그러나 붙박여 있던 식구들 호구하기에
도 겨운 터에 1백여 명에 가까운 군식구들이 들이닥쳤겠으니 평강
처소는 쑥밭이 되었을 것이다.

오장 육부를 다 쏟아 내어 살핀대도 상리를 노리는 켯속은 한결같
이 손방이요, 또한 박토에 보습날 한번 제대로 박을 줄 모르는 군총
들이 들이닥쳤겠으니 처소의 식구들 지청구가 어지간할까.

해낮 동안 찌는 듯한 늦여름에 해가 넘어가면서 잠시 뿌려 준 여
우비가 한결 더위를 식혀 주고 있는데, 다락원 득추의 집 퇴에 앉아
있는 천봉삼은 오래전부터 외양간 수챗구멍을 막으며 놀고 있는 득
추의 아이들을 우두망찰 바라보고 있었다.

「중화도 거르시고 그렇게 난감한 모색만 짓고 앉았으면 무슨 용뺄
궁리라도 나온답디까. 우선 송파 처소로 나가서 동무님들이나 만
나 보아 공론하십시다.」

천 행수의 처연한 몰골을 바라보기 딱하고 부아가 끓어올랐던지
곰배가 곁에 와 앉으면서 훈수를 들었다.

「송파에 내려간들 간구한 판에 무슨 방책이 나서겠는가?」

「그럼 여기 죽치고 앉아 있는 건 또 무슨 속셈이시우? 난 평강 처
소로 회정하고 싶어서 환장할 지경이오.」

「평강으로 간다 한들 좁은 봉노에는 인총들이 넘치고 아해들 우는
소리로 떠나갈 듯할 터인데…….」

「그렇다고 집구석을 외면하리까. 나는 우리 여편네 언문책 읽는
소리가 귓밥을 간질이는 것 같아서 도통 밤잠을 설치게 되고 혓바
늘이 돋아서 입에 밥을 떠 넣어도 모래알을 씹는 격이오.」

「그동안 평강 행보를 하고 와선 왜 그러나? 그러다 상사로 사람
버리게 되겠군.」

「가시버시란 게 뭐요? 이성지합이 되었으면 서로 쳐다보며 살아

야 정분도 나고 궁리도 나는 법이 아니겠소? 옘병할, 밤낮 천 리를 격하여 헤어져만 있으니 내가 여편네에게 소박을 맞든지 아니면 어느 놈이 동여 가기 십상이 아니겠소?」

「집에 가고 싶은 마음이 그처럼 살 같다 하면 자네 먼저 평강으로 내려가게. 나는 아무래도 강쇠와 작반해서 송파 처소를 한번 둘러 봐야 하겠네.」

「내가 작반하지 않는다 하여도 무슨 변괴가 생기지는 않겠지요? 시절이나 엿본답시고 문밖에서 기웃거렸다간 어느 매가 채갈지 모르니 아예 장안 쪽으로는 행보할 요량 마시우.」

「내가 요량 분수 없이 덧들일까.」

하루 더 쉬고 평강으로 가겠다는 곰배와 몇 사람의 동무님들을 다락원에 남겨 두고 천봉삼은 강쇠와 작반하여 곧장 서울 지경으로 내려가 시구문 밖 석쇠의 집에 당도하였다. 석쇠가 살판이나 난 것처럼 호들갑 떨면서 두 사람을 공방으로 잡아들이고 숨도 돌리기 전에,

「행수님, 만리고개에 살고 있던 그 무녀를 알고 계시지요?」

「궐녀가 자넬 찾아왔던가?」

「궐녀의 영험에 홀딱 반해 버린 중궁전이 창덕궁 환어 이후로 죽자 살자 손목을 잡고 도통 놓아줄 줄을 모른다는 소문이 파다하게 퍼졌습니다. 어찌 된 영문인지는 모르겠으나 피난길에서부터 중궁전과 짝이 맞아서 친동기간이나 진배없이 아주 의자하게 지낸답니다.」

「그런 괴딴 소문은 어디서 들었는가?」

「갖신 찾으러 왔던 죽동궁 청지기들의 입에서 나온 말이니 의심의 여지가 없지 않습니까. 길소개란 작자도 피난길에 용하게 모가지를 부지하고 있다가 다시 대동청 창관으로 박히었고 중궁전 피난길에 처음부터 배종했던 이용익은 승탁이 되었다 합니다.」

「모두가 남의 일이 아닌가. 우리 처소가 살아남을 일과는 무관한 것, 그토록 핏대 올려 주절거릴 거 없네.」

「그렇게 대수롭지 않게 넘겨 버릴 일만은 아니지 않습니까. 행수님을 상사하고 연모하여 서방을 두지 않는다는 그 무녀가 중궁전의 총애를 받게 되었다는 것은 아무리 고쳐 생각해도 어디 보통 일입니까. 중궁전이 누구입니까. 사실 병풍 뒤에 도사리고 앉아서 국사를 좌지우지하고 있다는 것은 행수님도 알고 있지 않으십니까.」

「이용익이며 길소개가 모두 옛적엔 우리 등짐장수들과는 비상간고(備嘗艱苦)의 풍상을 같이하고 자별한 정리를 두었던 동무였었지 않나. 그리고 이씨라는 매월이 역시 의지가 없었을 땐 우리들과 한통속으로 정곡상통(情曲相通)*하였다 하나, 이제 와선 주마등 같은 소싯적 인연이었을 뿐 이미 우리와는 대의를 같이하고 있지 않으니, 그들이 당로(當路)하여 위명(威名)을 떨치고 서슬이 푸르단들 우리와는 아무 상관이 없는 강 건너의 불이지 않은가.」

「사리는 그렇다 치고라도 생판 남의 일만은 아닙니다. 행여 유 생원님이나 행수님이 변고라도 당하는 날엔 그들의 훈수를 빌릴 수도 있는 것이니 속으로는 탐탁지 않다 하더라도 새겨 둘 금어치는 있는 일이지요. 그 길소개란 화상은 모함이나 잡고 조련질*을 평생의 업으로 삼는 여귀와 진배없는 자인데도 어찌 도륙을 당하지 않고 연명해 나가는지 그 통속은 알다가도 모를 일이지요. 시속이 수상할 땐 그런 자가 양명(揚名)을 한다 하나 도통 맥을 짚어 볼 방도가 없습니다.」

「술이나 한 방구리 걸러 내오게.」

---

*정곡상통 : 간곡한 정이 서로 통함.
*조련질 : 못되게 굴어 남을 괴롭히는 짓.

남의 공론을 훼방하고 술이나 내오라고 말한 것은 강쇠였다. 강쇠의 말을 엿듣기라도 한 듯 금방 석쇠의 안해가 술방구리 얹힌 소반을 공방으로 디미는 것이었다. 순배를 돌려 가며 해 지기를 기다렸다가 세철리로 나가 안면 있는 사공을 찾아 송파로 건너갔다. 최송파하며 또출이며 오랜만에 만나 보는 얼굴들이 모두 처소에 엎디어 있었다. 아낙네들도 오랜만에 처소로 돌아온 천 행수인지라 폐백을 한답시고 도회청으로 꾸역꾸역 모여들었다. 천봉삼은 최송파며 또출을 도회청으로 불러들이었다. 모두들 기가 질리고 오갈이 들어 신색들이 전만 못하고 거동들도 전같이 활달하지 못했다. 농지거리와 육담이 오갈 좌중이 물을 끼얹은 듯이 조용하였다. 담배 연기가 봉노를 꽉 채워 맞은편 바람벽에 앉은 사람의 모색이 흐릿하게 보일 정도였다. 천봉삼이 입을 열었다.

　「난리를 겪는 동안 송파 처소의 행수 격이었던 유 생원이 처소를 오랫동안 비우게 된 것은 면목 없는 일이었소. 그러나 난리통에 두 번이나 엄중한 검색을 당하여 무고한 부상들의 목숨이 요정 나는 판국에서도 요행 우리 처소에는 봉욕한 동무들이 없었고 기강들이 성기지 아니하여 처소의 제반 범절이 옛적과 다름이 없으니 이런 천행이 없소. 이로 미루어 이젠 시생이나 유 생원께서 구태여 참섭(參涉)하지 않는다 하여도 최송파와 또출이가 솔권하면 별 탈 없이 지낼 만하게 되었습니다.」

　천봉삼의 말이 송파 처소와는 인연을 끊겠다는 어취임이 분명하여 맞은편에 앉았던 최송파가 화들짝 놀라 반몸을 일으키며 물었다.

　「아니, 시방 하시는 말씀이 무엇입니까. 말머리 듣자 하니 수상쩍지 않습니까.」

　「지난번 난리통에 평강 처소의 식구들이 배로 불어났소. 물론 그중에는 평강에 잠시 의탁하였다가 시속이 가라앉으면 척간이나 연비들을 찾아서 흩어질 사람들도 있겠지만 거개가 신실한 동기 간 하나 없는 사고무친한 졸개이거나 근력이 쇠한 늙은이들이라 평강 처소에 눌러앉아야 할 딱한 처지의 사람들입니다. 유적(流謫)*에 떨어진 신세나 진배가 없는 사람들이 아닙니까.」

「설상가상도 그런 낭패가 없습니다만 행수께서는 왜 사서 고생이 시우?」

「그들의 신세가 유적에 떨어진 것이나 진배없다고 하지 않았소? 현직에 있던 재상들이라면 유적에 떨어진다 하여도 나중 사문(赦文)* 받을 때를 넘겨 본 현지의 수령과 벼슬아치들이 점고(點考) 하고 은근히 환접하여 의탁할 처소를 마련하고 은밀히 수발해 준 다지만, 난도로 지목된 그들 무명색한 군총들에게 어찌 그런 호광 이 돌아오길 바라겠소. 그들을 거두어 줄 사람이 누구이겠소. 그 들을 호궤하고 또한 장시의 물리를 익혀 부상의 면목을 갖추어 주 자 하면 시생이 송파 처소까지 참섭할 겨를이 있겠소? 사실은 평 강으로 곧장 발행하려다가 하직 인사나 차리자고 잠행해 온 것입 니다.」

들어 본즉슨 천 행수의 말이 타당한지라 모두들 입을 닥치고 있긴 하였으나 최송파는 막무가내였다.

「우리는 각아비자식들이라 하나 노상(路上)에서 만나 타관 풍파 속에서 맺은 한 형제들입니다. 집안끼리 띠앗머리*가 이렇게 사나 워서야 되겠습니까. 행수께서 정히 고집을 버리지 못하시겠다 하 면 우리 또한 송파를 버리고 평강으로 뜨는 도리밖에 없습니다. 그렇게 된다 하면 송파 저잣거리는 다시 무뢰배들과 왈짜들의 독

*유적 : 오형 가운데 죄인을 귀양 보내던 일.
*사문 : 나라의 기쁜 일을 맞아 죄수를 석방할 때에, 임금이 내리던 글.
*띠앗머리 : 형제나 자매 사이의 우애심.

136

천장(獨擅場)*이 되고 말 터이지요.」

최송파의 어취를 새겨듣자 하니, 정리를 따르자면 평강으로 오르
는 것도 사양치 않겠으나 또한 붙박여 살던 송파 땅에 대한 미련도
없지 않다는 것이었다. 천봉삼이 대꾸를 않고 잠자코 앉아 있는데,
그때 문밖에서 자갈 위를 스치는 물소리처럼 처연한 아낙네들의 울
음소리가 들려왔다. 어인 사단인가 하고 지게문을 열고 보니 마루에
는 송파 처소의 내권(內眷)들이 옹기종기 모여 앉아 있었다. 더러는
길쌈거리를 놓고 앉았고 더러는 젖먹이를 안고 있었는데 또출의 안
해가 마침 열린 지게문의 돌쩌귀를 잡고 흐느끼는 소리로 말하였다.

「보부청이 혁파되었다 하면 이제 나라님도 우리들을 몰라라 하시
고 내친 것이 아닙니까. 이런 판국에 행수님께서도 우리를 저버리
신다면 그런 몰인정이 없으시고 또한 우리는 누구를 우러러 마음
의 기둥으로 삼으라고 의절을 하시려 합니까?」

천봉삼이 그의 말을 되받아 나직한 목소리로,

「우리들의 인연이 여라(女蘿)와 같은데 어찌 하직한다 하여 남남
으로 돌아설 수가 있겠소. 다만 이만하면 서로 간여하지 않아도
살아갈 만하니 드리는 말씀이 아닙니까.」

「박절한 말씀 거두시지 못하시겠다면 우리도 천생 남부여대하여
평강으로 오를 수밖에 없습니다.」

「낭패구려. 정리에 끌리지 않을 사람이 어디 있겠으며 또한 고락
을 같이하던 동무들과 헤어지기를 바랄 사람이 어디 있겠소? 그러
나 내 한 육신을 여러 조각 내어서는 명을 부지할 수가 없으니 이
를 어찌하면 좋습니까.」

봉노에서 마루로, 마루에서 봉노로 처연하게 들고나는 좌담을 듣

---

*독천장 : 제 마음대로 행동할 수 있는 장소.

고 앉아 있던 강쇠가 말하였다.

「방도가 생판 없지는 않을 것 같소. 식구들이 한동아리지게 살아 가자면 필경 우러러볼 인물이 있어야 하는 법이지요. 무리에 우두 머리가 없으면 흩어진 기러기와 같아서 도무지 제 갈 길을 찾지 못할 것은 자명한 일이지요.」

고개를 끄덕이고 앉았던 천봉삼이 물었다.

「원산포에 거접(居接)하고 있는 조 행수님을 송파로 모셔 오자는 것이겠지?」

「낯짝 얽은 놈에게 손님 앓았느냐고 묻는다더니 바로 그 말입니 다.」

「조 행수님이 전접(奠接)할 곳을 찾지 못하고 수구(瘦軀)를 이끌고 타관 설한풍을 발섭하고 있는 것이 어찌 가향(家鄕)인 송파가 싫 어서이겠는가. 송만치의 살범으로 수배를 당하고 계신 데다가 또 한 불의의 와병(臥病)에 들어 병추기가 되고 육탈되어 근력이 전 만 같지 못하시니 송파로 오신다 하여도 식구들을 영솔하고 닦달 할 만한 여력이 있겠는가.」

「조정에서 팔역의 저잣거리에 흩어진 보부상들을 위해 보부청을 일으키고 명색 삭하(朔下)까지 내려 주었던 것은 우리들의 힘을 빌리고자 했을 뿐 동가식서가숙하는 등짐장수들의 정곡을 헤아리 고자 했던 것도 아니요, 우매한 무리들을 거두는 일을 목민의 도 리로 알았던 것도 아니었소. 등짐장수들이 팔도 삼백육십네 고을 의 길목을 손금 보듯 하고 경향 각 고을의 물산과 풍속에 밝고 시 속의 흐름을 산적 꿰듯 하고 행보가 살같이 빠르고 완력 드센 자 가 허다하여, 국기가 흔들리면 데데한 군총들보다는 부려 먹기가 좋았던 때문이 아니었소? 그러나 달면 삼키고 쓰면 뱉는 수모를 당한들 우리는 어디 가서 넋두리 한번 할 곳이 없었소. 사리가 그러하다면 우리가 의지하고 기댈 곳이 어딥니까. 바로 우리 총중의 신실한 사람이 아니겠습니까. 우리의 고초를 알고 우리의 쓰디쓴 눈물과 정리를 뼛골에 아로새긴 사람이 아니겠습니까. 조 행수께서 지금 당장은 기동이 여의치 못하시고 평복(平復)이 된다 하여도 기력이 전 같지 못할 것은 뻔한 일이지만, 우리가 범절 차려 송파로 모시고 알뜰히 보살피는 중에서라도 송파 처소는 흔들리지 아니할 것이 아닙니까. 수양산 그늘이 강동 팔십 리를 간다*는 말도 듣지 못하시었습니까.」

「난들 그만한 궁리가 없겠나. 그러나 조 행수께서 시방 도망 중인 살범으로 관아의 추쇄를 받고 있는 처지에, 우리 다급한 것만 중히 여겨 송파로 모셔 왔다간 업어다 주리 안기는 꼴이 아닌가. 광주 관아의 형리들이 우리 처소를 무상출입하고 있는 터에 모셔 온들 며칠을 견디겠는가.」

「전들 그것을 염두에 두지 못할 만큼 아둔하겠소. 천 행수님 작정하기에 따라서는 한 파수 안에 해결이 날 일이 아닙니까.」

강쇠의 켯속 모를 의미심장한 한마디가 떨어지자 처분만 기다리며 웅성거리던 봉노 안의 시선이 일제히 천봉삼에게 쏠리었다. 강쇠의 의중이 무엇인지 모두가 알지 못하였으나 천봉삼은 강쇠의 어취가 무엇인지 당장 알아차렸다. 천봉삼의 곧은 시선이 강쇠의 이마에 꽂히었다. 강쇠의 뜻하지 않은 그 한마디로 자리가 버성기는데, 강쇠가 내친김에 한마디 덧붙였다.

「행수님 한 몸을 다스리는 일이라면 제가 언감생심 이런 말을 할 턱이 없습니다. 그렇지만 우리 송파 식구들이 풍비박산되고 저자가 간활한 아전배들과 무뢰배들의 독천장이 되느냐에 달린 사단

---

*수양산 그늘이 강동 팔십 리를 간다 : 어떤 한 사람이 크게 되면 친척이나 친구들까지 그 덕을 입게 됨.

이 아닙니까. 대의를 위해 천 행수님의 한 번 수치쯤은 감내해야 하지 않겠습니까. 차제에 휘할 것 없이 사정을 토설하시고 아퀴를 짓고 말지요.」

「자네가 석쇠의 말을 듣고 그러고 있긴 하지만, 내 과히 아름답지는 못하나 명색 사내의 화상을 그리고 태어난 터에 온 육신이 모두 입이라 한들 그 말은 꺼낼 수 없네. 자네가 공회(公會)나 다름없는 총중에서 내게 수치를 안기자는 속셈인가? 우리의 처지가 설사 구천에 이르렀다 할지라도 거기 가서 구유 전을 뜯을 수는 없는 노릇이 아닌가.」

「흉중에 대의를 품었단 분이 어찌 일언지하에 제 언행을 상되었다 하십니까. 지금 당장은 행수님 안면에 손상을 입는다 할지라도 골육이나 마찬가지인 송파 처소가 안돈이 된다 하면 기꺼이 받아들이리라 믿었기에 드리는 말씀입니다. 행수님이 소인배였다면 제 어취를 사위스럽다 하셨겠지요. 행세가 깎이더라도 한번 안면만 바꾸신다 하면 만사가 튼튼하게 되는 것 아닙니까.」

골자를 캐고 보면 강쇠의 대꾸도 분수없는 말은 아니었다. 천봉삼이 이제까지 지켜 오던 체통을 그대로 다스리겠다면 강쇠의 말을 내치는 일이요, 송파 처소를 살리자면 강쇠의 말을 따라야 했다. 그러나 장차 반명하며 현달을 바라는 입장이 아닌 이상 갓 쓰고 똥 누기 예사이듯 한 번 체통을 더럽혀 송파 처소의 안위를 도모할 수 있다면 그런 요행이 어디 있을까. 강쇠의 말은 두말할 것도 없이 지금은 나랏무당이 된 매월이를 만나라는 것이었다. 그런데도 천봉삼은 끝내 손사래를 치고 휘어들지 않았다.

「인사불성으로 취한 것도 아닌데 웬 대중없는 흰소리가 그렇게 낭자한가.」

「저도 사방으로 발섭하면서 세상 풍진도 많이 겪었고 모가지 뻣뻣

한 인사들도 숱하게 보았습니다만, 행수님같이 배포가 맞지 않는 고집불통은 처음이오. 이제 난 모르겠으니 행수님 내키는 대로 조처하시구려. 일이 조금에 이르러 누구를 허물하고 누구를 원망할까. 모두가 성명없는 우리 상것들의 못난 탓이구려.」

제 깐에는 배 문지르고 꼬드기는 수완이 남다르다 하여 덤벼든 일에 진력이 난 강쇠는 더 이상 채근하기도 지친 모양이었다. 방구들이 꺼지게 한숨을 토해 내고는 발치에 걸리는 목침을 잡아 쥐고 바람벽 아래로 썩 물러나 버렸다. 살아날 구멍이 있다 싶어 숙연하게 받고채는 두 사람의 언쟁을 듣고만 있던 송파패들이 이제 합세하여 천봉삼을 부추기고 나섰다. 게다가 마루에 있던 그들의 안해 명색들까지 울고불고 야단이 난지라 천봉삼도 더 이상 퇴짜만 놓고 앉아 있을 수 없게 되었다. 그런데도 썩 내키지 않아 고달을 빼고 앉은 천행수의 몰골을 바라보기에 부아가 났던지, 바람벽을 안고 누웠던 강쇠가 벌떡 결기 돋우고 일어나면서 비아냥거리기를,

「시방 우리의 형세가 게도 구럭도 다 잃고 쥐 뜯어 먹던 송곳자루 같은 몰골이 된 터에 호랑이에게 고긴들 못 달라 하겠소? 조 행수께서 물고죄(物故罪)*를 면한다는 사문을 내려 주는 벌충으로 궐녀가 당장 행수님 상투 잡아 틀고 동품이나 하자 하고 덤빌까 봐 가재처럼 모로만 기고 계시오? 제아무리 자궁이 옹골지기로서니 한 번 동품에 회태(懷胎)되어서 소생이라도 하나 덜컥 떨어뜨릴까 걱정이 태산 같으시구려. 천만 그런 일 없을 것이니 염려 잡아매시오. 이런 제밀할, 속에선 천불이 솟는데 웬 놈의 물것들은 이렇게 지악스럽게 덤벼드나그래.」

하고 허벅지를 철썩 때리는 꼴이 어지간히 부아가 난 모양이었다.

---

*물고죄 : 죄인을 죽임.

「그렇게 명백한 일이라면 자네가 쫓아가서 사유(赦宥)를 받아 오지 그러나?」

「객담일랑 그만 하십시다. 오늘 밤은 여기서 묵고 내일 서늘한 제량갓*이나 한 벌 구처해서 받쳐 쓰고 나랏무당인지 나라어미인지를 한번 찾아가기라도 해보십시다. 창졸히 될 일인지는 또한 내일의 일이 아닙니까.」

「변복을 한다고 기찰에 물리지 않을까? 기왕에 떠나려면 새벽별 뜰 때가 좋겠지. 그런데 궐녀가 어디에 살고 있는지 알고는 있나?」

「시구문 석쇠가 대강은 알고 있는 듯하더이다.」

「서로 입이라도 맞춘 듯하군.」

하고 몇 마디 주워섬기는데 낙장거리라도 할 듯하던 사람이 금방 코 고는 소리를 내고 있었다.

모두들 처소로 내려 보내고 또출과 같이 삿자리에 등을 붙이고 누웠다. 심신은 걸레처럼 지쳐 있건만 쉽사리 잠이 오지 않았다. 강쇠의 코 고는 소리가 숨통이 막혀 돼지지나 않을까 싶게 거칠고 조마조마하게 몇 고비를 넘기더니 차차 고즈넉해지기 시작하였다. 울바자 너머에서 풀벌레 떠는 소리가 소슬하게 들려왔다. 처소의 안위를 위해서라면 여설옥에라도 뛰어들 마음은 있었다. 그러나 천성부터 오지랖이 넓지 못하였고 일찍이 벼슬아치들과도 뻔질나게 상종한 적이 없어 매월이 말고는 요로에 안면 있는 사람이 없었다. 다소 알음이 있다 할 이용익과는 벌써 다락원에서 작별할 때 의절을 하다시피 하였고, 그렇다고 고을의 수령까지 지냈다는 길소개를 찾아갈 수는 없었다. 그 창귀를 찾아가느니 차라리 행세가 깎이더라도 매월이

---

*제량갓 : 제주도에서 만들어 내는 품질이 낮은 갓.

를 찾아가는 것이 십분 옳은 일일 것만 같았다. 섣불리 뛰어들었다가 되레 경난을 치를지도 모르겠으나 송파 처소의 안위를 위해서는 발뺌만 하고 있을 수 없었다.

그때 마당 건너에서 잠자던 아이가 보채는 울음소리가 들려왔다. 불현듯 평강 처소에 있는 소생의 얼굴이 떠올랐다. 아이는 자랄수록 월이를 제 어미로 알고 있는 듯하였다. 엄마라는 말을 익히기 전에 어미가 이승을 하직하였으니 말을 익힐 제 저를 젖무덤에 보듬어 주는 월이를 엄마라고 부를 수밖에 없었다. 엄마라고 부를 때마다 대꾸는 곧잘 하면서 월이는 귓밥을 붉히곤 하였다. 마당 건너 보채던 아이가 잠들었는가 싶은데 울바자를 스치는 밤바람 소리가 귀에 스산하였다.

조 소사의 얼굴이 다시 어둠 속에 선명하게 떠올랐다. 지금은 잊혀질 만도 하건만 어디엔가 살아 있을 것만 같아 뇌리에서 지워지지 않았다. 비보라가 긋는 장터목 술국집에서 허겁지겁 장국밥을 말다가도, 먼 데서 아이의 이름을 다급스럽게 부르고 있는 여인네의 가녀린 목소리에 그는 까닭 없이 놀라곤 하였다. 산협의 물나들을 첨벙거리며 건너서 다시 미투리총을 고쳐 매는 중에 허옇게 실밥이 터진 길목버선이 시선에 들어올 적에도, 봉삼은 멀리 간 안해가 다시 돌아올 것만 같은 착각에 빠지곤 하였다. 밥 짓는 저녁연기에 잠긴 산협 고을에서 삭정이 부러뜨리는 소리에도 봉삼은 아이에게 젖을 물린 조 소사의 얼굴을 떠올렸다. 남기가 뿌옇게 강심을 덮은 저녁나절 도선목에 섰을 때, 멀리 여울 주름을 타고 지나가는 과피선에 옹기종기 모여 앉은 도선객들이 아스라이 바라보일 적에도, 그 배에 조 소사가 타고 있을 것만 같은 착각에 빠져 가슴이 두근거리곤 하였던 것은 도대체 무슨 팔자에 없는 못돼 먹은 조화이던가.

조 소사는 이미 구천의 흙이 되어 헐벗은 혼백만이 중음신(中陰

神)*으로 떠돌아다닐 것이 아닌가. 봉삼은 조 소사의 얼굴이 떠오를 때마다 고개를 흔들었고 고개를 흔들 때마다 자신도 모르게 시선은 뿌옇게 흐려 왔다. 안타깝고 서러운들 어디 마음 놓고 넋두리할 곳이 없으니 가슴에 맺힌 응어리는 나날이 커만 가고 잠자리에 누워도 쉽게 잠을 청할 수가 없었다. 이러다가 병이나 얻게 되는 것은 아닐까. 차라리 금강산으로 들어가 중이 되었다는 누이라도 찾아 나설까. 그러나 그 또한 여의치 아니하니 사내의 한 몸뚱이를 주체하기가 이토록 어려운 줄 미처 몰랐던 것이다. 시름에 겨운 사람의 눈에는 세상 모두가 적막강산일 뿐, 어느 것이 아름다운 것이며 어느 것이 반가운 것이며 어떤 것이 추한 것인지 오직 시름에 겨울 뿐이었다. 그러다가 시름시름 떨어진 잠이 새벽녘까지 간 모양이었다. 그를 들깨운 사람은 코를 골던 강쇠였다. 작반을 자청하고 나서는 또 줄을 달래서 주질러 앉히고 두 사람은 송파 처소를 나섰다.

「몇 경이나 되었을까?」

「사경(四更) 축시 말께요.」

「부득불 석쇠의 집을 거쳐서 성문이 열리기 전에 해자로 빠져나가 잠행할 수밖에 없겠군.」

「요사이 와선 부상들에게 검색이 그렇게 빡빡하지 않은 모양입디다. 혹여 검색을 당하여 졸경을 치를 형편이 되면 나는 잽싸게 순라군을 찌를 것이니 행수님은 그 조금에 튀시오.」

「불길한 말 찾아가면서 하는군. 우리가 어디 어리무던한 위인들인가.」

「하긴 겁부터 집어먹을 건 없겠지요. 이용익이 설마 행수를 고변하지야 않겠지요.」

＊중음신 : 중유(中有). 사람이 죽어서 다음 생을 받을 때까지의 중간 존재.

2

매월이의 집은 배우개의 어영청으로 들어가는 꽤 널찍한 샛길의 안침에 자리 잡고 있었다. 이른바 반명한다는 자들이 기구 차리고 산다는 북촌 어름이었다. 우선 놀란 것이 밖에서 보기에도 간각(間閣)*들이 촘촘한 데다가 화초담 한 주택이 기구 차리고 사는 벼슬아치의 집을 방불케 한다는 것이었다. 화초담으로 둘러싸인 솟을대문은 땅땅 걸어 잠기었고 문틈으로 들여다보았으나 휑하니 드넓은 마당에는 인기척이라고는 없었다. 주저하는 강쇠에게 천봉삼이,

「다부지다는 사람이 왜 여기 와선 흐물거리고 있나. 서둘러 통자를 넣어 보게.」

「머슥머슥해서 그렇소.」

「잡아갈까 겁먹은 것인가? 주눅 들어 할 것이 없네.」

「드난살이하는 비부쟁이들도 없나, 집 안이 학질 앓는 집구석처럼 왜 이토록 괴괴한가.」

행인들이 보았다면 볼품이 삽살개 뒷다리같이 어설프게 생긴 두 장한이 문밖에서 투덜거리고 있는데, 마침 마당 건너 멀리서 장지문이 여닫히는 소리가 들리고 연이어 신발 뒤축을 끌고 다가오는 발소리가 들렸다. 금방 대문의 빗장이 내려지고 몸피듬이 푸짐하고 편발에 자주색 댕기 얌전하게 늘어뜨린 해사한 처자의 얼굴이 문 사이로 내밀어졌다. 외양이 그만하면 수수하달 수 있는 처자가 대뜸 내뱉는 말이 놀라웠다.

「어서 들어오십시오.」

강쇠가 그 말 듣고 화들짝 놀라며,

---

*간각 : 보통 높이로 지은 건물과 높이 지은 건물.

「거참, 도깨비 방귀라도 옭아맬 사람이로세. 우리가 온 것을 벌써 눈치 챘더란 말인가.」

인사성 발라 보이는 처자는 강쇠의 말에 내외도 않고 해죽해죽 볼우물이 패게 웃고 나서,

「마님께서 벌써 아시고 쇤네에게 대문을 따주라고 분부를 내렸습지요.」

「파리 위에 날라리가 있다더니 정말 영험이 있군그래. 신통한 일이군.」

「들어오시려거든 냉큼 드시고 귀찮으시면 돌아들 가시지요.」

「혼꾸멍을 낼라. 처자가 남정네 상종하는 말대답 한번 괴이하다. 손님이면 예대하여 모셔야지 귀찮으면 가시라니.」

「부질없이 궁싯거리며 분주만 떠시니까 그렇지요.」

「콩죽은 내가 먹는데 배는 왜 네가 앓느라고 야단이냐?」

처자가 눈꼬리를 치뜨는 시늉 하고 강쇠와 희롱하고 있을 제 천봉삼은 벌써 마당을 가로질러 저만치 대방 쪽 지대 아래까지 걸어갔다. 그리고 성큼 신방돌 위로 올라서면서 선성(先聲)*을 하였다. 역시 방 안에서도 기침 소리가 들려오고 연이어 형용은 보이지 않되 분명한 매월이의 목소리가 또렷하게 들려왔다.

「동행하신 분은 건넌방에 들게 하시지요.」

마루 밖으로 자신의 견양을 내밀지 아니하고 있는 것은 지체가 이미 옛날 같지는 않다는 뜻일 거였다. 천봉삼이 내려다보아도 번질번질한 신방돌에는 어울리지 않는 미투리를 벗어 두고 대청으로 올라섰다. 6척 장신이 파리가 앉으면 낙장거리를 할 것 같은 마루에 어른어른 비치었다. 방문을 열고 들어서니, 물빛 항라로 몸가축을 한

---

* 선성 : 미리 보내는 기별.

매월이가 금방이라도 날아갈 듯한 학처럼 앉아 있었다. 태석(苔席) 하나가 윗목에 놓여 있었다. 방 한편에 삼층장이 놓이었고 삼층장 위에는 실궤가 나란히 얹혀 있었다. 그 옆으로 의걸이장과 의걸이장 위에는 꽃수 놓은 화각함이 놓여 있었다. 궐녀가 깔고 앉은 방석 옆 으로는 가께수리가 놓이고 그 위에는 면경함이 놓여 있었다. 방 치 장이 그만하면 재상의 대방마님의 안방 치장이라 할 만하였다. 그러 나 이른 아침 홍장(紅粧)이 지워진 궐녀의 신색은 왜 저렇게 파리한 것일까. 이렇다 하게 드러난 고질도 없는데 사람의 호강이 분복에 넘치면 저런 신색이 되는 것인가.

매월이가 먼저 입을 열었다.

「저도 고뿔이 들어서 신수가 못되었습니다만 행수께서도 수척하 신 것이 난리통에 신고가 있었던가 봅니다.」

천봉삼은 그 말은 들은 체도 않고 단도직입적으로,

「내가 문밖까지 온 것을 방 안에 앉아서 각찰(覺察)*하여 분별할 정도라면 내가 여기까지 찾아온 연유도 무엇인지 알고 있겠소이 다.」

「안부도 묻기 전에 어찌 부탁의 말부터 하려 하십니까.」

「미안하오. 그러나 나와 같은 천격이 이 화사한 방 안에 오래 미적 거리고 있으면 이미 나와는 지체가 다른 댁네가 이로울 것이 없지 않소?」

「나는 문밖으로 발소리를 듣고 부랴부랴 기침을 하였답니다. 물론 곡절 없이 찾아오시진 않았겠지만 천둥이 뒤쫓아 온다 하여도 잠 깐 숨이나 돌리십시오.」

궐녀의 그 말이 떨어지자 대청으로 나 있는 장지가 열리고 대문

---

*각찰: 일의 기미 따위를 눈치 챔.

따주던 처자가 방싯거리고 들어왔다. 반질반질 윤이 흐르는 놋쟁반 하나를 놓고 나가는데 방짜대접에는 힐끗 보니 맷돌로 알뜰하게 갈아서 끓인 깨죽이 담겨 있었다.

구린 입도 떼지 않고 앉아 있는 사이, 매월이는 희디흰 손으로 죽사발을 들어 오랫동안 깨죽으로 식전 요기를 하고 있었다. 쳐다보기에 진력이 난 천봉삼이 쌈지를 꺼내 막초를 담고 수리취 쳐서 곰방대에 불을 댕겨 물었다. 매월이가 깨죽 사발을 반나마 비우고 쟁반을 밀치고 나서까지도 건넌방으로 들어간 강쇠도 잠잠하고 집 안에서는 별다른 인기척이 없었다.

「난리통에는 현직에 있던 재상들도 폐적(廢籍)한 이가 여럿이라지요. 게다가 싸잡아서 보부상들까지 끌려 나가서 무고하게 현륙(顯戮)까지 당하여 몸뚱이에 단사(丹絲) 자리가 선명한 그들의 시체가 군기시 앞 참터에 뒹굴었다는 말을 듣고 가슴이 섬뜩하였소. 소식 돈절된 사이에 행수께서 봉욕하지나 않았는지 수소문해 보았습니다만 요행 나쁜 소식은 들리지 않아 한결 마음이 놓였답니다. 그래 간점(奸占)*하였다는 내자와 금실은 여전하십니까?」

분명 언중유골이었으나 천봉삼은 귓결로 흘리면서,

「상것들이 살아가는 것이야 매 마찬가지가 아닙니까. 하루 두 끼로 근력껏 살아갈 따름이오.」

「자녀는 몇이나 두었습니까?」

「아직 하나밖에는 생산이 없소.」

조 소사가 이미 저승의 사람임을 매월이는 번연히 알고 있건만 천봉삼의 입에서는 그런 말이 흘러나오지 않았다. 좌불처럼 앉아 버티던 천봉삼이 더 이상 길게 끌기 싫어서,

---

*간점 : 남의 아내나 딸을 빼앗아 차지함.

「내가 손위로 모시던 조성준이란 분이 있소. 댁도 그분을 잊지는 않았겠지요? 댁과는 동기간인 송만치의 살범으로 지목이 되어서 송파 저자로 돌아오지 못하고 있는 것도 짐작하겠지요? 그러나 지금에 이르러서는 그분이 무고하다는 것을 송파 저자가 다 알고 있는 처지요. 그런데도 범증이 있다 하여서 신고를 겪고 있소이다. 수구초심(首丘初心)*이란 말이 있듯이 몸이 병들어 포병객들이 되면 고향으로 돌아가고 싶은 것이 인지상정 아니겠소. 우리가 몇 번인가 그분을 송파로 모시고자 하였으나 헛수고였소. 간증(干證)*도 찾을 수 없는 터에 도대체 사유가 내려지질 않았소. 그것은 필유곡절이겠지요. 그중에서 가장 큰 화근은 광주 관아의 아전배들이오. 아전들이 계방(契房)을 꾸며서 각화(榷貨)*를 거래하며, 저희들이 송파 저자의 상권을 쥐고 흔들고자 함인 듯싶소. 장시의 물리에 밝고 상술에 능한 조 행수께서 송파로 돌아오면 아전배들의 계방이 타격을 받을 건 뻔한 일이 아니겠소? 그러나 저희들이 타격을 받는다 하여 무고하게 대살(代殺)감으로 추쇄되고 있는 사람에게 사문을 내리지 않는다는 것은 온당한 일이 못 됩니다. 대저 수령들과 관원이며 수하에 있는 아부배들의 작폐가 이토록 혹심하니 아니래도 침탈에 부대끼는 백성들이 관원을 따르지 않으려 함이 아닙니까. 수하의 행수 격인 내가 또한 무명색한 천출이라 요로에 연줄이 있을 턱이 없소. 마침 소싯적에 우리와 간난신고를 같이하던 댁네가 가위 국척(國戚)이나 다름이 없어서 태위(台位)*에 있는

---

*수구초심 : 여우가 죽을 때에 머리를 자기가 살던 굴 쪽으로 둔다는 뜻으로, 고향을 그리워하는 마음을 이르는 말.
*간증 : 남의 범죄에 관련된 증인.
*각화 : 전매(專賣) 규정을 어긴 범칙 물자.
*태위 : 삼공(三公)의 자리라는 뜻으로, 재상을 달리 이르는 말.

재상들은 물론이요, 요로와 의자하게 지내게 되었다니 찾아온 것이오. 댁네의 여력이 거기에 미친다면 옛 정리를 되새겨서라도 사문이 내려질 수 있도록 힘써 줄 수 없겠소?」

매월이가 당장 대꾸는 않고 일어나 뒤꼍으로 나 있는 미닫이를 열었다.

오얏나무 잎새 사이를 지나는 풋풋한 바람이 방 안으로 불어왔다. 궐녀의 희디흰 살신에 감긴 항라저고리가 바람에 떨리었다. 짧은 한숨이 궐녀의 입에서 떨어졌다.

「송파에서 나를 배송 낼 적에는 다시는 보지 않을 사람 같더니 창졸간에 찾아온 걸 보면 어지간히 다급하게 되었다는 것은 알 만합니다. 그러나 내게 그런 여력이 있다고는 믿지 마십시오.」

「북촌의 공경대부 집들을 무상출입이요, 데데한 벼슬아치들쯤은 공기 놀리듯 한다는 말은 듣고 있으니 아닌 척은 마시오.」

매월이의 입가에 희미한 웃음이 스치고 지나갔다.

「만약 내가 나서서 소청하신 일이 성사된다 하면 이녁이 내게 갚음할 일도 있어야 할 것 아닙니까. 귀신도 떡을 놓고 빈다지 않았습니까.」

「내 몰골을 보고도 몰라서 그런 말을 묻고 있는 거요? 옛 정리를 보아서 사유되도록 주선해 준다면 그뿐, 천격에 여차직하면 나수까지 당할 처지인 내게 무슨 떡이 있다고 그러시오. 내가 주변하고 훈수 들지 않더라도 가질 것은 이미 모두 가진 것 아니오?」

「천하를 모두 거두었다 할지라도 아직은 공규를 지켜 기러기 울음소리 하나를 이겨 내지 못하니 그것을 두고 어찌 가질 것을 다 가졌다 할 수 있겠습니까. 공규를 지키는 계집에게는 만금 재산이 모두 포화일 뿐이지요.」

「과욕의 탓이오. 마음을 비우시오. 하나를 가지면 둘을 가지고 싶

150

은 것, 마음을 비우면 하나로서도 천하를 가진 것과 진배없는 양광을 누릴 것이오. 부처님은 하나도 가진 것이 없었지만 열반에 들지 않으셨소?」

「조선 팔역을 화리(貨利)만을 좇아 메주 밟듯 하는 처지에 언제 그런 불심이 깃들었소이까. 꾸며 댈 변명이 없으나 난 이제 그리 하지 못합니다. 까닭이야 어찌 되었든 곤달걀이 꼬끼오 한다면* 나 또한 이녁의 말을 알아들을 수 있을까……. 좌우당간 소청하신 일은 여축없이 성사시킬 터이니 내 소청 한 가지도 들어주셔야 하겠습니다.」

「도대체 내가 주변할 것이 무어요?」

「내가 소청하려는 것은 곧 이녁의 일이기도 합니다. 지금 대동청 창관으로 있는 길 아무개란 자의 일 때문입니다. 궐자가 당초엔 숨어서 이녁을 해코지하고 늑탈을 일삼다가 종내에 이르러서는 아주 드러내어 이녁과 처소를 수시로 결딴내어 온 것을 이녁도 알지 않습니까. 그것을 익히 짐작하고 있으련만 궐자를 가만히 두고만 보는 이녁의 심사는 헤아리기가 어렵습니다. 이녁의 수하 겸인들을 시켜서라도 궐자 하나쯤 난장 박살하여 구천으로 보내는 것은 여반장이 아닙니까.」

「그동안 내 신변에 생겨난 변고에 그만한 의혹이 없었던 것은 아니오. 원통하고 절통하달지라도 뚜렷한 범증이 있는 것도 아니고 또한 궐자를 징치하려다가 되레 앙화를 뒤집어쓸 일이 더 위중한지라 두고만 보던 중이오.」

「지금 내 앞에 거칠 것이 없으나 다만 하나의 화근덩어리가 궐자입니다. 그 망종이 도대체 내 주변에서 떠나지 아니하고 나에게

---

*곤달걀 꼬끼오 울거든 : 도저히 이룰 가망이 없는 상황을 비유적으로 이르는 말.

기대어 토식(討食)*에 화리를 좇고 당상(堂上)에 오를 것을 겨냥하고 있으니, 당초엔 애물단지로만 알았더니 조금에 이르러서는 화근덩어리가 되었으니 연약한 계집사람의 소견으로서는 어찌할 방도가 없기 때문이오.」

아예 발설한 김에 아퀴를 짓자 하고 덤벼드는 매월이와는 달리 천봉삼은 박아 놓은 말뚝처럼 뻣뻣하게 앉아 맞은편 바람벽을 바라보고 앉았을 뿐 아무런 대꾸가 없었다. 매월이와 길소개라면 수년 동안 서로 똥창이 맞아서 만사에 뜻을 같이해 온 반연이 아니던가. 동기간이라 하더라도 배짱 맞기가 그토록 옹골찰 수는 없었을 것이다. 그런데 이제 와서 그를 난장 박살하여 구천으로 몰라 하니 이것이 실없는 언사를 농하려 함이 아닐진대 놀란 것은 천봉삼이었다. 이 또한 간활한 무리들의 농간에 빠져 드는 일은 아닌가 하여 천봉삼의 심기는 전에 없이 착잡하였다.

군란 이후 국사에만 전념하여 덕화가 팔역에 넘치도록 하겠다던 윤음을 내린 지도 이미 오래되었건만, 임금은 국사보다는 연일 운변 인물들을 적발하여 정배시키고 군란에 부동하였던 군정들을 색출하여 처참시키는 일에 전념하여 바깥 물정이 흉흉할진대, 매월이가 차제에 손을 쓰기로 한다면 길소개 하나쯤 극률에 걸어 처참시키기는 수월할 것이었다. 그런데 그 일을, 잠행하고 있는 천봉삼에게 당부하고 나서는 것이 무슨 꿍꿍이속인지 헤아릴 재간이 없었다. 들어갔던 구멍이면 빠져나올 방도도 없지 않은 법, 조 행수에게 사유를 내릴 만한 여력이 있다는 계집이 길소개에게 나인장(拿引狀)을 내릴 여력이 없다는 말은 어불성설이 아닌가. 궐녀를 하직하고 나오는 길에 강쇠는 대강의 말을 건네 듣고,

---

* 토식 : 음식을 억지로 달라고 하여 먹음.

「뱁새가 대붕의 걸음을 흉내하다간 가랭이가 찢어진다 하지 않았습니까. 일개 무녀가 중궁전의 총애를 받게 되었으니 싫더라도 대붕의 흉내를 짓지 않으면 안 되겠지요. 그렇지만 궐녀가 가랭이는 찢어지지 않았습니다. 되레 기왓골이 고래등 같은 가택을 상급으로 받았습니다. 궐녀가 양광을 누리게 된 데는 필경 중궁전을 속이지 않으면 안 되었을 일이 있을 것입니다. 궐한을 능욕하려는 것도 분명 뒤켕기는 일을 궐한이 산적 꿰듯 소상하게 알고 있다는 뜻이겠지요.」

「그럴듯하군. 하지만 제 주변으로도 궐자를 극률에 걸 수 있을 것인데, 하필이면 내게다 그런 당부를 할까?」

「그야 뻔하지 않습니까. 그토록 야무지고 간특한 궐녀가 궐한을 혼찌검할 방도라면 관령을 빙자하고 의금부나 포도청의 힘을 빌릴 수밖에 없겠는데, 공초를 받고 내리는 중에 궐한이 제 살아날 방도로 궐녀를 하자하자고 덤비거나 궐녀를 핑계하고 덤빌 것이니 자연 쥐도 새도 모르게 처참시키자는 배포겠지요.」

「내 짐작도 그러하이. 그렇다면 이 일을 어쩌면 좋은가?」

「조 행수님 사유 받아 내는 일만 여축없다 하면 그놈 하나 멸구시키는 일이야 어렵지 않습니다. 그 일은 제게다 맡겨 두십시오.」

「두고 보세. 서두를 것 없네.」

「궐녀가 일단 행수님께 운을 떼었다 하면 조 행수님이 사유 받는 일이야 떼어 놓은 당상이 아닙니까. 설령 내키지 않더라도 궐녀의 여력이 어디까지 미치는가 본때를 보이기 위해서라도 성사는 시키고 말 것입니다. 그러고 나서 다시 길소개의 일로 행수님의 목을 죄고 들 것이 틀림없는 것 아닙니까.」

「어쨌든 송파로 가서 처소 사람들께 소식이나 알리고 전후사를 다시 논의하는 것이 순서일세.」

「참 소견도 빽빽하십니다. 세월 낚는 강태공도 아닌 터에 구경 소 닭 보듯 차일피일하다가 꽃피자 해 지는 꼴 당하기 십상 아니겠 소? 행수님은 전후사를 너무 골똘하게 살피는 것이 탈입니다.」

「허튼소리 말게. 나 혼자만의 안위를 위한 일이라면 구태여 주저 할 것이 무언가. 내 한 몸에는 송파 처소와 평강 식구들의 안위와 명분이 달려 있지 않은가. 그러나 내 곤경을 겪는다 하여도 동무 님들이 바란다면 저승 문턱엔들 못 가겠는가.」

두 사람은 서둘러 송파로 나아갔다. 하루 행보에 벌써 해거름이 되었다. 송파 처소 사람들의 의견도 강쇠와 같았다. 천 행수나 유 생 원이 송파 처소를 솔거할 수 없다면 행수 격을 다시 차정하여야 하 는데 마땅한 선생들이 없었다. 어차피 조 행수가 송파로 내려와야 하겠다는 의견들이었다. 조 행수가 송파로 내려오면 비위짱 뒤틀린 아전붙이들이 난장 박살로 분풀이하려고 덤벼들지는 모르겠으나 그 렇다 하더라도 그 길을 택하겠다는 것이었다. 최송파가,

「설혹 처소에 줄초상이 나고 오기 때문에 쥐 잡는* 실패를 볼 성부 르더라도 감내해야지요. 조 행수님이 송파 처소에 의탁하여야 한 다는 것은 마소가 해 질 녘에 외양간으로 돌아오는 것과 같이 인 지상정이 아닙니까. 설사 궐녀가 이번 일을 성사시키고 난 뒤 천 행수님께 남 못할 풍상을 겪게 할지라도 위하고 모시던 분의 일이 니 감내해야겠지요. 그것이 우리 보부상들의 정리와 풍속이 아닙 니까. 세상사가 대저 미련은 먼저 나고 슬기는 나중 난다 하지 않 았습니까. 이번만은 일부터 저질러 놓고 보십시다. 일단 부리를 헐고 찔러만 놓고 물러앉아 버린다면 궐녀가 못 먹을 밥에 재 뿌 리자 하고 추고전지(推考傳旨)*라도 내려 가율(加律)*하여 극형에

---

*오기에 쥐 잡는다: 쓸데없는 오기를 부리다가 낭패를 봄을 비유적으로 이르 는 말.

걸기라도 한다면, 이는 조 행수님 시신에 칼질하는 것과 크게 다를 바가 없지요.」

최송파의 말에 요중회의 선생들이 가세하고 또출과 강쇠가 또한 훈수하고 나섰으니 천봉삼은 조금에 이르러 달리 꾸어 댈 말도 없었고 빠져나갈 구멍도 없게 되었다. 어쨌든 조 행수를 송파에 모시기로 작정하고 행리를 꾸리는 대로 이튿날 강쇠와 작반하여 나흘째 되던 날 해거름에 평강 처소에 당도하였다.

3

평강 처소는 흡사 벌집 쑤셔 놓은 것 같았다. 유 생원이 영솔하여 고개티 영애처를 피하고 나룻목의 복처(伏處)를 피해 평강 처소에 당도한 군총배들은 80여 명이 넘었다. 개중에는 중도에서 척분이나 반연을 찾아 흩어진 축들도 없지 않았고, 병고에 시달려 초주검이 된 자와 중로의 고을에 머물 때 놉으로 살겠다 하고 농가로 흩어진 사람들도 있었다. 고락을 같이하겠다고 평강으로 들이닥친 군총들이 80여 명에 이르고 보니 모자라는 것이 봉노요, 먹자고 만들어 놓은 입이 또한 걸기도 하여서 끼니때마다 섬곡식이 죽어났다.

범절 없는 위인들에게 희롱당하는 여편네들의 아우성 소리가 밤 늦게까지 처소에 낭자하였다. 곰배는 장삿길에도 나서지 않고 여편네 엉덩이에다 쌍심지 켠 눈깔을 박고 지내는 형편이었다. 붙박이로 살던 식구들과 나중 당도한 군총배들은 서로 배포가 맞지 않았고 손찌검을 주고받을 때도 없지 않았다. 이틀만 늦게 당도하였더라도 처소는 그대로 난장판이 될 뻔하였다고 동무님들이 투덜거렸다.

---

*추고전지 : 죄과를 추문하여 고찰하라는 왕명서.
*가율 : 이미 정해진 형벌에 정도를 더하던 일.

저녁을 먹고 난 다음 아이나 한번 안아 볼까 하고 월이를 찾고 있는데 눈깔이 시뻘건 곰배가 봉노 안으로 쑥 들어와 앉았다. 치찢어진 고리눈에 입가에 잔뜩 율기를 빼물고는 설폐를 하는데,

「성님은 이 처소를 쑥밭으로 만들려고 아예 작정한 분 같소.」

「무슨 선소리인가?」

「무슨 작정으로 저 본데없는 날탕패들을 우리 처소로 불러들이었소? 저놈들이 당초에는 휘진 몰골들이 흡사 새끼 내지른 암캐들 모양으로 비쩍 마른 상호들이었소. 우리가 드난하고 몸조리해 준 덕분에 신기들 차려서 눈깔에 뭐가 보일 만하게 되니까 거두어 구황해 준 행수님 심덕을 헤아려 얌전하게 근신하지는 않고 처소의 아낙네들을 상종하여 육담에 희롱하기가 여반장이요, 심지어는 찬방의 뒤주하며 곳간을 뒤져 뒷박 곡식이며 무명 자투리까지 옭아내어다가 장거리까지 나아가 술추렴하는 놈도 생겨났습니다.」

「우리와 대의를 같이하던 저들이 신산을 겪고 있는데 바라보고만 있으란 말인가? 사내란 갓 쓰고 똥 누기 예사요, 혈기방장한 그들이 또한 색탐하기 예사 아닌가. 저들이 처소의 율을 모르고 있을 것이니 또한 방자하게 놀기 예사 아니겠나. 아직은 아퀴가 맞지들 않아서 그러겠으니 자네들이 참게.」

「저도 그 점 헤아리지 못하는 것은 아닙니다. 그러나 그중에 색에 성화 상성을 한 놈이 있습니다. 벌써 장거리로 나아가서 남진계집 사람 하나를 공갈로 제독을 먹여 살송곳을 꿰고 나서도 미련이 남아 내처 돌돌 감고 누웠다가 들켜서 쫓겨 왔다는 소문이 있어 시방 액내의 물정이 자못 흉흉하답니다.」

「흡사 자네가 저지른 일처럼 소상하게도 알고 있구먼. 그 위인을 적발하여 징치하였는가?」

「적발은커녕 눈깔 한번 부라리지도 못해 봤습니다. 적발하여 징치

하겠다고 동무들이 팔을 걷어붙이고 나서자, 저희들끼리 찜부럭을 내고 쉬쉬하여 도대체 사통한 자를 찾아낼 수가 없어 성님 회정할 날만 눈 빠지게 기다리던 중입지요.」

「우리 총중에 한 놈이 장거리로 내려가서 여염의 계집을 겁간하였던 것은 어찌 알았나?」

「그 풍상 겪은 것은 말도 마슈. 바로 어젯밤에 장거리 장정 대여섯이 홰를 들고 들이닥쳐서 아무개 집에 월장한 놈을 대령하라고 새벽까지 악언상가로 행짜를 놓고 땅을 굴렀으나 우리가 워낙 뱃심 좋게 나오니까 그냥 돌아갔습니다.」

「다시 찾아와서 행짜를 놓을 것 같던가?」

천봉삼의 그 말에 기운을 얻은 곰배가 입에 거품을 물고는,

「계집 빼앗긴 놈이 앉은뱅이랍디까? 육신이 멀쩡하고 눈깔이 온전하게 박힌 놈이면 아마 우리 처소에 연못을 파려 들 것입니다.」

「그놈도 계집 단속이 허술했던 불찰이 없지 않군. 누워서 침 뱉기지 삼이웃에다 떠들며 구린내를 풍긴다 하면 방귀 뀐 년이 제 계집이란 사실이 짜하게 퍼질 것인데, 은밀하게 해결할 방도는 찾지 않고 처소에 와서 행짜를 놓으면 대순가.」

천봉삼의 대꾸가 심드렁하자 똥끝이 타던 곰배의 말대답이 그참에 이르러서는 대단 불공스러웠다.

「아니, 성님 말씀이 전과는 같지가 않구려. 우릴 층하 두고 하는 말 같소?」

「하찮은 미물인 쥐새끼도 색에 주리고 나면 밥보다 먼저 암컷을 탐하는 법이 아닌가. 사내가 색을 밝히는 것은 험담할 것이 못 된다는 얘길세. 하지만 여항에 뛰어들어 엄연히 본부가 있는 계집과 사통한 일이라면 그냥 두고 지나칠 수는 없는 노릇, 날이 밝는 대로 공론하여 징치할 것이니 자네도 선소리 그만 하고 나가 보시

게. 행역에 지쳐 온 삭신 뼛골이 우린 사람을 잡고 보챈다면 내 입에서 좋은 말이 나오겠는가.」

곰배가 율기를 빼문 채로 나간 뒤 봉삼이 목침을 끌어당겨 바람벽에 몸을 기대려는데 문밖에서 다시 기침 소리가 들려왔다. 대뜸 그 인기척이 월이란 것을 알았다. 무릎걸음으로 나가서 장지문을 열고 아이를 업고 서 있는 월이를 봉노로 들라 하였다. 봉노에 든 월이가 서둘러 아이를 내려놓았다. 그러나 아이는 겁먹은 얼굴로 힐끗 봉삼을 쳐다보더니 금방 월이의 앙가슴 속으로 파고들며 저고리 섶으로 손을 집어넣어 젖무덤을 만지는 것이었다. 아비를 보고도 낯설어하는 아이에게 문득 서운한 느낌이 든 봉삼이 넋두리 겸 핀잔하기를,

「아이가 너무 응석받이로만 크는 것이 아닙니까. 아직까지 젖어미의 젖무덤을 만지려 들다니요.」

월이가 아이를 두둔한답시고 얼른 둘러댄다는 말이 괴이하였다.

「사내들이란 수염이 허옇게 쇠는 이순(耳順)까지도 젖 만지는 고질은 못 고친다 하지 않았습니까. 하물며 일찍 어미를 여읜 설치를 하느라고 응석으로 클 수밖에 없지요.」

아이를 두둔한다는 말이 이상하게 된 것을 깨닫고 얼굴을 붉히며 얼른 말을 돌려서,

「보름 전쯤에는 어찌나 놀랐는지 십년감수를 하였습니다.」

「십년감수라니요? 아이가 경풍이라도 들었습니까?」

「아이가 노상 끌탕이라 둥개다 보니 자연 여자들 손끝에서만 놀게 마련 아니겠습니까. 아이의 안색이 파리하고 오줌을 누어도 오줌발이 서지 않았습지요. 깜짝 놀라 의원 집으로 데리고 갔지요. 의원 말이 아이가 손양(損陽)이 되었다더군요. 진종일 여자들 손에만 오가면서 잠지에 음기(陰氣)만 쐬고 살다 보니, 아직 색도 모르는 아이가 잠양(潛陽)이 되고 말았지 뭡니까. 계집들의 음기가 그렇게

독한 줄은 처음 알았습니다. 음기나 양기나 모두 제 구멍을 제대로 찾지 못하면 그런 화근을 부르는 것이겠지요. 마침 의원의 말이 상약이고 방문약이고 쓸 것이 없이 남자들의 손때가 묻은 장기짝 구운 물을 복용시키면 된다기에 한 열흘 그렇게 하였더니 신통하게도 아이의 안색이 돌아서고 오줌발도 제대로 잡히었습니다.」

말로는 아이의 손양된 일을 고쳤다는 얘기인데, 말속에 숨어 있는 골자인즉슨 처소를 오랫동안 비운 천봉삼의 처사를 은근히 면박하는 것이었다. 월이는 아이의 볼에다 입을 쩍지게 맞추고 나서 번쩍 안아다 봉삼의 무릎 위에 올려놓았다. 봉삼이 아이를 받아 들자마자 아이는 기겁을 하고 놀라서 월이 쪽으로 두 팔을 있는 대로 내뻗치며 삿갓반자가 무너지나 싶게 왕 하고 울음을 터뜨렸다.

금방 아이를 되받을 줄 알았던 월이가 덧문을 열고 봉당으로 내려서는 시늉을 보이자, 아이는 숨넘어가는 소리로 울어 대기 시작하였다. 다급하게 된 것은 봉삼이었다.

「안 되겠습니다. 이놈이 아비와는 아주 의절할 작정인 것 같소.」

나가려던 월이가 되돌아 앉으며 정녕 눈자위를 부라리고 봉삼을 가리키며 손을 흩뿌리는 시늉을 보였으나, 아이는 막무가내로 아비의 품에서 빠져나오려고 발버둥을 쳤다. 고집을 이겨 낼 재간이 없게 되어서 월이가 되받아 안자, 또 언제 그랬더냐는 듯이 떨꺽 울음을 그치는 것이었다. 울음을 뚝 그치긴 하였는데 청승맞게도 그사이에 흘린 눈물 자국이 두 볼에 선명하였다. 아이의 눈물을 손등으로 쓱 닦아 내던 월이가 꼭히 누굴 겨냥해서가 아닌 말로,

「우리 도련님이 누굴 닮아서 이렇게 청승스러운지 모르겠습니다. 울었다면 금방 눈물부터 앞선다니까요. 웃기보다 울기를 더 잘한답니다. 며칠 전에는 동무님 하나가 미친개에 물렸다 하기에 그 사람 구완하느라고 좀 떼어 놓았더니 아주 머리악을 쓰고 울어 대

는데 혼찌검을 빼놓더라니까요.」

「미친개에 물리다니요?」

「우피(牛皮) 행매하러 나갔던 동무님이 처소로 돌아오는 길에 나룻목에서 미친개를 만났답니다. 마침 새앙쥐 말려서 유렴했던 것이 있어 구워 먹이고 의원을 찾아가서 반묘(斑猫)*를 구해다 달여 먹였기에 망정이지 큰일날 뻔하였지요. 어디 그뿐입니까. 독사에 물린 사람도 생겨나서 논에 돋은 가래풀을 뜯어다 짜 마신다 붙여준다, 갖은 풍상을 다 겪었습니다. 처소에 있는 여자들이 모색은 반반한 것들이 많지만 처소에 누가 변을 당했다 하면 냅다 포달을 떨고 분주만 떨었지, 총망중에도 상약 한번 늘품성 있게 달여 댈 줄 모르는 무대(武大)*들뿐이랍니다. 처소에 통섭하는 분이 안 계시면 웬 변고는 기다렸다는 듯이 그렇게 많은지 알다가도 모를 일입니다.」

월이가 제 자랑 겸 늘어놓는 말인데 마침 독사에 물린 사람이 있었다 하여 봉삼은 다시 한 번 가슴이 섬뜩하였다.

「독사에 물린 동무님을 제 딴엔 지성껏 구완이다 간병이다 하고 설치다가 큰 창피를 당하였습니다.」

「창피를 당하다니요? 집안 식구 사이에 다소간 실수야 감내해야겠지요.」

「그 위인이 처음엔 명부 문턱을 헤매다가 반정신이 들고 어섯눈을 뜰 만하게 되자, 덥석 제 손목을 잡아채지 무엇입니까. 기함하고 손을 뿌리치는데, 말인즉슨 청상으로 공방살이하지 말고 팔자를 고쳐서 해로하자고 은근히 꼬드기고 드는데, 햇것 계집들이나 찾

---

* 반묘 : 농작물의 해충인 가뢰를 한방에서 이르는 말.
* 무대 : 《수호지》와 《금병매》에 나오는 인물로, 지지리 못나고 어리석은 사람을 비유적으로 이르는 말.

아보라고 주질러 앉히기는 하였습니다만 저는 속이 역해서 아주
혼이 났답니다.」

「기왕 말이 났으니 말입니다만 성품이 모나지 않고 허우대가 웬만
하다면 굳이 마다할 것이 무엇입니까. 처지가 비슷한 사람들끼리
모여 사는 것도 욕될 것이 없습니다.」

「제가 팔풍받이에 앉아 있는 청상의 신세라 하여 흰소리로 대꾸를
하시는 것입니까?」

「선소리가 아닙니다.」

정색하고 드는 천봉삼의 말에 월이는 가슴이 뚝 떨어진다는 낯빛
으로 그를 똑바로 쳐다보았다. 그러곤 이젠 색색거리고 잠이 든 아
이를 들쳐 업으면서 눈을 지릅뜨고 한마디 쏘아붙였다.

「그런 말씀은 두었다가 귀양이나 보내십시오. 제가 누구 때문에
갖은 고초에 이 풍상을 겪으면서 괄시에 타박뿐인 수절을 하고 있
는지 행수님은 알기라도 하십니까.」

월이의 성깔이 다부지고 아금받다는 것을 모르는 바는 아니로되,
봉삼에게 맞대 놓고 내뱉는 말투치고는 의미심장한지라 봉삼도 미
처 대답을 꾸어 댈 겨를이 없었다. 월이도 뼈 있는 한마디를 불쑥 내
뱉긴 하였으나 무안당한 사람처럼 아이를 들쳐 업고 서둘러 봉노를
나서는 것이었다. 봉삼은 월이를 다시 불러 앉히고 몇 마디 묻고 싶
은 말도 없지 않았지만, 야심한 터라 꾹 눌러 참고 말았다. 봉삼을 은
근히 타박하는 듯한 월이의 말이, 유 생원이 평강 처소로 전거(奠居)
한 이후에 나왔다는 것이 이상한 일이었다. 유 생원이 월이에게 은
근히 마음을 두고 있다는 것을 송파 처소에서 귀동냥해서 알고 있었
고, 월이 쪽에서는 서로의 지체가 가당치 않다 하여 몸을 사리고 있
는 처지란 것도 알고 있었다. 월이에게서 부지중에 그런 넋두리가
쏟아져 나온 것을 보면, 유 생원이 궐녀의 심지를 떠보자고 몇 차례

성화를 대거나 보챈 일이 있었던 것 같았다. 봉삼은 목침을 괴고 눕긴 하였으나 심란하여 쉽게 잠을 이룰 수가 없었다. 행기라도 할까 하고 덧문을 열고 봉당으로 내려섰다.

밤하늘의 별밭이 쏟아져 내릴 듯하였다. 단출한 식구들이 살아가는 행랑에는 밤이 깊었는데도 불이 꺼진 봉노보다 켜져 있는 봉노가 더 많았다. 발뒤축을 죽이고 걷다가 문득 곰배 내외가 기거하고 있는 봉노 앞에서 발길이 멎었다. 내외간의 나이 차이는 많으나 금슬이 좋기로는 처소에서 둘째가라면 서럽다 할 부부였다. 도란도란 주고받는 말소리가 덧문 밖에까지 고즈넉하였다. 덧문 위로 비치는 곰배 안해의 그림자가 한 손이 무릎 위로 갔다가 입으로 갔다가 하는 품이 길쌈 광주리를 앞에 놓고 있는 모양이었다.

「우리 내외가 명색 작배(作配)한 지도 일 년이 가까워 오는 터에 아직도 임자가 회태(懷胎)하였다는 소식이 없으니 이상도 하이. 그렇다고 임자가 밴 아이를 지워 버렸을 리도 만무하구 말일세. 그동안 내 깐에는 소생이나 볼까 하고 공력 들여 품앗이를 하지 않았던가.」

「성화 먹이지 마슈. 저는 회태가 될까 봐 걱정입니다.」

「에계, 그 무슨 자발없는 말인가. 여편네 입에서 그런 맹랑한 대꾸가 나오다니, 남의 문중 문을 닫을 요량인가?」

「전들 후사를 보자는 욕심이야 없겠습니까. 그렇지만 배태한들 종일 물레질, 방아질에 자궁인들 견뎌 내겠으며 아이나 덜컥 내질러 보십시오. 앙탈 부리는 젖먹이 뒤치다꺼리하랴, 맵짜지 못한 여편네들만 득실거리는 숙수간 일 돌보랴, 빨래품에 따비밭 김매랴, 제가 무쇳덩이인들 배겨 낼 성부르지가 않습니다. 그런 궁상을 어찌 겪으라고 입만 뻥긋하셨다면 자식 타령이십니까. 저는 우리 둘이 돌돌 감고 자니까 그것이 바로 극락이 아닌가 싶습니다.」

「부부간의 운우지정(雲雨之情)에만 골똘하고 후사 보는 일을 게을리 한다는 것은 천도를 거스르는 일이 아닌가. 자네 소견도 빽빽하이. 우리 사이가 워낙 의초가 좋은 내외간이라 그렇지 버성기는 사이였다면 벌써 싸움 났겠네.」

「연세깨나 자셨단 분이 저토록 아둔하실까. 제가 아직 회태하지 못한 것은 제 자궁이 못나서가 아니고 회태할 임시 해서는 이녁과 동침한 적이 없어 그렇습니다.」

「이런 맹랑한 사람을 보았나. 사내 행세를 깎아도 유만부동이지 그럴 수가 없지 않은가. 일 년 동안 우리가 배꼽을 맞춘 것도 헤아릴 수 없을 지경인데 그사이에 한 번도 연때가 맞아떨어진 일이 없다는 것은 어불성설이 아닌가.」

「어불성설이고 불성설이고 간에 이녁도 성화만 먹이지 말고 가만히 셈평을 놓아 보십시오. 이녁은 우리가 동침하기를 수없이 했다지만 새겨 보면 그렇게 자주 한 편이 아니랍니다.」

「임자가 내게 강짜를 부리자는 심산이군. 하긴 일 년 동안 집에 묻혔던 일이 손꼽을 지경이니, 이러다가 혹여 정분이나 버성기지 않겠는가?」

「정분이 버성기다니요, 혹여 저를 소박 놓을 심산이 아니시라면 농으로라도 그런 말씀은 마십시오.」

「임자 궁뎅이에 입이나 한번 맞춰 줄까?」

「에구머니나, 남이 보면 실성했다 하겠소. 무슨 포원이 졌기에 하필이면 거기에다 입을 맞추시려우?」

「내가 임자를 깨물어 먹고 싶어서 그렇다네.」

「밖에서 누가 들으면 웃겠소. 의뭉 떨지 말고 그만 주무세요. 저는 삼던 삼이나 마저 끝내야지요.」

「반죽 떨지 말고 오늘 밤은 일찍 자세나.」

「어이구, 이 손 치우세요. 손버릇도 고약하시지, 인사수작도 없이 손을 쑥쑥 디밀면 어떡하시나.」

「말은 앙탈이나 임자 모색을 보아하니 싫은 것도 아닌데그려.」

「어이구, 숭스럽기도 해라. 밖에서 누가 엿보기라도 하면 어쩌려고 이러세요.」

곰배의 봉노에 등잔이 꺼지는 것을 보고서야 봉삼은 취의청이 있는 쪽으로 발길을 옮겼다. 유 생원이 영솔해 온 군총들이 조기 두름 엮이듯이 취의청 넓은 방에 비좁게 누워 한잠들이 들어 있었다. 잠에 들지 못한 축들은 마루로 나와 앉아서 무슨 공론인가를 하다가 봉삼을 보자 모두 일어나서 인사를 차리었다.

「잠자리들이 편치 못해서 그렇게들 나와 있소?」

「아닙니다. 얘기들 하다 보니 잔소리들이 길어져서 이슥토록 앉아 있는 것입니다.」

「잠자리가 협소하고 자시는 끼니도 홀해서 안되었소. 그러나 의지간을 다시 마련하면 취편하기가 좋아질 것이니 그때까진 참아들 주어야겠소.」

「원, 별말씀입니다. 저희들은 감투밥으로 끼니를 때우고 목침을 높게 베고 잘 수 있는 것만도 호강입지요. 처소에 폐를 끼치게 되니 저희들은 그저 황감할 뿐입니다.」

「생원님은 완월이라도 나가시었소?」

「강쇠와 같이 회포나 풀자 하고 초저녁에 장거리로 나갔습지요. 이슥하였으니 곧 돌아오실 겁니다.」

「그동안 해낮에는 무엇들로 소일하시었소?」

「소일이라니요, 우리가 무슨 유서통(諭書筒) 진 놈들이라고 앉은 공궤만 받고 있겠습니까. 일에는 손방들이긴 하나 김도 매고 외양이며 시궁도 치고, 지붕 이을 이엉도 엮으며 저희 딴엔 끼닛값을 하느라고 시늉껏 했습니다만, 처소의 동무님들과는 일 매조지는 솜씨가 비견될 바 아니었지요. 그렇지만 핀잔도 듣고 구박도 받아 가다 보면 차차 날이 날 것입니다.」

「평강으로 오르는 중도에 반연들을 찾아 흩어진 동료들도 있다는 데 그 뒤 소식들은 들었소?」

「평강 처소의 주지(住址)를 알고 있으니 곤경에 빠졌다 하면 찾아 오겠지요.」

마방을 거쳐 돌아와서도 막초 한 대를 피우고 나서야 봉삼은 잠이 들었다.

이튿날 황급히 조반을 거두어 먹고 취의청으로 나갔다. 유필호, 강쇠, 곰배와 선생안(先生案)에 올라 있는 동무님들이 벌써 나와 앉아서 봉삼이 건너오기를 기다리고 있었다. 취의청 앞 마당에는 처소에 남아 있는 남정네들이 모두 모여 있었다.

그날부터 가역을 시작하여 마당 뒤편 한터에다 행랑 한 채를 더 짓기로 하되, 다락원에서 올라온 축들이 자기들 손으로 짓기로 하였다. 그다음 봉삼이 간밤에 곰배가 와서 하던 말을 꺼내어 장본인을 적발하여 징치하지 않으면 처소의 율을 온전하게 다스려 나가기가 어렵다는 것을 말하였다. 모두들 기다리고 있었거나 했듯이 인근에 조명 나기 전에 여항에 뛰어들어 추행한 놈을 찾아내어 장문형을 안 기어야 한다고 야단들이었다. 그러나 뜰에 모여 앉은 총중에 분명 장본인이 있을진대 선뜻 자복하고 나서는 자가 없었다. 천봉삼은 마루 끝으로 나가 섰다.

「이제 여기 모이신 여러분들은 처소에 발을 디민 이상 죽밥간에 처소의 동무님들과 짝패를 이루고 고락과 신산을 같이하게 되었소. 단출하지도 않은 다솔식구끼리 막역하게 지내자 하면 무엇보다도 변치 않는 정리와 신의를 가져야 합니다. 그러나 모두가 타성바지에 각아비자식들이 아닙니까. 그 정리와 신의를 지켜 나가자 하면 그것을 지탱해 줄 처소의 풍속과 율이 있어야 합니다. 조칙이 엄하지 못하면 우리는 한낱 입만 벌린 유민의 무리나 불한당에 불과하게 됩니다. 구르는 돌에 이끼가 끼지 않듯 우리가 스스로를 닦달하고 구급하지 않는다면 조선 팔역을 이름 없이 떠도는 한낱 부랑배에 지나지 않게 된다는 것을 잘 알고 있소. 도방 풍속에, 여상단의 짚신도 넘지 말라는 율이 있소. 그런데 사삿집에 뛰어들어 능욕하고 간통을 자행한 위인이 있는데도 행중이 이 괘씸한 소위를 모른 체하고 넘어갈 수는 없소. 이를 방치한다면 장차 이러한 행패가 빈번하게 될 것입니다. 동패를 적발하여 징치한다는 일이 여러 사람의 가슴을 아프게 한다는 것은 알고 있소. 그러나 앞으로 우리 모두가 임의롭게 지내자면 야속하달지는 모르나 율을 어긴 자는 근엄하게 다루어야 합니다. 그렇게 해야 앞으로 우리 처소가 관의 침탈을 면하고 인근의 장시에서도 괄시를 면하고 행매를 다닌다 하여도 훼방을 받지 않을 것입니다.」

말의 골자인즉슨 장본인을 기어코 찾아내야 한다는 것이라, 취의청 넓은 뜰에 모인 총중이 물을 끼얹은 듯 조용해졌다. 그러나 보부상들이 율을 범한 동료를 다스리는 법도가 너무나 참혹하고 냉정하다는 것을 알고 있는 터에 선뜻 자복하고 나서는 위인이 없었다. 이어서 유 생원이 나섰다.

「우리가 이 처소에 지친 몸들을 의탁하고 또한 사람의 구실을 하자 하면 도방 풍속에들 따라야 하네. 여러 사람이 애매한 욕을 당하기 전에 사삿집에 뛰어든 장본인은 어서 자복하고 나서게. 장부로 태어난 성깔이 무엇인가. 모가지가 달아나는 변출을 당하더라도 명색 장부의 꼴값은 하고 죽어야 하지 않겠는가.」

바로 그때 총중에서 허우대는 볼품없으나 강단 있게 생긴 한 위인이 발딱 일어섰다. 위인이 얼떨결에 자복하고 일어서긴 하였으나 조금도 질린 기색이 없이 입을 열 발이나 빼물고 있었다. 위인을 취의 청 마루 끝에 꿇어앉히고 집사들과 행수 격들이 좌우로 벌리고 앉았다. 먼저 강쇠가 물었다.

「처소에 찾아왔던 장거리의 장정들이 소동을 피웠던 것과 같이 엄연히 지아비가 있는 남진어미를 겁간한 것이 틀림없는가?」

위인이 처음엔 고개를 숙이고 앉았다가, 강쇠의 어투를 대뜸 찍어 눌러 제독부터 주려는 것으로 알고,

「제가 사삿집에 기어들어 계집과 사통을 한 것은 사실이나 억탁으로 겁간했다고 덮어씌우진 마슈. 유별한 남녀 간에 정분나서 통정한 것과 싫다고 앙탈하는 계집을 까발리고 겁탈한 것과는 차이로 말하면 하늘과 땅이 아닙니까. 제가 그 계집과 일을 벌이는 동안 계집은 과수댁처럼 굴었고, 또한 지아비란 놈을 구경한 적도 없었습니다. 나중에서야 풍문을 들어 알았습니다만 계집의 지아비란 자는 오래전부터 마목(痲木)에 들어 울 밖에 초막을 치고 시난고난 숨만 붙어 있는 처지라고 합디다요.」

듣고 보니 위인이 선뜻 자복하고 나선 까닭을 알 만하였다.

「반죽이 저만하면 절에 가서도 비웃자반 얻어먹을 위인이로세. 계집의 지아비가 마목에 들어 살피듬이 자빠지고 수족이 굳어졌다 한들 황천행을 하기 전에는 엄연히 호적 단자에 올라 있는 계집의 본부가 아닌가. 하물며 그 본부가 용천뱅이 된 것을 빌미하여 계집을 탐한다면 더욱 인륜에 몹쓸 행사가 아닌가?」

「원래 주변도 없고 색골도 아닌 제가 농탕을 치자 하고 장거리로 내려갔던 것은 아닙니다요. 물나 익히고 객회나 잊자 하고 옹기전 어름에서 투계 구경을 하고 처소로 회정할 요량으로 떡전 쪽으로 어슬렁거리는데, 그곳에서 서푼어치 떡을 흥정하는 계집을 보

았습죠. 계집이 흘깃 제게 추파를 던지는데 앉아 있는 모양새가 가관이었습죠. 치맛자락을 걷어붙인 속것 바람에 보름달 같은 허연 허벅지가 반 넘어나 들여다보였습지요. 사내를 후리러 나온 계집이 분명했습니다. 사추리에 아쉬운 대로 쓸 만한 고깃방망이를 차고 있다는 놈이 추파를 던지는 계집을 보고 그냥 지나칠 수는 없는 것 아닙니까. 계집이 떡을 싸들고 고샅으로 들어가는 척하다간 뒤돌아서서 또다시 추파를 던졌습죠. 계집이 겨우 면추나 면했을 정도여서 저도 처음엔 동하지 않았습죠만, 개살구도 맛들일 탓이다 싶기에 엉거주춤 따라나섰던 것입니다. 그것뿐입니다.」

「집안이 망하려면 구정물통의 호박씨가 춤을 춘다더니 잘도 둘러 대는구먼. 뉘 앞이라고 실없는 언사인가. 천성이 음탕한 계집이기로서니 백주 장터목에서 외간의 사내에게 추파를 던질까. 그것도 색주가의 창기도 아닌 남진어미가 아닌가.」

「사실이 그러한데 제가 사세 다급하게 되었다 하여 둘러대는 말로 아시면 어떡합니까. 생면부지의 남녀가 처음으로 만났을 땐 안면이 버성기는 법이지만, 제가 만난 그 계집은 궁합이 맞았던지 당초부터 정분이 통하였습니다. 겁간이 아니라니까 그러네요.」

위인의 말은 사실이 그러하매 그것을 몰라주는 행수와 집사들이 도대체 원망스러울 뿐이었다. 강쇠가 입가에 싸늘한 웃음을 흘렸다.

「겁간을 하였든 통정을 하였든 간에 본부에게 와댓값을 치른 것도 아니고 몰래 남진어미를 건드린 것은 엄연한 상풍(傷風)이 아닌가. 상풍을 저지른 일에 대해서도 달리 변해할 구멍이 있는가?」

위인이 어물어물 대꾸가 없이 어깨를 처뜨리고 앉아서 무릎 아래로 기어가는 개미나 헤아리고 있는데, 취의청에서는 위인을 율에 걸 공론들이 분분하였다. 위인을 감싸고 나온 것은 유필호였다.

「면목이 사내다운 놈일수록 계집에 약한 것이 풍속 아니던가. 궐자가 월장해서 범방한 것도 아닌 터, 지아비를 두고 있는 계집이 대낮에 외간의 행객을 안방으로 불러들여 곁을 준 것이라면, 이미 자녀안(恣女案)에 올라 있는 계집이 아니면 지아비의 병이 고황에 들어 색에 주린 계집에게 열락을 주었기에 적선한 셈이 아닌가. 우리가 잡아들여 징치를 해야 할 사람은 저 위인이 아니라 그 계집이 아닌가.」

보통 때에는 지체가 서로 다르고 덕이 있다 하여 상종하기 어려워하던 곰배가 그때만은 눈꼬리를 치뜨고 유 생원을 노려보았다.

「공맹에 박통하시다는 분의 입에서 나오는 말씀이 알쏭달쏭하시구려. 소소한 정리에만 끌리시다가 처소의 기강은 언제 잡으시려는 것입니까. 우리가 저 위인을 끌어낸 것은 미주알고주알 죄안을 따져서 경위를 밝히고 소위를 캐자는 것이 아니지 않습니까. 저 위인이 저지른 일로 도방의 기강이 흩어지고 인근 저자의 도부꾼들에게 욕을 끼친다면 그땐 어찌 조처하시렵니까. 그 계집이 천성이 음분한 계집으로 제 집 앞을 지나는 사내라면 앉은뱅이까지 죄다 불러들인다 할지라도 지아비가 있다는 것이야 엄연한 일이 아닙니까.」

곰배라면 유필호와 상적해서 언사를 농할 잡이가 못 되는 사이였다. 그러나 곰배도 30여 년 간을 송파 저자에서 짠물을 먹고 살아온 안목이 있어 경위를 따지는 데는 맵쌌다. 그리고 취의청 공회(公會)에서는 상하의 구분은 엄연하되 누구나 소신을 밝힐 수 있는 자리였다. 곰배에게 무안을 당한 유필호가 슬쩍 천봉삼을 건너다보았다. 그러나 천봉삼은 바윗돌처럼 표정이 없었다. 천봉삼 곁에 앉아 열불나게 파리를 쫓고 있던 집사가 말했다.

「이번의 사단을 우리가 사소한 정리에 끌리어 유야무야 헐후하게 처결해 버린다 하면 이 많은 식구들의 기강을 잡는 데 있어 큰 곤욕을 겪게 될 것이 틀림없습니다. 차제에 총중이 보고 있는 앞에서 저 동무 될 자를 엄히 다스려야 합니다. 벌목(罰目)에 걸자 하면, 첫째는 처소를 무단으로 빠져나가 무뢰배처럼 바장인 죄요, 둘째는 사삿집의 여자를 범방한 죄요, 셋째는 사삿집의 여자를 범방하고도 공회에서 이를 곧이곧대로 자현(自現)치 않고 허언을 일삼아 비굴하게 처신한 죄요, 넷째는 그로 인하여 마을의 장정들이 처소에 들이닥쳐 행짜를 놓아 풍속을 어지럽히고 처소의 체통에 똥칠한 죄요, 다섯째는 이번 사단으로 인하여 우리 부상 전체의 체통에다 똥칠한 죄요, 여섯째는 병이 고황에 들어 기동이 임의롭지 못한 계집의 지아비에게 못 박은 죄요, 일곱째는 그 지아비에게 왁댓값을 치르지 않고 쥐새끼처럼 몰래 빠져나온 죄요, 여덟째는 이로 인하여 처소의 선생들과 행수들과 또한 처소의 내자들이 울 밖에 나서면 이웃의 비웃음과 손가락질을 받게 된 죄가 또한 크다 하겠습니다.」

엿이나 물고 앉아 있는가 싶던 천봉삼이 그제야 집사에게 분부를 내리었다.

「저 동무를 징치할 것인즉, 당장 거조를 차리게.」

천봉삼 입에서 그 한마디가 떨어지자 낡은 멍석 하나가 취의청 앞마당으로 날라졌다. 뒤미처 동이물을 길어다가 멍석이 흠씬하도록 적시었다. 얼굴에 노랑꽃을 피운 위인은 무릿매를 내리기도 전에 온 삭신을 삭풍에 사시나무 떨듯 하고 턱 마치는 소리가 두어 칸 뒤에 쭈그리고 앉은 사람들에게까지 들릴 지경이 되었다. 그 꼴을 보기가 민망했던지 동배간이 다가와 속삭이었다.

「정신 차리게, 설마하니 자넬 멸구시키겠는가. 도방 풍속이 엄하다는 본때를 보이자는 수작일 것이니 별반 겁먹을 것이 없네. 소문도 듣지 못하였는가, 천 행수란 사람의 성깔이 비굴하게 굴면 일부러라도 중벌을 내린다지 않던가.」

팔이 안으로 굽더라고 한솥밥 먹던 동료가 눈치껏 훈수해서 부추 겼으나 이미 겁먹은 가슴이 쉽사리 진정될 리가 없었다. 그사이 장정 서넛이 달려들어 위인을 아갈잡이하고는 번쩍 잡아채서 멍석 위에다 앉히었다. 멍석말이에는 이골이 난 장정들이 눈 깜짝할 사이에 위인을 멍석으로 말았다. 뒤이어 6척이 넘는 물미장을 꼬나든 장정들이 멍석 주위에 버티고 서 있었다. 취의청에서 천봉삼의 말이 떨어졌다.

「만약 징치하는 동무님들이 사를 두어 시늉만 한다거나 어설프게 굴면 그 또한 연좌될 것인즉 일호의 어김이 있어선 안 되오. 다시 우리 식구가 되려는 분들이 처소의 동무들과 한동아리가 되어 형제가 되고 못 되고는 지금에 달리었으니 그 점 명심하시오. 그만하라 할 때까지 되우 치시오.」

연이어 멍석 위로 물미장 내리치는 소리가 타병성 그것이었다. 유필호는 진작부터 처참한 꼴을 보지 않으려고 취의청을 나가 버리었고 처음엔 공회 부근을 기웃거리던 아낙네들도 무릿매가 시작되자 멀찌감치 비켜나 버렸다. 1백여 명의 사람들이 회집한 취의청 마당은 역병이 훑고 간 동네처럼 숨소리 한 번 없었다. 물먹인 멍석을 내리치는 다섯 동무들의 이마에는 땀이 흐르기 시작하였다. 이제나저제나 하고 가슴을 죄고 있는데 집사의 입에서 그만 치라는 분부가 떨어졌다. 궐자를 꺼내 놓고 보니 벌써 기진하여 눈자위는 젓국처럼 풀어지고 생채기에서 튀긴 피가 저고리섶을 붉게 적시었다.

살갗은 흩어져 흡사 개에 뜯긴 난마(亂麻)와 같았으니 목숨 부지가 어려울 것 같았다. 제사날로 일어서지 못하고 허리를 폭 꺾고 고꾸라지자 취의청에 모여 앉은 그의 동배들이 술렁거렸다. 그중에 한 사람이 벌떡 일어서더니 취의청을 향해 식지를 내뻗고 고함을 지르

려 하자, 곁에 앉은 이가 괴춤을 낚아채 앉히는 것이었다. 그러나 궐
자는 곧 다시 일어났다. 두 눈은 충혈되고 입가에는 게거품이 일었
다. 궐자가 취의청을 향해 능멸의 어조로 말하였다.

「우리는 이 처소를 나가겠소. 처소의 조칙이 엄하고 기강에 서슬
이 있기로서니 아직 도방 풍속에 어두운 사람을 두고 이토록 모진
횡액을 안긴다면 나중에 이 처소가 극락 된다 한들 붙박여 살 수
는 없소. 우리가 추쇄를 피해 허겁지겁 이끄는 대로 달려오긴 하
였으나 여기가 초열지옥인 줄은 미처 몰랐소이다. 도대체 댁네들
이 누군데 간대로 사람들을 욕보인단 말이오.」

갖은 풍상이 스쳐 간 듯한 궐자의 하얀 턱수염이 푸르르 떨렸다.
일순 대꾸하고 나서는 자가 없는가 하였더니 강쇠가 앉은 자리의 방
구들이 꺼지는가 싶게 뒤축을 구르고 일어나 마루 끝으로 나아갔다.

「궐자를 징치한 참뜻은 우리 처소의 결의를 다지자 하는 것이지
궐자가 당하는 꼴을 구경 삼자는 것이 아니지 않소? 차제에 사사
로운 정리에 끌려 행수들을 능멸한다면 여길 떠나도 좋소이다.」

「명분이 어디에 있든 간에 이것은 인륜이 할 짓이 못 되지 않소?
어찌 동무가 되고자 하면서 사람을 짐승보다 못하게 다룬다는 것
이오?」

「우리가 짐승과 같이 살지 않기 위해 하는 짓인 것을 노형께서는
어찌 모르신단 말이오?」

「짐승같이 살지 않기 위해 사람을 짐승같이 다룬다는 것은 도대체
어디서 나온 이치인지 나 같은 무지렁이는 알지 못하겠소.」

궐자의 대거리가 거기에 이르자 한동안 사태를 바라보고만 앉았
던 사람들이 하나 둘 자리를 털고 일어나기 시작했다. 개중에는 오
장이 뒤집혀서 아예 이참에 처소를 하직하자 하고 부동하여 벼르는
축들도 있었다. 주섬주섬 엉덩이를 털고 일어서는 축들이 늘어나자

강쇠는 천봉삼을 뒤돌아보았다. 소동을 지켜보고 앉았던 천봉삼이,

「여길 떠나고자 할 사람들은 떠나도록 그냥 두게. 기왕에 떠날 사
람들이라면 일각이라도 먼저 작정하는 것이 해롭지 않을 것이네.」

「지금 한 말이 진정이오?」

「가려는 사람들 푸대접 말고 행지들을 물어서 길양식이나 들려 보
내게나.」

그때 불쑥 곰배가 뇌까렸다.

「당초부터 내가 뭐랬소? 도대체가 우리 상단들과는 똥창부터가
다르게 생겨 먹은 작자들이라 하지 않았습니까. 변지에 나가 수자
리 살고 성문이나 지키면서 오가는 행객이며 장사치들 행리 뒤져
트집 잡아서 군돈이나 챙기고 시탄장수들에게 부릅뜨고 공갈하여
개평이나 뜯던 자들이 우리와 똥창이 맞겠소? 가려는 사람 잡으면
그건 개아들이여.」

처소를 하직하겠답시고 취의청을 나서는 사람들 뒤통수에 대고
팔뚝춤을 추어 대는 곰배의 뒷고대를 잡아 앉힌 것은 강쇠였다. 삽
시간에 취의청 마당은 썰물이 훑고 간 갯가 자갈밭처럼 썰렁하였다.
고개를 숙이고 내처 앉아 있는 작자들은 타관으로 흩어져 보았자 제
구실을 다 못하고 횡사나 할 구닥다리들이요, 어디 가서 말 한마디
변변하게 하지 못할 어리보기들이나 심약한 자들이었거나 배가 산
으로 올라가든 물로 내려가든 오불관언하고 닥치는 대로 살아 보자
는 축들이었다. 웅성거리며 사람들이 빠져나가고 오랜 시간이 흘렀
는데도 취의청에 회집하였던 행수들과 집사, 서사 들은 흩어질 줄 모
르고 누굴 기다리는 사람들처럼 앉아 있었다. 실은 오려는 사람을
기다리고 있었던 것이 아니고 가려는 사람들이 빠짐없이 떠나기를
기다린 모양이었다. 중화때가 넘어서야 천봉삼이 물었다.

「이제 작정한 이들은 모두 떠났겠지.」

강쇠가 심드렁하게 뇌까렸다.

「그런가 보오.」

「남고자 하는 동무들을 거두고 중화 뒤부터 그들이 거접할 의지간 짓는 가역이나 시작하도록 하세.」

그날 밤 취의청 드넓은 방에서는 이튿날 동이 환하게 틀 때까지 불이 켜져 있었다. 처소에 무언가 심상찮은 기운이 돌고 있다는 것을 짐작하기엔 어렵지 않았다.

이튿날 아침에 처소의 취의청에서는 또 한 번의 공회가 열리었다. 하루 밤낮 동안 패리(悖理)를 저지른 동무를 징치할 벌목(罰目)과 동무들이 변출(變出)당했을 때 부의(賻儀) 추렴을 위한 마련기(磨鍊記)를 작성한 것이었다. 취의청에는 천봉삼을 수상으로 하여 왼편으로는 공원(公員), 유사(有司), 한산(閑散)으로 주변하는 동무들이 앉았다. 바른편으로는 강쇠와 곰배와 행수 몰이꾼들이 대좌하였다. 벌목과 마련기의 각조 홀기(各條笏記)*를 천명하기 위함이었다.

벌목의 홀기로는 첫째, 부모에 효도하지 아니하고 연장자에 대하여 아우의 도리를 게을리 한 자〔不孝子悌者〕에게는 태(笞) 40도(度)에 벌한다. 둘째, 처소의 선생들을 기만하기 일삼고 무례하게 구는 자〔謾放先生者〕는 40도에 벌한다. 셋째, 장시에 나아가 물화를 행매함에 있어 아보(牙保)*를 저지르거나 억지 매매하는 자〔市中抑賣者〕는 30도에 벌한다. 넷째, 동료 간에 성품이 완악하고 거동이 패악한 자〔頑悖同類者〕는 30도에 벌한다. 다섯째, 항간에 뛰어들어 부녀자를 희롱하고 겁간한 자〔婦女醜行者〕는 장문형(杖問刑)에 벌한다. 여섯째, 처소와 장시에 주정 부려 폐단을 저지른 자〔酗酒作亂者〕는 20도에 벌한다. 일곱째, 행매와 거동이 의롭지 못한 자〔不義行事者〕는

---

* 홀기 : 의식의 순서를 적은 글.
* 아보 : 장물 알선.

20도에 벌한다. 여덟째, 장시에서 불손한 언동을 일삼는 자〔言語不恭者〕는 20도에 벌한다. 아홉째, 연하자가 연장자를 능멸한 것이 적발되면 20도에 벌한다. 열째, 질병에 시달리는 동무를 돌보아 구완하지 않은 자〔不顧疾病者〕는 30도에 벌하고 벌전(罰錢) 2전을 징구한다. 열한째, 행매에 골똘하기보다 투전, 골패와 같은 잡된 외기(外技)를 일삼는 자〔雜技者〕는 30도에 벌전 한 냥을 징구한다. 열두째, 동료가 이승을 하직함에 칭탁(稱託)*하고 문상하지 않은 자〔不爲問喪者〕는 15도에 벌하고 벌전 다섯 냥을 징구한다. 열셋째, 처소의 연석에 불참한 자〔宴席不參者〕도 마땅히 10도에 벌하고 벌전 한 냥을 징구한다. 열넷째, 통부가 돌았을 때 기꺼이 응하지 아니하고 모피한 자〔訃通時不肯應者〕는 10도에 벌전 한 냥을 징구한다. 열다섯째, 공회 때 공연히 불평하고 비웃거나 잡담으로 소일하는 자에게는 10도에 벌한다는 것이 대강의 뼈대와 줄거리였다.

그다음의 마련기에는 동료 간에 초상을 당하였을 때, 반수(班首)는 서른 냥, 접장 서른 냥, 공원 열 냥, 집사 여섯 냥, 유사 다섯 냥, 한산석 냥씩의 추렴을 하기로 작정되어 있었다. 홀기에 승복하지 못할 것이 있다면 고경(苦境)들 하라 하였으나 한 사람도 불평하고 나서는 자가 없었다. 벌목과 마련기를 갖추어 처소를 다스림에 기둥은 세운 셈이었으나 장차의 일이 걱정이었다. 집사가 마당에 쭈그리고 앉은 총중을 빗대어 타박하는 것이었다.

「저 마당에 쭈그리고 앉은 동무들의 상호를 한번 보십시오. 백수를 흩날리면서도 노제첩(老除帖)들을 받지 못하고 군역에 시달리던 구닥다리들이 태반을 넘지 않습니까. 고깃값은 고사하고 저들이 도대체 무슨 힘을 쓰겠습니까. 멸치 한 마리는 어쭙잖아도 개

---

*칭탁 : 사정이 어떠하다고 핑계를 댐.

버릇 사납다더라고 저들을 불러들였다가 애꿎은 처소의 밥이나 축낼 것 아닌지 모르겠습니다.」

빈정거리는 집사의 말을 듣고 앉았던 천봉삼이,

「어찌 뚝심만이 힘이랄 수 있겠소. 지모라는 것도 힘이랄 수 있고 소견과 경륜도 힘이 될 수 있소. 세상사의 쓰고 단 맛을 분별할 줄 아는 것도 힘이오.」

「저들을 밑전 주어 장거리로 내보낸다 한들 아귀다툼 설레에 푼어치의 이문이나마 챙길 수 있을지 미상불 큰일입니다.」

집사가 길게 빈정거리고 나서자 천봉삼은 못마땅하게 여기고,

「선생의 대접을 받고 있는 우리 역시 장사치로서 면목을 갖출 만하게 되기까지는 모진 풍상 숱한 경난에 시달리지 않았더랬소? 저들도 본판이 강건한 사람들이라 장시의 물리를 익히자면 행매 수완보다는 아귀다툼에 시달리고 무뢰배, 왈짜 들에 시달려 보아야 때를 벗을 것 아니오? 기력이 성한 사람들을 우선 조발하여 밑전 주어 내보내되, 처소로 회정하는 날짜는 한 장도막을 넘기지 않도록 조처하시오. 우리가 저들과 동고동락하겠다고 불러들인 이상 명을 붙일 방도만은 주선해야 하지 않겠소?」

「개중에는 산가지도 놓을 줄 모르는 어리보기들이 질편하다는 것입니다.」

「저들이 이제까지 군문에서 호구해 온 궁리나 눈치는 있겠으니 산학에 밝은 동무들이 잡고 알아듣도록 단련시켜 보시오.」

「허, 일진이 좋아서 코 묻은 예폐(禮幣)* 챙기게 되었구려.」

지절거리는 말마다 대꾸하기도 진력나서 봉삼은 사처로 돌아오고 말았다. 하룻밤을 꼬박 뜬눈으로 새웠으나 잠이 번 놓이어서 잠깐

---

*예폐: 고마움과 공경의 뜻으로 보내는 물건.

눈을 붙여 보려 하였으나 여의치 않았다. 괭이 한 자루와 낫자루를 찾아 들고 맞은편 산구릉으로 올랐다. 한식은 아니었지만 말미가 났을 때 저승 간 안해의 봉분에 사초(莎草)나 할까 해서였다. 억새를 헤치고 묘역에 오른 봉삼은 한동안 사천왕(四天王)처럼 버티고 서서 안해의 무덤을 바라보았다. 봉분은 그가 사초를 하고 자시고 할 것도 없이 떼가 곱게 입혀져 있고 묘역도 잘 가꾸어져 있었다. 어떤 이가 지성껏 묘역을 돌봐 온 흔적이 역력했다. 바로 그때였다. 봉분 뒤쪽 어름에서 아이의 웃음소리가 들려왔다. 분명 자식놈의 웃음소리였다. 나뭇등걸 뒤에 몸을 숨기고 봉분 뒤를 엿보았다. 월이가 풀밭에 아이를 내려놓고 어르고 있는 것이 보였다. 아이는 싸리꽃이 들린 월이의 손을 잡으려다 말고 캬륵캬륵 웃곤 하였다. 아이가 매달리면 매몰스럽게 뿌리치지 않고 간지럼을 타며 빠져나와서 또 아이를 어르는 것이었다. 월이가 틈틈이 묘역을 가꾸어 온 것이란 생각이 뇌리를 스치고 지나갔다.

봉삼은 그때 비로소 제 아이를 유심히 바라보았다. 아이가 정하게 자라고 있다는 느낌이 새삼스러웠기 때문이다. 촌락이나 저잣거리에서 만나는 아이들의 몰골이란 빼박은 듯이 똑같았다. 새집처럼 헝클어진 머리에는 줌으로 훑어도 될 만큼 가랑니와 서캐가 들끓었고 그 위엔 사철 부스럼 딱지를 벗을 날이 없었다. 눈까지 개씨바리*로 진물이 나고 가장자리는 선홍색으로 불거져 있게 마련이었다. 그러나 자기 아이만은 가풍 있는 대갓집의 외동아들처럼 정하고 알뜰하게 커가고 있다는 사실이 오늘에야 완연하게 눈에 들어오는 것이었다. 또한 그와 더불어 아이와 마주하여 까치다리로 쪼그리고 앉은 월이의 묘한 자태에 은근히 색념조차 동하였다.

---

* 개씨바리 : 핏발이 서고 눈곱이 끼며 눈이 몹시 부신 눈병을 속되게 이르는 말.

월이로 말하면 그 자색이 조 소사를 따르지는 못한다 할지라도 촌 부치고는 이목구비 수수하고 그만하면 몸피듬도 대살지지 않고 푸 짐하지 않던가. 최돌이와 초례를 치를 적만 하여도 월이는 아직 앳 되고 때로는 경박함도 없지 않았었다. 그러나 오늘에 와서 자세히 훔쳐보매 궐녀는 이미 풍만하고 분수있는 여인네로 변모해 있었다. 그것 또한 예기치 못한 발견이었다. 그러나 감히 넘볼 수 없는 처지 라 그만 사처로 내려와 버리고 말았다.

4

바로 그날 밤이었다. 처소의 아낙네들이 곰배의 봉노에 모여 앉아 서 삼을 삼고 있었다. 마침 아이를 안고 있는 월이를 힐끗 돌아본 곰 배의 안해가 드문드문 하는 말이,

「성님, 제가 중뿔나게 오지랖 넓은 척하는지는 모르겠소만 행수님 도 아이를 보듬어 보고 싶을 터인데, 성님만 내리 끼고 돌지 말고 아이를 한번 건네줘 보시지요. 그러시다 부자지간 의초 상하겠소.」

월이가 곰배의 아내를 한동안 바라보다가 볼멘소리로,

「아우님, 내가 무슨 설치로 부자지간의 정을 떼려 하겠나. 아니래 도 그저께는 선을 보였지만 말귀는 막혀 있는 아이가 안면은 가릴 줄 알아서 울고불고 야단이 났었다네. 할 수 없이 업고 나왔지.」

「그런다고 덜컥 업고 나와 버리는 사람이 어디 있소? 눈 딱 감고 어린양도 해보고 민주를 대보시지 않구선.」

치자물 들인 삼 타래에서 올을 고르던 여편네들이 저들끼리 입귀 에 의미심장한 웃음들을 흘리는데 월이의 대꾸가,

「어린양이라니, 가당치도 않은 말 말게나. 행수님이 워낙 과묵하 신 데다 아이까지 울음보를 터뜨리고 보니 난 그만 혼백이 뜨는

것 같더구먼.」

「성님, 사정도 딱하시게 되었소. 상전의 소생이긴 하다지만 일구월
심으로 아이만 수발하다가 낙화(落花)되면 그땐 어떡하시려우?」

「걱정도 팔자군. 계집사람이 나이를 먹으면 낙화되기 예사 아닌
감?」

곰배 아내의 말버슴새는 바른쪽으로 가고자 하는데 월이의 대꾸
는 왼편으로 뒤틀리었다. 두 사람이 받고채는 말을 듣다 못한 여편
네 하나가 낯짝을 월이에게 되들고,

「아우님 꿍꿍이속이 무언지 모르겠네. 심덕 무던하고, 소견 있고,
강단 있고, 재바르기로는 처소에서 첫째간다는 처지에 어찌 해망
쩍게 말귀를 못 알아듣나?」

「도대체 무슨 말들이오?」

여편네가 더 이상 참지 못하겠다는 듯이 손에 들었던 삼 타래를
태질치는 시늉이면서 야무진 말소리로,

「아우님도 할 수 없는 반실이군. 부자지간 의초 상하기 전에 아이
나 아비에게 안겨 주고 오구려.」

여편네들의 어취가 무엇인지 알아듣지 못할 월이가 아니었다. 그
러나 짐짓 모른 체할 뿐인데 몸달아하는 여편네들을 보자 웃음이 터
져 나오려는 것은 되레 월이 쪽이었다. 그러나 그런 와중에도 되씹
어 볼 만한 말도 없지는 않았다. 천봉삼이 아이를 안고 자보고 싶겠
지만 체통을 중히 여겨 월이의 눈치만 바라보고 있는 것이 아닌가
하는 짐작이 든 것이었다. 아차, 이것도 실수 아닌가 싶어 아이를 안
고 천봉삼의 사처로 건너갔다. 아이가 잠이 깼을 때에는 임시해서
작정하기로 하고 곁에다 뉘어 주어야겠다는 생각이었다. 그런데 그
것이 여편네들의 잔꾀에 말려들 일일 줄은 몰랐던 것이다.

봉삼이 잠들어 있는 봉노를 열고 보니 땟국이 흐르는 차렵이불을

똘똘 말아서 사추리에 끼고 바람벽을 향해 돌아누워 코를 골고 있었다. 월이는 가만히 들어가서 포대기를 깔고 잠든 아이를 내려 뉘었다. 밤중에 잠이 깨어 아이를 보면 보듬어 안고 자겠거니 하였다. 아이를 뉘고 봉당의 지게문을 열고 나오려는데 어찌 된 영문인지 지게문이 열리지 않았다. 앞으로 난 덧문도 마찬가지였다. 몇 번인가 문고리를 밀고 당겨 보았으나 요지부동이었다. 바깥에서 쇠스랑으로 버텨 놓은 문이 방 안에서 네굽질*을 다해 본들 부수기 전에는 열릴 리가 만무였다. 둘러보니 바람벽 위쪽에 마방 뒤곁으로 낸 외짝 바라지 하나가 붙어 있었다.

그러나 바라지 바로 아래쪽에는 6척 장신의 엄장 큰 사내가 누워 코를 골고 있으니 그 또한 여의치 않았다. 고함을 지르자니 곯아떨어진 사람 잠 깨울까 걱정이요, 밖으로 빠져나갈 방도를 찾자 하니 주변이 없었다. 잠시 지체하다 보면 일을 만든 여편네들이 문을 따주겠거니 하였다. 그러나 처음엔 킥킥거리며 웃음을 삼키는 인기척도 들리는가 하였더니 한 식경이 넘도록 아무런 기척이 없었다. 기다리기에 진력날 즈음 월이는 자신도 모르게 지게문 앞에서 쪼그리고 앉은 채 잠이 든 모양이었다. 먼 귓결에 닭이 홰치는 소리가 들리는 듯하였는데 누가 조용히 어깨를 흔들었다. 화들짝 놀라 눈을 떠 보니 벌써 덧문과 지게문이 환하고 마방 쪽에선 아침 여물을 재촉하는 소들의 워낭 소리가 들려왔다. 사태가 기함할 지경에 이르렀다.

「아이 곁에 눕지 않고 어찌 부처처럼 앉아서 밤을 새운단 말이오?」

타박하는 목소리가 천봉삼인데 당장 둘러댈 말이 마땅치 않았다.

「아이를 곁에 뉘고 나간다는 것이 문고리가 잘못되어 밖에서 잠겨

─────────────

*네굽질 : 팔다리를 내저으며 몸부림치는 짓을 속되게 이르는 말.

버렸지 뭡니까. 혼자 용을 쓰다가 그만 잠이 들고 말았습니다.」

곧이곧대로 일러바친 것이었으나, 왠지 얼굴은 화톳불을 뒤집어 쓴 것같이 화끈 달아올랐다. 혹여나 꾸며 댄 말로만 알까 하여 가슴이 조마조마하였다. 봉삼이 월이의 변해를 듣고 나서 정말 그런가 싶었던지 제 손으로 지게문을 밀쳐 보는 것이었다. 그런데 곱다시 뒤집어쓰게 될 일이 생겨났다. 월이가 그렇게 용을 써도 꿈쩍도 않던 지게문이 봉삼이 한 손으로 툭 치자 일 같잖게 열려 버리고 만 것이었다. 분명 버텨 있었음 직한 괭잇자루나 쇠스랑도 문밖엔 없었다. 놀란 것은 월이였고 무안한 것은 봉삼이었다. 그렇다면 월이가 잠깐 잠든 사이에 여편네들이 와서 치운 것인데 그것을 눈치 채지 못했던 것이다. 사태가 거기에 이르고 보니 온 몸뚱이가 입이란들 월이는 달리 변해할 길이 없었다. 봉삼도 구차한 변명으로 알았던지 씩 웃음을 흘리고는 수작이 어울리지 않아 슬쩍 덧문을 밀치고 퇴로 나가 버리는 것이었다. 월이도 황망히 자고 있는 아이를 들쳐 업고 구르듯 봉노를 기어 나왔다. 숙수간에서는 이미 동자 지으려는 여편네들이 여럿 나와 있었다. 언죽번죽 입정이 사납고 뱀뱀이 없고 선소리 잘하는 여편네 하나가 쫓기듯 숙수간으로 뛰어드는 월이를 손사래로 밀막으면서,

「아서, 이런 고얀 일이 있나. 그래도 명색 첫날밤을 잔 색시인데 부엌일을 시킬 수야 없지. 어서 신방으로 돌아가 쉬어야지.」

여편네가 아주 정색을 하고 월이를 밀막자 생목이 오른다고 모가지에 지푸라기를 감고 풋나물을 무치고 있던 곰배의 안해가 참다못해 까르르 웃음을 토해 놓았다. 그러나 월이도 만만치는 않아서,

「흰소리루야 하늘의 별인들 못 딸까. 긴 밤 앉아서 새우느라 오금만 저린 사람 두고 덜 익은 선소리들 그만 하셔.」

아궁이에다 삭정이를 꺾어 넣던 다른 여편네 하나가 불에 벌겋게

달아오른 낯짝을 빼 꽂고는,

「어이구머니나, 저런, 남의 못할 일도 있나. 밤새도록 받은 살수청이 얼마나 아금받았으면 오금이 다 저리실까. 엉덩이에 진물 나고 허리는 부러지지 않았나?」

숙수간 보꾹에 매달아 놓은 종자 봉지들이 흔들하도록 웃음보가 터지는데, 여축없이 놀림가마리가 되어 버린 월이는 정색을 하고,

「넘겨짚지들 마슈. 내가 잠시 아둔하여 이녁들 허방에 빠져 달리 변해를 꾸어 댈 말이 궁하다 하나 염려들 놓으시우. 정분도 없는 분에게 쉽사리 곁을 줄 헤픈 계집으로 보았다간 큰코들 다쳐. 개천에 빠졌어도 구경 소조는 당하지 않았으니 그렇게들 아시우.」

곰배의 안해가 이남박의 구정물을 수채에다 확 쏟아 붓고 오면서 군불 때는 여편네의 옆구리를 꾹 잡아떼며 빗대어 알분을 떠는데,

「오리발을 내밀 줄 알았더면 이슬을 맞더라도 밤새껏 지키고 있을 걸 그랬지?」

「그러게 내가 뭐랬나, 밤을 새우자고 하지 않았나.」

「앉은뱅이 서울 공론들 한다 할지는 모르겠으나 행수님이 여색에 근엄하시다 하나 허우대가 멀쩡한 헌헌장부이신데 빼어난 여색을 곁에 두고 코만 골았을 리야 없지 않겠나.」

「내가 일진이 나빠 우세를 당한 꼴입니다만 메밀도 굴러가다 서는 모가 있다 하였소. 남의 부아 돋우지 마시고 입정들 그만 놀리시오.」

「고깝게 듣긴, 하긴 우리가 아우님 헛되이 욕보일 수야 없지. 아무 일도 없었다고 둘러대는데 우리 또한 부득부득 우기고 드는 것도 우습지 않은가.」

다시 한 번 쿡 하고들 웃자 월이는,

「사돈이 물에 빠졌나, 왜들 돌아서서 웃나그래? 내 말 정녕 못 믿

겠거든 당사자인 행수님께 물어들 보구려. 밤사이에 바지 괴춤 한 번 내린 적이 없으니.」

천봉삼과 월이가 합방된 것을 가지고 그렇게들 웃고 떠들어 대었으니 처소에 소문이 퍼지지 않을 리가 없었다. 아침상이 나가기도 전에 소문이 한 바퀴를 돌았다. 아직 안면이 서툰 동무들이나 몰이꾼이나 짐방으로 행세한 동무들이야 수상으로 모시는 천 행수에게 감히 외담 섞인 농이야 못하겠지만, 곰배나 강쇠는 성님 성님 하면서도 곧장 흰소리들을 했던 것이다. 두루거리밥상이 취의청으로 날라져 오자 곰배가 기다렸다는 듯이,

「성님, 어젯밤에는 우릴 따돌리고 소문 없는 합근례를 자시었다면서요?」

「합근례라니? 초례청도 본 일이 없는데 누가 합근례를 자시었나?」

「성님, 의뭉 떨지 마슈. 사색에도 내비치지 않으시는구려. 온 처소가 벌집 쑤셔 놓은 듯한데 당사자인 성님이 발뺌한다구 될 일이 아니지 않소?」

「이런 물귀신 같은 사람이 있나. 저지른 일이 있어야 발을 빼든지 집어넣든지 할 게 아닌가.」

「남우세스러워서 그러시오? 아니면 무슨 딴 배포가 있어서 그러시오?」

「옥죄고 드는 품이 기어이 생사람 잡겠네그려. 어젯밤 예기치 않은 일로 형수님과 합방은 되었네만 무슨 염치로 색사를 저지르겠나. 누가 들으면 날 두고 패륜이라 하겠네. 내 입에서 호놈 소리 나기 전에 아예 입초에 올리지들 말게.」

「성님이 먼저 추파를 던졌으니 형수님이 봉노로 찾아들었지, 아니면 내외가 엄연한 터에 무슨 반죽으로 꽃이 자진하여 나비를 찾았

겠소.」

「우리 사이는 정분을 둘 사이가 못 된다는 것을 자네들도 번연히 알고 있지 않은가. 그건 망발들일세.」

「세속 다르고 인정 다른 데가 어디 있겠소. 알고 보면 두 분의 처지가 홀애비에다 홀로된 청상이 아니시오? 아무리 형님뻘 되던 동패의 내자였다고는 하지만 서로 속내가 통한다면 건즐(巾櫛)*을 받든들 강상에 크게 욕될 것이 뭐요?」

처음 농담이 나중 진담이 되어 가는 판인데 그때 두레밥상 한편에 앉아서 술질을 하던 유필호가 눈을 부라리면서,

「이 사람들아, 밥상을 앞에 놓고 웬 패설들이 그리 낭자한가. 그만들 두고 익은 밥들이나 먹게. 밥상머리에서 말 많은 것은 상것들이 하는 짓일세.」

곰배가 발끈하여 받아 채기를,

「생원님, 이것이 어찌 패설이란 말입니까. 저승 가신 형수님과의 정분을 못 잊어 한들 성님이 내처 홀애비로만 늙을 수는 없지 않습니까. 기왕 말이 난 김에 성님의 의향이나 떠보자는 것인데 어찌 패설로 몰아붙이십니까.」

강쇠가 눈을 똑바로 뜨고 곰배를 건너다보자 곰배는 금방 알아채고 입을 닥쳤지만, 유필호는 그만 수저를 놓는가 하였더니 밖으로 나가 버리고 말았다. 토방 아래로 내려서는 유 생원의 뒷모습을 보자 천봉삼은 자못 심기가 언짢았다. 그를 어떻게 대접해야 할지 지금 당장으로선 막연한 일이었다. 그의 객회를 달래 줄 방도가 없었다. 지체와 체통을 중히 여기는 그가 막된 것들 사이에서 비비며 살아가려면 남모를 고초가 뒤따를 것이었다.

---

*건즐: 남녀가 인연을 맺음.

원산포로 올라가서 조성준 행수를 뫼시고 오는 일을 며칠 미루더라도 유 생원의 일부터 조처해야겠다는 작심이 들었다. 천봉삼은 아침상을 물리는 길로 평강 고을 관속들과 내통이 있다는 동무 한 사람과 곰배를 사처로 불렀다. 봉삼이 묻기를,

「자네 척간에 평강 관아에 구실붙이가 있다지?」

「예, 저의 종숙(從叔)인뎁쇼.」

「신실한가?」

「그럼입죠.」

「구실을 산 지는 오래되었는가?」

「오륙 년은 되었습죠.」

「그렇다면 인근 고을에서 기구 차리고 사는 대갓집이나 토호들 집안 내막에는 밝겠구먼.」

「그렇다마다요. 종숙은 여기가 안태본인 데다가 여러 해 작사청에서 뭉군 터라 가근방 풍속은 보름달 쳐다보듯 환하게 꿰고 있어 소소한 흠절이 있다 하여도 폐적(廢籍)으로 떨구지는 않는다 합니다.」

「자네 종숙에게 손을 쓰면 가근방에서 기구 차리고 산다는 집안들에 혼기에 든 처자가 있는지 없는지도 소상하게 알아볼 수 있겠지?」

「그런 일이야 쉽게 수소문할 수 있을 터이지요. 그런데 어디다 쓰시려구요?」

「내게 작정이 있어 그러하니 자네 종숙에게 찾아가서 소상하게 좀 알아 오게나.」

곰배가 예기치 않은 천봉삼의 말을 눈자위를 허옇게 뜨고 쳐다보다가,

「아니 성님, 무슨 봉변을 내시려구 괴딴 말씀이시우?」

「생원님의 일 때문일세.」

「생원님께 배필을 점지하시겠다는 말씀입니까?」

「자네 의향은 어떤가?」

「생원님과 성님과는 거두어 온 정리가 교칠(膠漆)*과 같아서 의자하게 지내고 있다고는 하나 꽤나 엉뚱하시오. 장본인인 생원님께서는 생의도 않는 판에 성님께서 후끈 달아서 공력을 들인다고 될 성부릅니까. 게다가 유 생원님께서는 시방 월이 형수를 끔찍이도 위하고 잔뜩 눈독을 들이대고 있다는 것을 성님도 익히 알고 있지 않소? 태산 중악 만장봉이 모진 광풍에 쓰러진다 하면 모를까, 명색 장부라는 분이 한번 다잡아 먹은 마음을 부질없이 풀려 할까요.」

월이가 봉삼에게 기울고 있다는 것도 알고 있는 곰배의 말버슴새에 빈정거리는 투가 완연한데 봉삼은 모른 체하고,

「도대체 지체를 중히 여기신다는 분이 어찌해서 천격인 월이 형수께 마음을 두고 있는 것일까.」

「그건 제가 은근히 심지를 떠보았지요.」

「뭐라시던가?」

「명색 교목세가(喬木世家)*에서 태어나 글줄이나 읽었다는 규수란 것들은 몸가축이 아금받고 거동에 손색은 없으나 심지가 연약하다더군요. 썩는 곳에 가까이 있으면 금방 썩는 냄새를 풍기며 꽃다운 가운데 있으면 또한 금방 꽃다워지는 것은 좋으나 그만치 믿음성이 적다는 것입니다. 쓸데없이 교만하고 허욕에 받혀 사람을 대하여 방자하기 이를 데가 없다는 것이지요. 되바라져서 사람 염량 보기 잘하고, 혀는 짧아도 침은 멀리 뱉는다는 격으로 입만

*교칠 : 사귀는 사이가 매우 친밀하여 서로 떨어질 수 없는 관계를 이르는 말.
*교목세가 : 여러 대에 걸쳐 중요한 벼슬을 지내 나라와 운명을 같이하는 집안.

뻥긋하였다 하면 지체 타령이라는 것이지요. 근본이 상된 계집들
이란 경박하고 무작스러운 데가 없지 않고 말귀가 어둡기는 하나
한번 작심한 것이 오래갈 뿐 아니라 가세가 요족하면 그대로, 또
한 빈궁할 때도 남편을 빗대어 설궁하는 법 없이 하늘같이 받든다
하였소. 심지가 깊고 협기가 있어 세상의 풍파와 각고를 잘 견뎌
내고 애새끼들도 군소리 없이 쑥쑥 빼낸다 하였지요. 알다가도 모
를 일입니다. 지분내가 물씬 풍기는 반가의 처자가 으뜸이지 속곳
을 들치면 곰삭은 젓국 냄새가 등천을 하는 상된 계집이 더 좋다
는 것인지 저도 모를 일입니다.」
「자넨 생원님 속에서 빠진 듯이 어찌 그렇게도 잘 알고 있나.」
「생원님 말씀을 들었으니까 잘 알 수밖에요.」
「다른 말은 하지 않던가?」
「조선 팔도 계집 자랑을 하십디다.」
「어느 고을 여자가 제일이라던가?」
「어느 고을 여자가 좋다 하면 성님이 쫓아가서 동여 오시기라도
하시겠단 말씀입니까?」
「날 업어 가십시오 하고 자빠진 과수라도 있다면 모를까, 가당한
일인가.」
「팔도의 계집들이 저마다 특출한 재간이 있고 자색이 또한 유별하
다 하였지요.」
「내친김에 주워섬겨 보게.」
「경기 지경의 아낙네들은 마루와 방세간 치장을 잘하고 행보하는
형국이 얌전하고 몸가축에 출중하여 앞에서 보면 한 냥짜리밖에
될 성부르지 않은 여자라도 뒤에서 보면 능히 천 냥짜리에 미친다
하였지요. 그중에서도 송경(松京)의 과부들은 잇속에 밝아 환락을
모두 저버리고 식산(殖産)에 골똘하여 동지장야하지일(冬之長夜夏

之日)에도 도대체 쉬는 법이 없다 하였지요. 평안도 아낙네들은 금침과 패물 치장을 즐겨하고 강계·평양에는 미색들이 많아서 흡사 가을 물에 잠긴 부용과 같고 봄바람에 방긋 웃는 반개의 모란과 같은 여자들이 많다 하였습니다. 초면·구면을 가리지 않고 말 한마디라도 활발하고 다정하게 굴어서 잘 드는 칼로 물 많은 참외를 선뜻 베어 먹는 맛과 같다고 하였지요. 안주(安州) 여자는 자수를 잘하고 항라도 잘 짜며 덕천(德川)·양덕(陽德)·성천(成川)의 여자들은 황라(黃羅) 길쌈에 능하고 영변·희천(熙川)·태천(泰川)의 여자들은 명주 길쌈에 능하고 맹산(孟山)의 여자들은 마포 길쌈을 잘한다 하였지요. 황해도 여자들은 신실하고 근검하기가 불같아서 머나먼 서울에까지 가서 젓갈과 소주를 목판과 함지에 이고 다니면서 행매를 한다 하였지요. 해주는 색향이라 여자들의 살갗이 흡사 배꽃과 같고 황주·봉산의 여자들은 김매기타령이 들을 만하다 하였지요. 강원도 여자들은 시목간(柴木間)* 치장을 즐겨하고 철원과 춘천의 여자들은 명주 길쌈에 능하고 영동의 여자들은 마포 길쌈에 능하답니다. 정선·평창에는 자색이 뛰어난 여자들이 많다 하였습니다. 함경도 여자들은 정주간 치장을 잘하고 허우대가 장대하고 혈색이 좋다고 하였소. 쇠푼 한 닢이라도 목숨과 같이 중히 여기고, 한 푼인들 자기 손으로 벌어 가대(家垈) 지키기에 애쓰나 결단코 몸을 더럽히는 일은 저지르지 않는다 하였습니다. 충청도 여자들은 예절에 밝고 내외가 엄연하답디다. 길을 가다가도 남정을 만나면 흡사 호랑이를 만난 것처럼 놀라서 달아난다 하였습지요. 청양·한산·서천(舒川)의 여자들은 모시 길쌈을 잘하고 공주의 여자들은 선라(蟬羅) 짜기에 능하다 하였소. 청산

---

*시목간: 부엌 혹은 나무를 쌓아 두는 잿간.

(靑山)·보은의 여자들은 대추를 많이 먹어 입이 예쁘고 황간(黃澗)의 여자들은 연시를 많이 먹어서 볼이 통통하답니다. 전라도 여자들은 말세가 흡사 물결을 타듯 보드랍고 장독대 치장을 중히 여기고 음식 솜씨가 빼어나다 합디다. 담양과 영암의 여자들은 광주리와 참빗을 만드는 일에 출중하고 곡성과 순천·여수의 여자들은 마포 길쌈에 능하며 장흥의 여자들은 모시 길쌈, 나주의 여자들은 백목(白木)을 잘 짠다 합디다. 경상도 여자들은 신실하고 심덕이 무던하다 하였지요. 아녀자들이 고치 기르는 데 능하고 안동의 마포와 진주와 경주의 백목은 모두 아녀자들의 솜씨라 하였습니다.」

「생원님께서 팔도 여자들 행실을 그처럼 환하게 꿰고 있을 줄은 몰랐군. 그렇다면 부용 같은 자색에 길쌈에 능한 배필이라 한다면 생원님께서도 굳이 내칠 까닭이 없겠군.」

「구색을 갖춘 이팔방년(二八芳年)의 혼처가 있다면 날 잡수 하고 나자빠져 있겠수? 가당찮은 말씀 그만두오.」

그참에 천봉삼은 곰배 곁에 앉은 동무를 쳐다보고,

「어쨌든 자네 가서 종숙이란 분을 처소로 모시고 오게나. 처소가 용납지 못하면 내가 찾아가서 뵙기도 어려운 일은 아니지.」

「종숙을 처소로 불러들인다면 처소에 소문이 짜하게 되어 생원님 입장이 난처해질 걱정도 있고 하니 종숙이 퇴청할 때를 기다렸다가 행수님과 담판하는 것이 옳지 않겠습니까?」

좌중이 찾아가서 담판하는 쪽으로 기우는지라 그대로 따르기로 하였다. 해 지기를 기다렸다가 두 사람은 작반하여 고을 삼문 어름에서는 불과 활 두어 바탕에 상거한 종숙이란 사람의 집으로 찾아갔다.

50객인 구실아치는 첫눈에 신실해 보이는지라 천봉삼은 툭 털어놓고 찾아온 연유를 얘기하고 가합한 규수가 있는 집을 물색해 달라고 말했다. 천봉삼을 행수로 하는 쇠전꾼들이 복계골에 처소를 차려 상방(商房)을 꾸려 나가고 그 세력이 인근에 떨치고 있다는 것을 궐자인들 모를 리 없었다. 한참 동안 주저하더니 입을 열었다.

「과년한 규수를 둔 집안이 있긴 합니다. 비록 관함(官銜)*이 현직이랄 수는 없지만 경사의 호조에서 전전하다가 박황(薄況)*의 환로 하직하고 낙향하여 사 년 전에 하세하신 선비가 있었지요. 늘그막에는 소일 겸 가근방의 학동들을 불러다가 예폐(禮幣)도 마다하고 훈장질로 여생을 보내 송덕이 후세에 남으신 분의 댁이오. 그 댁에 허물도 없는 규양(閨養)*이 셋이나 있는데 맏이가 스물넷이나 되었어도 아직 정혼처가 없다 하오.」

「가계가 곤궁한 탓으로 혼처가 나서지 않았던 것입니까?」

「그렇지 않소. 기구 차리고 사는 품이 가근방에서도 천량〔錢糧〕*이 요족하달 수가 있고, 대여섯이 되는 사노들을 아랫도리에 두고 소 부리듯 하고 있고 마름들도 여럿이오. 듣기로는 그 댁 자녀의 식견이 투철하고 눈이 맵짜서 어지간한 달상(達相)의 낭재는 말을 붙이지도 못한다 하오. 그렇다고 도혼(倒婚)*을 할 수도 없는 터라 저간에 낭패를 보고 있다는 소문을 들었다오.」

「보아하니 떵떵거리고 사는 벼슬아치의 책방 도령쯤을 염두에 두고 있는 모양이군요.」

「근본이 있고 지체가 그만한 집안에 반반한 자색을 갖추고도 과년한 규수가 있다 하면 십중팔구 그렇다고 봐야 하지 않겠소?」

「그 규수의 모친을 만날 수 있을까요?」

---

*관함 : 관원의 직함.
*박황 : 적은 봉급.
*규양 : 남의 집 처녀를 정중하게 이르는 말. 규수.
*천량 : 개인 살림살이의 재산.
*도혼 : 형제나 자매 중에서 나이가 적은 사람이 먼저 결혼하는 일.

「내가 방자를 서보는 것은 어렵지 않겠으나 혼사를 틀 일이라면 권면(勸勉)할 게 있는데 아예 대면을 않는 게 좋을 거요. 쫓아가서 채근하거나 구차히 빌다가 야단맞으면 본때 있게 설분할 곳도 없지 않겠소?」

「우리가 막된 것들이라 하나 고을의 풍속을 더럽히거나 이웃 간에 야료하고 작간을 저지르는 과실은 없으리다. 처자의 모친 되는 분을 만나게만 주선해 주십시오.」

「근간, 처소에서 항간에 나와 추행한 자를 엄중 징치하였다는 소문을 듣고 있었습니다.」

「궐자를 처소에서 내쫓았소.」

「주선을 해보리다.」

동무의 종숙이란 구실아치와 수작한 지 이틀이 지난 뒤에 통기가 왔다. 규수가 있다는 집은 처소에서 반 마장 행보인 꽃티〔花峴〕에 있었다. 서울 북촌의 대갓집들처럼 담 치고 기와 올린 품이 으리으리하지는 못하나 행랑채와 몸채의 구분이 분명하고 몸채 뒤에 금방 날아갈 듯한 별당이 놓여 있었다.

숫을대문 앞에서 통자를 넣자 하니 상통이 미련하게 생긴 40객의 청지기가 쫓아 나왔다. 고개티 너머 쇠전꾼 상단 처소에서 왔노라하였더니 청지기란 놈이 금방 쇠똥이라도 밟은 놈처럼 상호를 찌그러뜨리는 것이었다. 초다듬이부터 궐자의 행티가 불공스러웠다.

그러나 대방마님의 분부만은 거행하지 않을 수가 없었던지 하기 싫은 대꾸로 들어오라는 것이었다. 천봉삼이 일부러 게트림하며 궐자의 뒤를 따르는데 궐자가 문득 행랑채에 있는 봉노를 가리켰다. 짐작하건대 막된 것들을 사랑으로 취편케 할 수는 없다는 것이리라. 물론 천봉삼은 홀한 대접을 받을 줄 예견하고 있던 터였다. 천봉삼은 졸지에 청지기를 보고 해라로 물었다.

「너의 집 마님은 손님을 접대함에 항용 비부쟁이들 봉노를 빌리느냐?」

당연한 줄 여기고 순순히 기어들 줄 알았던 사람이 사천왕처럼 버티고 서서 한판 울러 볼 요량으로 다짜고짜 해라로 하대하니 청지기란 놈은 어이가 없었던지 한동안 천봉삼을 물끄러미 바라보다가는,

「허, 이 배젊은 사람이 앙탈을 못해 벌써 노망을 한 것인가, 아니면 갓짜리도 아닌 주제에 혼돌림을 못 당해 환장한 것인가. 한바탕 조리질 쳐서 혼쭐을 빼놓기 전에 그 방자한 해라는 거두시지.」

「아아니, 다리몽둥이를 작신 분질러 놓을 놈이 어디다 불손한 말대꾸인가. 내가 누구인가, 너의 상전과 수의할 일이 있어 찾아온 손님이 아닌가. 너의 집 상전의 지체는 빈객을 맞이함에 비부쟁이들 사처라야만 심에 차느냐고 묻지 않았더냐.」

거동 불공스럽다고 생호령을 내붙이는 품이 까딱했다간 한바탕 손찌검이 나올 판이라 청지기란 놈의 대꾸가 그즈음에 가서는 뒤가 죽었다.

「마님의 분부가 그러하시니 그대로 거행할 수밖에…….」

「빈객을 맞이하는 범절과 제도를 보아서 가풍을 짐작한다 하였다. 찾아온 손님을 이런 꼴로 홀대한다면 어찌 지체와 체통을 가진 가문이라 할 수 있겠느냐.」

청지기가 사뭇 욕을 당하고만 있기는 배알이 뒤틀렸던지 겨우 한다는 말이,

「댁이 어째서 빈객이오?」

「이런 망측한 놈을 보았나. 내가 통자도 없이 들이닥친 무뢰배도 아니요, 너의 집에 끼니를 빌어 호구를 하자는 과객 또한 아니다. 엄연히 너의 상전이 뵙자는 통기가 있어 어려운 걸음을 하였거늘, 어찌 이토록 잔소리가 낭자하냐.」

그렇게 드넓은 저택도 아닌 터, 행랑채 마당에서 목청을 돋워 공갈하고 있는 천봉삼의 말이 몸채에까지 들리지 않을 리가 없었다. 대방마님이 귀가 어둡지 않은 이상 청지기와 받고채는 천 행수의 말을 죄다 들었음 직하였다. 그때 몸채에서 편발한 계집아이 하나가 구르듯 행랑채로 나와서 청지기에게 뭐라고 귓속말을 하였다. 청지기란 놈이 입에 게거품을 문 채 천봉삼을 몸채의 사랑으로 모시었다. 신방돌 위로 올라서면서 율기한 시선으로 뒤를 돌아다보았더니 뒤통수에다 사뭇 언짢은 시선을 박고 있던 청지기는 가위가 눌려 얼른 시선을 돌려 버리는 것이었다. 그깟 시골 대갓집 청지기 한 놈쯤 말아먹기라면 여반장이 아닌가.

사랑에 좌정하여 기침하고 앉았으려니 청지기가 장지 열고 들어서고 뒤따라서 60연세가 되어 보이는 마님이 들어섰다. 첫눈에 체격이 우람하고 고집이 있고 성깔 또한 당차 보였다. 기골이 남정네에 방불하고 모색에 지나간 각고의 풍상이 역력하니, 이 댁의 노부인도 소싯적에는 팔자가 여의치 않았던 모양이었다. 하긴 노부인이 가산을 줄이지 않고 성가신 마름들과 본데없는 하속들을 담판하고 다스려 나가자면 남정네 못지않은 고집도 지녀야 할 것이요, 여느 사대부 여인들처럼 기맥(氣脈)이 허박(虛薄)해서도 안 될 것이었다. 그러나 이상하게도 노부인의 장대한 체격이 눈에 거슬렸다. 천봉삼이 예를 차려 얼추 인사수작을 건넨 다음 핍근(逼近)하기 어려워 윗목 멀찍이 비켜나 앉은 청지기를 내쳐 줄 것을 요청하였다. 청지기의 안색이 더욱 붉어졌으나 노부인은 턱짓으로 나가 보라는 시늉이었다. 그러나 노부인도 천봉삼을 일각이라도 빨리 방색하여 내칠 요량이었던지 불문곡직하고 물었다.

「관변붙이가 중간에서 다리를 놓았기로 괄시할 수가 없어 만나기로 응낙은 하였소만 객의 행사를 보아하니 빈객 대접 받기는 가합하지 못한데도 어찌 자칭 빈객이라 범접하고 생호령을 내붙이는 거요?」

시색 좋은 사대부의 대방마님답게 꾸짖었으나 천봉삼은 책잡힌 사람답지 않게,

「저로서는 성명없는 상한(常漢)*이라 하나 대갓집의 마님을 청알하러 왔다 하면 마님의 체통을 보아서라도 청지기가 빈객의 대접을 해야 할 건 마땅한 일이 아닙니까?」

「여자들만 거처하는 내간(內間)에서 남정을 접대한다는 것은 범절에 어긋날뿐더러 또한 빈객을 자처하는 사람이 채신머리없게 내간 들기를 자청하고 호령한다면 이웃 보기에도 민망하지 않소. 그건 차치하고 어떤 연유로 왔는지 어서 말이나 해보시오.」

「댁에서 이십여 년이나 거두어 오신 애물단지가 있다기에 구경하러 왔소.」

「애물단지라니? 우리 집에는 그런 매물(賣物)이 없다오.」

「소문이 적실하다기에 왔습니다. 내외분 생전에 알뜰하게 거두어 왔으나 지금은 사세가 절박하고 촉박하여 강잉히 내어 놓았다는 소문이던데요?」

「도대체 무슨 일로 성가시게 굴 작정이오?」

「댁에서 과기(瓜期)에 찬 여식을 파신다기에 고헐간에 흥정을 하잡시고 찾아왔습지요.」

처음엔 귀를 의심하고 되물었다가 천봉삼의 입에서 나오는 말이 시종이 여일하자, 노부인은 털썩 큰 체구에 분을 삭이느라고 한동안 방 안을 설설 헤매는 시늉이었다. 그러나 천봉삼의 거동이 너무나 태연자약한지라 떨고 있던 노부인은,

---

*상한: 상놈.

「사랑의 소천(所天)*께서 하세(下世)하신 다음 대소가에 사속(嗣續)*이 없다 보니 외간에 그런 유언이 떠도는 모양이오. 우리의 가세가 간구한 움집살이도 아니고, 또한 아전 나부랭이와도 지체가 틀리지 않소. 이만한 형편에 무엇이 곤궁하여 소생을 팔아서 재물을 거두려 하겠으며, 또한 우리의 지체가 판서에는 이르지 못했다 하나 경위 없고 본데없는 천격이 아니거늘 어찌 소생을 팔아 인륜을 그르치겠소. 이 소문이 적실하다면 분명 우리 가문의 이름을 폄훼(貶毁)하려는 간악한 무리들의 모함일 것이오. 이 소문의 출처가 어딘지 내 기필코 적발하고 말리다.」

불쑥 던진 한마디에 노부인은 끝내 아퀴를 짓자 하고 대들었다. 천봉삼은 그 말에는 대꾸도 않고,

「여식을 팔아서 재물로도 쓰지 않고 또 인륜에 어그러짐도 마다하신다면 어찌해서 과년하도록 잡아 두신단 말입니까?」

「남의 복장 지르지 마오. 마땅한 혼처를 찾아 주야로 골똘하는 차에 이런 망측하고 억울한 누명까지 쓰게 되었소. 슬하에 딸 셋을 둔 죄가 이토록 서러울 줄은 미처 몰랐구려. 이 모두가 신실한 사속이 없는 까닭이오.」

「시골 인심이 야박하달 수는 없는 터에 이런 해괴한 소문이 난 것은 마님께서 대범하지 못했거나 과문(寡聞)하셨던 불찰도 없지는 않았겠지요.」

「내 과실이 없지 않았기로서니 무고한 사람을 유린하여 구렁에 빠뜨리려 한 자가 누군지 알려 주오. 우리가 비록 산협에 묻혀 살고 있는 형편이나 뼈대 있는 사대부이거늘 누가 이런 모함을 했단 말이오.」

---

*소천 : 아내가 남편을 이르는 말.
*사속 : 대를 이음, 또는 대를 이을 아들.

「그야 댁네를 모함해서 이득을 취할 사람이 누구란 것쯤이야 마님 짐작이 빠르지 않겠소. 이 댁에 청혼하였다가 퇴짜를 맞은 뚜쟁이 매당(媒黨)의 행사일 수도 있겠고, 또한 산협에서 이만한 가산을 일구고 요족을 누리게 된 근저에는 항간에 허물이며 원성을 남길 수도 있었겠지요. 이 댁의 근본을 알고 있는 작자가 있을 수도 있 겠구요.」

노부인의 얼굴이 그참에 이르러서 노랗게 질렸다. 쾰녀는 가슴이 내려앉는 소리가 덜컥 하는 것 같았다. 그러고 보니 이 천봉삼이란 작자가 행랑에서 청지기를 다루는 솜씨가 턱없이 도저하지 않았던 가. 평강 고을의 상것들치고는 이 집에 와서 방자하게 굴었던 적이 없었다. 그렇다면 그 까닭이 나변에 있었던 것일까. 이 작자가 복계 골에 처소를 차리고 있는 소 상단의 행수라는 것이야 알고 있었지만, 쇠살쭈 아니라 범살쭈라 하더라도 근본이 상것임은 스스로 더 잘 알 고 있을 것 아닌가. 그럼에도 감히 이 집에 와서 턱없이 생호령을 내 붙이는가 하면 상호를 되들고 여식을 팔라고 대든다면 분명 기댈 언 덕이 있어 비비대는 것이 아닌가. 게다가 고비 위에 걸어 둔 망자(亡 者)의 갓망건이며 자신의 허우대를 수상쩍다는 듯이 자꾸만 번갈아 살피는 것이 아닌가. 노부인은 만정이 뚝 떨어지고 얼혼이 빠지는 것 이었다. 선길장수들이란 눈치 하나는 빼박은 듯하고, 조선 팔도 안 가 는 데 없이 발섭하고 살아가는 처지들이니 귀동냥이 빨라 미상불 하 치않은 작자에게 뒷다리를 물린 셈이 아닌가. 노부인은 그만 찔끔해 서 가위가 눌리고 말았다. 가문의 근본을 안다 하면 여식을 판다는 소 문도 날 만하리라. 노부인이 가까스로 샛노랬던 안색을 가라앉히고,

「도대체 무슨 연충에서 불쑥 내 여식을 허방에 빠뜨릴 망발을 함 부로 내뱉는 거요.」

천봉삼이 딴청 펴고 있다가 불쑥 고비 위에 걸린 부서진 관망을

가리키면서,

「귀 관망은 아마 사랑양반께서 작고하시기 전에 손때 묻혀 쓰시던 것인 모양인데, 어찌 부서진 채로 간수하고 계십니까?」

「그 연유야 굳이 알 것이 없소. 어서 흉회나 털어놓으시오. 댁은 상투 튼 것을 보아하니 이미 관자(冠者)가 아니시오?」

「제 푸념을 늘어놓자고 온 것이 아닙니다. 낭재(郎材)가 될 분은 따로 있지요.」

「가당찮은 말이오. 양반이 상것과는 비각인데 내 사정이 절박하다 하여 어찌 상것들과 척분을 차리겠소.」

천봉삼이 마른기침 한 번 크게 하고 나서,

「죽 쑤어 개 퍼줄까 걱정이시구려. 마님 슬하에 규중 행검(行檢)이 아금받고 아리따운 규수가 있다 하면 우리 처소에도 성품은 괴팍하나 인물이 개자한 정남(貞男)이 없지 않소. 당장의 처지가 외돌토리긴 하나 몸놀림이 진중하고 학문이 섬부한 골수 유생으로 가히 해동공자라 할 만하답니다. 일찍이 환로에 뜻을 두지 않고 민초(民草)를 보살핌에 진력했던 나머지 남정으로서도 혼기를 놓친 셈이 되었지요. 직분으로서야 보리동지*에도 미치지 못하나 지체로선 가히 반혼(班婚)이라고 능멸할 처지가 못 되오. 저로서는 그분을 위하고 모시는 터로 가합한 배필을 물색하자 하고 나선 것입니다.」

「식언이 아니라면 늙은이 희롱하자는 거요? 지체가 그만하고 먹물이 든 사람이 무엇이 절박하여 타관에 와서 상것들 틈에서 뒹군단 말이오? 그렇게 살고자 한 연유가 있다손 치더라도 필경 뜨내기 본때를 보인다고 내자 소박 놓기 여반장이 아니겠소?」

「혼사란 견주어서 손실이 없으면 성사가 되는 것이 아닙니까. 미

*보리동지 : 곡식을 바치고 벼슬을 얻은 사람을 놀림조로 이르는 말.

심(未審)답다 하시면 우리 처소로 가보십시다. 사람 한번 진국이
지요.」

노부인은 달리 둘러댈 말도 마땅하지 못한지라 탈진한 사람처럼
후줄근히 앉아 있었다. 둘러대다 보니 알과녁을 맞힌 것이란 것을
알아챈 천봉삼은 이젠 딱 다잡아 앉아서 노부인을 부추겼다.

「이런 산협에서 그런 헌칠한 낭재를 얻기란 천운이 아니면 어렵소
이다.」

「닭을 헤아리다 보면 봉을 본다 하였지만 그 처소에 그렇게 준수
한 낭재가 있다는 것은 금시초문이오.」

「단김에 쇠뿔 빼랬다고 당장 우리 처소로 가보십시다.」

얼떨결에 걸려든 노부인은 당장 천봉삼을 따라나서기로 작정한
것이었다. 채비하고 대문을 나서는 대방마님의 거동을 바라보던 행
랑붙이들이 고개를 갸웃거렸으나 내막을 알 까닭이 없었다. 처소에
서 유 생원을 맞대면시킨 것은 아니었지만 노부인은 취의청에 앉아
서 벼루에 먹을 갈아 장책을 다스리고 휘하(麾下)를 닦달하는 유 생
원의 거동을 골고루 눈여겨본 것이었다. 허우대하며 행동거지가 막
되고 왜골스러운 가운데서는 더욱 출중하게 보이는지라, 노부인은
속으로 아예 데릴사위로 들여앉힐 욕심까지 솟았던 것이다. 혼사가
쉽게 이루어질 수밖에 없었다. 유 생원도 당초에는 연때 맞지 않다
고 앙탈을 부리고 천 행수의 소이가 괘씸하고 작태가 괴이하다 하고
호되게 나무랐으나 온 처소가 들고일어나서 부추기자 할 수 없이 의
양단자(衣樣單子)*를 신부 집으로 보내게 되었다. 유 생원으로서도
오랫동안 월이를 은근히 겨냥했으나 가망이 없게 된 것을 알아챈 지
오래인지라, 그 댁의 규수를 배필로 삼기로 한 것이었다.

---

* 의양단자 : 신랑 또는 신부가 입을 옷의 치수를 적은 단자.

5

봉홧불에 산적 굽기*로 혼사가 이루어지긴 하였으나 그 근저에는
20년 전으로 거슬러 올라가는 노부인의 집안 내력 때문이랄 수 있었
다. 20년 전 구름재에 기거하던 대원군이 마침 석반을 자신 후 어둑
발이 내릴 즈음, 화봉초(花峰草)*를 피워 물고 정원을 한 바퀴 돌아
서 막 행랑채의 대문 어름을 지날 때였다. 문밖에서 하속들이 왁자
하게 떠드는 소리가 들려왔다.

「이 물고를 낼 놈, 그분이 뉘시라고 너 같은 상것이 감히 함자를 들
어 촉휘(觸諱)하고 드느냐. 이놈이 죽지 못해 환장한 게 아니냐.」

「하님네들, 운현 대감께 이것을 드리려고 찾아왔을 뿐 그분을 욕
뵈려는 것이 아니랍니다.」

「어허, 이놈, 워낙 산중 도방에서 온 놈이라 도통 말귀가 어둡군.
그 보퉁이는 썩 물리지 않고 얻다 자꾸 들이대느냐.」

「하님네들, 박절하게 내치지 마시고 쇤네를 좀 들여보내 주십시
오. 운현 대감께 폐백을 드리려는 겁니다.」

「이놈이, 종시 진대 붙이고 수제비태껸*을 하고 들 터?」

연이어 철썩 하고 귀쌈을 올려붙이는 소리가 들렸다. 그러자 악박
골* 선불 맞은 소리로 신음하는 사내의 악성이 낭자하게 들려왔다.
대원군 이하응은 사랑에 오르는 길로 대청 보꾹이 뜨르르하게 울리
도록 설렁을 당겼다. 설설 기어온 청지기에게 대문 밖에서 소동 피

---

*봉홧불에 산적 굽기 : 일을 무성의하게 닥치는 대로 하여 좋은 성과를 거두지
못하는 경우를 비유적으로 이르는 말.
*화봉초 : 한쪽 끝을 뾰족하게 말아서 꽃봉오리처럼 만든 잎담배.
*수제비태껸 : 어른에게 버릇없이 함부로 대드는 말다툼.
*악박골 : 구서대문교도소 부근.

우는 내막을 소상하게 알아 오라고 분부를 내렸다. 하인청에서 방울 소리가 찔렁찔렁하더니 길게 빼는 하속들의 대답 소리가 사랑에까지 희미하게 들렸다. 잇따라 범강장달이 같은 하속들이 형용이 왜소하고 신색이 초췌한 시골 농투성이 한 놈을 개 끌듯 해서 들어왔다. 벌써 옷이 찢겨 피칠갑이 되고 상투는 쥐어뜯겨서 봉두난발이었다. 왜소하고 소견머리 없어 보이는 궐자를 굽어보자 하니 한편으로는 측은하고 일변 괴상하다는 감이 없지 않았다. 하속들을 반은 꾸짖어 물리치고 궐자를 계대 아래로 가까이 불러 세웠다.

「어찌해서 여길 찾아왔느냐?」

똑같은 말을 연거푸 물었으나 궐자는 턱 마치는 소리만 낼 뿐 감히 알아들을 만큼 대꾸를 못하고 있었다. 한참이나 기다리자 하니,

「쉰네가 가지고 있는 이 귀물을 서울에서 제일 존귀하다는 분에게 드리려고 왔습니다.」

대답을 하고는 옆에 끼고 있던 행리를 대청마루턱에 놓고는 힐끗 대원군을 쳐다보고 나서 곧장 계대 아래로 내려가 부복했다. 대원군이 더욱 괴이하게 여기고 마루 끝에 서 있던 청지기를 턱짓하여 행리를 풀어 보게 하였다. 그리고 대원군 이하응은 근자에 없던 일로 깜짝 놀라고 말았다. 행리는 진흙과 땀과 때에 절어서 더럽기 짝이 없었고 멀리 앉았어도 냄새까지 진동했으나 행리를 풀고 본즉 그 속에는 팔뚝만 한 산삼이 세 뿌리나 나자빠져 있었기 때문이다. 이는 근간에 본 일이 없던 보물이요 선약이 아닌가. 대원군은 어찌나 놀랐던지 체모를 돌볼 겨를도 없이 버선발로 대청으로 내달아서 산삼 뿌리를 집어 이리저리 살펴보았다. 분명한 산삼이었다. 허겁지겁 계대 아래 부복한 농투성이에게 이게 어디서 난 보물이냐고 묻고자 하는데, 마침 청지기가 행리 속에 같이 싸여 있던 간찰 한 통을 집어 드는 것이었다. 간찰을 건네받아 보니 그것은 대원군 자신에게로 보낸

것이 분명하고 간찰을 띄운 사람은 강원 감사였다. 그러나 간찰을
보자니 더욱 수상한 점이 있었다. 강원 감사가 이런 요긴한 귀물로
폐백을 드리고자 한다면 이처럼 범절 없이 뚤뚤 말아서 보낼 리도
없을 것이고 또한 제 앞가림도 잘하고 다부진 보발꾼을 조발할 것이
정한 이치인데, 이런 본데없고 아둔한 농투성이를 골라 보발꾼으로
삼았을 리가 만무했기 때문이다.

대원군은 필경 사연이 있을 것으로 여기고 자초지종을 캐물었다.
농투성이가 지존의 면전이라 두서없이 그동안의 경위를 밝히는데
귓결에 들릴락 말락 하였다.

그 농투성이는 강원도의 홍천 읍치에서 동남쪽으로 시오 리 상거
인 적봉(赤峰) 아랫녘 화동(花洞)에 살고 있었다. 기골이 장대한 안
해 명색에 세 살 난 딸이 있었고 담살이로 하루 연명이 고달픈 이춘
보(李春甫)란 사내였다. 조실부모하고 일찍부터 남의 집 행랑짜리로
전전하였으나 원래 됨됨이가 신실하고 못 배운 것치고는 총명하여
마을 사람들의 주선으로 장가처를 얻게 된 것이었다. 푼푼이 모아
두었던 새경으로 의지간을 마련하고 세 살 난 여식까지 두게 된 터
였다. 춘보의 주된 소출로는 도조를 낸 따비밭에 담배를 심어 저자
에 내다 파는 것이었다. 춘보는 토호 격인 김풍헌의 도조를 살고 있
었기에 하루는 정주간에 있는 안해를 보고,

「오늘은 담배나 베어 말려야겠소. 어제도 김풍헌의 하님이 구실을
받으러 왔었지. 간구한 살림을 책잡히지 않고 꾸려 나가자니, 에이
귀찮다.」

넋두리 겸한 춘보의 말을 정주간에 있던 안해 명색이 신둥머리지
게 받았다.

「가까운 턱을 차시지 먼 귀를 차려시오. 아직 독이 오르지도 않은
담배는 벌써 베시려오. 그리고 건넛마을 박 도사 댁에서는 긍이로

심은 콩을 떤다고 왔습디다. 며칠 있으면 서울 행보 한다고 했으니까 도사 댁에도 가봐야지요.」

「참, 그렇군. 도사 댁 봉물 지고 서울 갈 일이 촉박했구나. 어쨌든 담배부터 베어서 김풍헌의 구실부터 갚고 볼 일이지.」

춘보는 측간 옆 울바자에 꽂아 두었던 낫을 빼들고 밭으로 나갔다. 한참 담배를 베다가 땀을 들일 요량으로 밭둑 가로 나갔다. 막 불겅이* 한 대를 붙여 물고 앉았으려니 옆자리에 더덕 같은 것이 보였다. 에멜무지로 뽑아 보았더니 손어림으로나 눈대중으로나 잎은 무 같지 않은데 달려 나온 것은 무였다. 괴이하게 여기고 옆의 것을 뽑아 보았으나 역시 무 같았다. 담배가 장정 짐으로 한 짐이 되었기에 집으로 들어오는 길에 뽑아 두었던 무 세 포기도 들고 들어왔다. 베어 온 담배를 엮어서 처마 아래에 달고 있으려니 안해가,

「어서 중화 자시고 도사 댁에 가보시오. 그 집 행랑짜리가 또 와달라고 연통을 왔습디다. 저 봉당에 던져 놓은 것은 무어요?」

「글쎄 뽑아 보니 무 같기에 조금 씹어 보았더니 씁쓰레하던걸.」

「내다 버리시오. 알지도 못하는 나물을 먹었다가 낭패라도 보면 의원도 없는 산협에서 어쩌려구 그러시오.」

「내버리려다 혹간 쓸 데가 있을까 해서 가져왔지.」

대답하고는 지붕 위에다 던져 두었다. 개다리소반에 조석이라고 받아서 첫술을 막 뜨려는 참에 김풍헌이 마당으로 들어섰다.

「여보게, 춘보 있나? 거 몇 푼어치 되지도 않는 걸 빨리 갚지 그러나.」

「오늘에야 담배를 베었는데요. 마르는 대로 팔아서 갚지요.」

볼멘소리로 몇 마디 중얼거리다가 힐끗 지붕께를 쳐다보던 김풍

---

*불겅이 : 칼 따위로 썬 붉은빛의 담배.

헌이 시치미를 뚝 떼고는,

「여보게, 저 지붕 위에 던져 둔 것은 뭔가?」

「게 무언지 쇤네는 모르겠습니다. 담배밭 옆에 무 같은 것이 났기에 뽑아다 얹었지요.」

「응, 그런가.」

남을 호리는 엄펑소니* 한 가지는 특출한 김풍헌은 역시 아닌 체하고 잿간에서 지겟작대기를 꺼내어 지붕 위의 것을 끌어내어 한동안 살피는 체하더니,

「여보게, 이것이 아이들 학질 앓는 데 달여 먹는 고삼(苦蔘)이란 것이 아닌가.」

「모르지요.」

「내 자네의 조금 남아 있는 도조 구실을 탕감해 줄 것이니 무방하다면 이걸 날 주게. 우리 집 소생들이 학질을 벌써 두 직*째나 앓고 있어서 절박하이. 까딱하다간 몽달귀신들 만들게 생겼다네.」

「구실을 탕감해 주시다니요? 하찮은 일로 거둠새*를 낭비하실 것까지는 없습니다요. 그것이 상약거리가 된다 하시면 갖다 쓰시지요.」

「아닐세. 변변치 못한 것이라도 남이 얻어다 준 것이고 또 방문약이든 상약이든 약을 공다지로 얻어다 쓰면 약발이 받지 않는다는 말이 있지 않은가.」

김풍헌은 고지식한 체하였지만 속으로는 대회하여 백주창탈이나 진배없는 귀물을 안고 집으로 돌아왔다. 그리고 권속들도 몰래 행장 채비하여 단신 강원 감영인 원주로 내달았다. 숯막에 들러 그날 밤

---

*엄펑소니 : 엉큼하게 남을 속이거나 골탕먹게 하는 짓.

*직 : 학질 따위의 병이 발작하는 차례를 나타내는 단위.

*거둠새 : 거두어들이는 돈이나 물품.

을 지낸 후 이튿날 바로 저자가 서는 것을 겨냥하여 장터목으로 나가서 산삼 세 뿌리를 펴놓고 주머니가 두둑한 하매자가 나서기를 기다렸다. 그때 마침 강원 감사는 영문 사령들을 풀어서 관동의 산중에서 나는 산삼이나 녹용이 나면 놓치지 말고 거래해 오라는 분부를 내린 터였다. 장감고(場監考)며 장주릅들을 조발하여 앞세우고 으르딱딱거리면서 저자를 휩쓸고 있던 중에 김풍헌이 내놓은 산삼을 발견하게 되었다. 사령들이 지체 없이 영문 안으로 데리고 들어갔다. 산삼을 보자 눈자위가 휘둥그레진 감사가, 계대 아래 서 있는 김풍헌을 적이 내려다보면서,

「삼장수는 들으라. 이걸 어디서 캤는가?」

「예, 시생이 살고 있는 홍천 산골에서 캔 것인데 매우 크고 좋은 것입니다.」

「음, 그런데 물대는 얼마나 달라노?」

「황송하오나 그것이 어디 준가가 있는 물건입니까. 다만 안전의 처분만을 바랄 뿐입지요.」

「옳은 말이다. 그렇다면 물러가 있거라.」

몇 마디 수작이 오간 뒤에 김풍헌은 묵고 있던 숫막으로 돌아왔다. 감사는 곧장 길청의 집사를 불러서 두꺼운 장지에다 산삼을 여러 겹 싸고 작은 궤짝과 큰 궤짝을 짜서 봉물궤를 만든 다음 별간지 서찰을 안동하여 서울 운현궁으로 올려보냈다. 김풍헌이 숫막에 묵새기면서 감사의 하회를 기다린 지도 일순이나 지나가고 있었다. 물러가 있으라는 분부가 내렸을 적에는 곧장 삼값을 건네줄 듯하였으나 일순이 지날 동안 영문에서는 급창 한 놈 내보내는 법이 없었다. 기다리다 진력이 난 풍헌이 감영 삼문으로 가서 감사를 뵙게 해달라고 졸랐다.

「댁이 뉘시기에 안전을 뵙게 해달라는 거요?」

사령이 목자를 부라리며 단 한 발도 영문 안으로 들어오지 못하게 하였다.

「안전께 산삼을 판 사람이오.」

「이놈이 미친놈 아닌가. 네놈이 언제 산삼을 가져왔더란 말인가.」

나잇살이나 먹은 주제로 귀때기가 새파란 사령들에게 호되게 봉욕하고 종내는 빈손으로 홍천집으로 회정하는 수밖에 없었다. 김풍헌은 집으로 돌아와 몸살을 얻어 자리보전을 하게 되었으나 어디 가서 넋두리할 처지도 되지 못하였다.

김풍헌이 그런 낭패를 당하는 사이에 춘보는 동리 사람들과 박 도사 집 봉물짐을 지고 서울까지 갔다가 되돌아서는 길에 작반하던 일행들과 헤어지게 되었다. 그는 흥인문을 나서 망월리고개를 넘고 광나루를 건너서 여주에 당도하였다. 어느덧 일색은 다하여 날이 어두웠다. 그러나 주머니엔 겨우 엿 몇 가락을 살 수 있는 노수밖에 없는지라, 숫막을 찾아들 엄두를 낼 수 없었다. 주막거리를 지나서 외딴 숫막 앞에 이르렀다. 마침 사립문 밖을 지키고 서 있던 노파 하나가 춘보의 옷소매를 낚아채는 것이었다.

「여보슈, 이 밤길에 어디로 가슈?」

「집으로 가지요.」

「가근방에는 화적 떼가 많고, 운이 나쁘면 호환을 당할지도 모르오.」

「그런 염려가 없지 않으나 도리가 없게 되었소.」

「우리 집에서 하룻밤 주무시고 밝은 날에 작로하시는 게 어떻소?」

「아니요, 조급한 일이 있어서 밤길을 가야 하겠소.」

「그러지 말고 주무시고 가구려. 내가 큰 낭패를 당해 그렇소.」

「낭패라니요?」

「어젯밤에 숙객 한 분이 봉노에 들었었는데, 아침에 문을 따보니 글쎄 덜컥 숨이 끊어져 있질 않겠소. 무슨 연유로 그렇게 되었는지 까닭을 모르겠소. 마침 바깥어른이 출타 중이라 나로선 손을 쓸 수가 없구려. 송장이나 치워 주신다면 댁을 공다지로 재우고 물력을 아끼지 않고 저녁 아침을 대접해 올리리다.」

춘보는 다만 노수가 없어 그랬을 뿐 밤길을 걸어야 할 만큼 다급하지는 않았다. 노파가 이끄는 대로 숫막으로 들어갔다. 염이고 뭐고 할 것 없이 날송장을 그대로 뒷산으로 떠메고 가서 묻었다. 봉노로 돌아가니 노파가 정성 들여서 저녁을 지어 놓았다. 저녁을 맛있게 먹고 죽은 사람이 남겨 놓은 행리를 뒤져 보았다. 목침으로 궤짝을 부수고 뜯어 보니 천만뜻밖에도 자기 집 지붕에서 김풍헌이 가져갔던 그 무 세 뿌리가 있었다. 그제야 춘보는 자기가 김풍헌에게 속은 것을 알았고 이것이 매우 귀중한 물건인 것을 눈치 챘다. 그런데 이 물건을 궤짝에다 넣어 정성스레 간수한 것을 보건대 필경 서울의 제일 높은 양반에게 가는 것이란 생각이 들었다. 춘보는 아침밥을 얻어먹고 귀물과 간찰을 괴나리봇짐에 챙기고, 왔던 길을 되짚어 서울로 돌아갔다. 흥인문에 들어서는 길로 갓 쓴 행인을 잡고 물었다.

「나으리, 서울서 제일 높으신 양반이 누구시오?」

행객이 초라한 농투성이가 묻는 말에 기가 차서 진담 반 우스개 반으로,

「운현 대감일세.」

「그분이 어디 사십니까?」

「구름재에서 사시느니.」

「틀림이 없습니까?」

「못 믿겠으면 그 집에 가서 물어보려무나.」

구름재까지 찾아오게 된 연유를 다 듣고 난 대원위 이하응은,

「세상에 기이한 일이다. 산삼을 영물이라 하는 것은 이를 두고 하

는 말이다. 보발꾼이 죽은 것도 노파를 만난 것도 모두가 이 영물로 인한 일이다.」

한동안 눈을 감고 골똘히 생각에 잠겼던 대원군이,

「그래, 네 주지는 홍천인 줄 알겠다만 성은 무엇이냐?」

「이가(李哥)올습니다.」

「관향은 어디로 쓰느냐?」

「예, 전주입지요.」

「전주라? 그럼 나와 일가가 아니냐. 가히 반열에 올라야 할 처지가 아니냐.」

「쇤네는 모르옵니다.」

「아둔한 것, 그래 가세는 어떠하냐?」

「하루 두 끼를 송기죽으로 때우며 죽지 못해 연명하옵지요.」

「내 일가가 그런 처지에 놓여 있다는 것은 용서치 못할 일이다.」

대원군은 청지기를 손짓해 불러서 일가 되는 시골 서생을 흔연대접하라는 분부를 내렸다. 엿새 뒤에 대원군이 춘보를 불렀다. 그러나 겨우 돈 열 냥과 난데없는 정자관(程子冠)* 하나를 건네주면서,

「춘보야, 너도 이젠 서울 온 지가 오래되었으니 집으로 돌아가야 하지 않겠느냐. 너에게 봉물을 지워 보낸 박 도사가 눈이 빠지게 기다리고 있을 터.」

「쇤네도 집이 궁금하던 차입지요.」

「이것은 네가 집으로 돌아갈 수 있는 노자로서도 빠듯할 것이다. 이 관은 네가 집에 당도하는 길로 곧장 쓰고 앉아 몸가짐을 정히 하되 누가 너의 행사가 도저하고 방자하다고 이르거든 나는 운현 대감의 일가라고만 하여라.」

---

*정자관: 지난날, 선비들이 집에서 평상시에 쓰던 관.

「그건 안 될 말씀입니다. 그러잖아도 박 도사 댁에선 시방 야단이 났을 터인데, 쉰네는 볼기가 흩어져 죽게 될 것입니다.」

「참으로 못생긴 것. 너 같은 어리보기가 있음은 집안의 망신이로 다. 너 내 말대로 거행치 않았다간 죽고 살아남지 못할 것이니 그 리 알아라.」

춘보는 고개를 숙이고 서서 그리 하겠다고 대답할 수밖에 없었다. 시일이 이토록 지체되었으니 안해가 눈이 빠지도록 기다리고 있을 것도 걱정이거니와 박 도사는 봉물을 지고 장달음을 놓은 줄 짐작하 고 있을 것이었다. 게다가 집에 당도하는 길로 상것이 사대부들이 쓰는 정자관을 쓰고 앉았으면 양반 욕뵌다 하여 필경 끌어다 사매질 을 내릴 건 뻔한 일이었다. 그러나 곰곰 셈평을 놓아 보건대 박 도사 가 반열에 끼인 인사라 한들 산골 양반에 불과할 뿐 그 지체가 운현 대감에 미치지 못하리란 것은 춘보도 알고 있었다. 이렇게 해도 죽 을 판 저렇게 해도 살아남지 못할 바엔 운현 대감의 분부를 먼저 따 를 수밖에 없었다. 춘보는 마음을 다잡아 먹고 홍천으로 내려갔다. 엎어질 듯 반기는 안해를 주질러 앉히고 자초지종을 얘기하고 행리 를 풀어 정자관을 내보이었다. 춘보의 안해도 산중 태생 겁 많은 여 자인지라, 지체 없이 관을 써야 한다고 우겨 댔다.

「운현 대감이 뉘신지는 모르겠으나, 필시 박 도사에 비한다면 지 체가 구름과 같은 분이 아니겠소. 박 도사는 가까이 있고 그분은 멀리 있다 하나, 어디 지체 있는 양반의 징벌이 멀고 가까운 것을 가립디까. 세작을 놓아서 이녁의 행동거지를 죄다 살피고 있을지 도 모르지요. 그분의 분부대로 거행하십시오. 관을 쓰고 길거리로 나가란 것도 아니고 앉아 있으란 데서야 별 소동이 있겠습니까.」

가슴이 두근거리긴 하였으나 안해까지 부추기고 나오는 바람에 용기를 얻고 누추한 바지저고리에 관을 쓰고 곰방대에 막 불을 댕기려는 참이었다. 마침 디딜방앗간 모퉁이로 인기척이 나는가 하였더니 사립문을 부술 듯 걸어차며 들어서는 사람은 박 도사 집 수별배*로 행세하는 작자였다. 춘보가 돌아왔다는 소문을 듣고 득달같이 뒤따라온 것이었다. 수별배가 춘보의 거동을 보자 하니 이는 곱다시 환장한 놈이었다. 처음엔 적이 놀랐으나 가쁜 숨을 진정한 다음에는 어이가 없었다. 촌놈이 서울 행보 한 번에 콩팥이 뒤집혀 버렸는가 하여 점잖은 언사로 몇 마디 심기를 떠보았으나 심성이 예와 같이 멀쩡한 것이었다. 그제야 수별배는 뒤축을 구르며 호통을 치고 춘보가 쓴 관을 빼앗으려 들었다. 화들짝 놀란 춘보가 손사래로 밀막으면서 소리쳤다.

「악지를 부리지 말게. 함부로 다룰 관이 아니로세.」

「함부로 다룰 관이 아니라니?」

「서울에 있는 운현 대감이 우리의 일가일세.」

「이놈이 서울 가서 도깨비가 들었나, 운현 대감이 어느 지존이신데 감히 너 같은 놈이 그분의 함자를 욕뵈려 한단 말이냐.」

「아니야, 거짓이 아니라네. 내가 관을 쓰고 있는 것은 그분의 분부 때문일세.」

「이놈이 반명을 못해 미쳐 버렸구나.」

정자관엔 촉수(觸手)를 못하도록 갖은 궁리를 다하였지만 수별배의 완력을 당하지 못하였다. 달려들어 관을 갈가리 찢어 버린 뒤 괴춤을 단단히 틀어쥐고 개 끌듯 박 도사의 집에 당도하였다. 동리 사람들이 혀를 끌끌 차면서 춘보가 이제 열명길에 오르려고 실성을 해버린 것이라 하였다. 계대 아래 춘보를 꿇려 놓은 수별배가,

「나리마님, 춘보란 놈이 서울 행보에서 실성한 것 같습니다. 난데

---

*수별배 : 벼슬아치집에서 사사로이 부리던 하인들의 우두머리.

없이 운현 대감의 일가니 뭐니 하며 지존을 욕뵈고 관을 가지고
와서 쓰고 앉아 있었습니다.」

박 도사는 봉물을 지고 간 놈이 열흘이 넘도록 코빼기도 비치지
않았는 데다가 돌아와서도 한다는 짓이 방자하기 이를 데가 없는지
라, 여러 말이 귀에 들리지 않았다. 분기탱천하여 난장개 패듯 엎어
놓고 치는데 늑골 어긋나는 소리가 왈각달각하였다. 아이를 들쳐 업
은 안해가 엎어질 듯 달려와서 대성통곡으로 살려 달라고 넉장거리
를 하였으나 별무소용이었다. 흩어진 볼깃살을 움켜쥐고 집으로 업
혀 왔다. 춘보의 안해는 장독을 다스린답시고 된장을 이겨 바르고
금쪽 같은 소금을 빌려다가 상처가 덧나지 않도록 씻긴다 하며 사흘
밤을 내외가 꼬박 뜬눈으로 새웠다. 10여 일 간이나 지성껏 장독을
다스린 보람이 있어 겨우 신기를 차려 행보할 만하게 되었을 때 춘
보는,

「임자, 내가 이대로 엎더서 외자로 죽을 수야 없지? 서울 가서 운현
대감께 자초지종을 일러바쳐야지, 아니면 설분을 할 길이 없네.」

「서울 말은 입에 담지도 마오. 운현 대감인지 울려는 대감인지 그
작자가 이녁을 산골 무지렁이로 알고 데리고 기롱을 하였던 거요.
그걸 모르고 이녁이 도깨비춤을 춘 것이오.」

「아니야, 노중에서 길 잃은 영물을 내가 외착 나지 않게 갖다 주었
는데 두둑한 치하금은 못 내렸을망정 나를 욕뵈려고 하진 않았을
것이오. 반명하고 지체 있다는 분이 상것을 무작정 욕뵈려 하진
않았을 것이야.」

「사대부가 상것 욕뵈는 것이 어디 빌미가 있어서 그럽디까. 저들
신명 뻗치는 대로가 아니었소.」

「임자가 잘못 본 것이오. 나를 무단히 욕뵈려 하였다면 왜 엿새 동
안이나 잡아 두고 흔연대접하였겠소.」

「이런 미욱한 분을 보았나. 이녁을 엿새간이나 지체시킨 것은 이녁을 눈 빠지게 기다리는 박 도사의 분기를 돋우려 하였던 속셈이 아니었습니까. 이녁이 박 도사에게 끌려가서 장하에서 목숨을 잃는다면 운현 대감이란 자는 손가락 한 번 까딱 않고 산삼 세 뿌리를 공다지로 삼킬 것이 아닙니까. 치하금을 내릴 사람이었다면 왜 회정길에 쥐여 보내지 않았겠소. 그 작자의 간계에 넘어간 것입니다.」

여편네의 말이 그럴듯하였다. 그러나 서울에서 받았던 대접이 너무나 무간했던지라,

「아닐세. 내 다시 허방에 빠지는 고초를 겪는다 하여도 한 번 행보는 더 해야 하겠네. 내 사지가 흩어진 것은 고사하고 그분께서 내 리신 관이 걸레쪽이 되지 않았나.」

「서울의 사대부라면 그런 관쯤이야 죽으로 쌓아 두고 쓴답디다. 그중에 하나를 어찌하나 보자 하고 이녁에게 던져 준 것이오.」

「그럴 리가 없네.」

발매치나 베어다 쌓든지, 아니면 한물이 져서 녹아내릴 지경인 담배나 베어 말리라고 만류하며 손에 쥐여 주는 낫을 뿌리치고 춘보는 행리를 챙겼다. 부서진 관 부스러기를 챙겨 싸고 모숨*을 굵게 잡아 험하게 삼은 틸메기 두 켤레를 괴나리봇짐에 달고 다시 서울 길에 올랐다. 안해의 말이 귀에 거슬리긴 하였으나 두 번 죽어 보자는 셈 잡고 운현 대감을 찾아갔다. 썩 재미적은 기색을 보일 줄 알았던 청지기가 죽은 제 아비라도 환생한 듯 화들짝 반기면서 득달같이 운현 대감을 뵙도록 주선하였다. 춘보는 부서진 관을 내보이고, 괴춤을 까고 장독 난 것을 발고하며 자초지종을 거짓 없이 아뢰었다. 운현

---

* 모숨: 한 줌 안에 들어올 만한 분량의 길고 가느다란 물건.

대감은 춘보가 다시 찾아올 것을 십분 예견하고 있었던 듯 처음부터 별반 놀라는 기색도 없이 시종 고개를 끄덕이고 앉았다가 걱정 말고 내려가 있으라고만 분부하였다. 춘보를 물리치고 난 대원군은 곧장 청지기를 시켜서 제용감(濟用監)* 낭관으로 있는 박 도사의 일가붙이를 불러들였다. 죄없이 끌려와서 사시나무 떨듯 하고 있는 낭관에게 대원군은 딱 한마디만 불쑥 던졌다.

「이놈, 우리 이가가 네놈 박가보다 못해서 그런 자세(藉勢)를 벌였느냐. 내 지손(支孫)뻘 되는 족인 하나가 홍천 고을에서 간구하게 살고 있거늘 네 동기간 한 놈이 내 일가의 관을 찢고 또한 혹장(酷杖)을 내려 장차 인간 구실을 못하게 되었다. 이 방자한 것들, 어디 두고 보자. 내가 원래 긴말은 딱 싫어하는 성미다.」

그러잖아도 까닭 없는 호출에 혼겁이 나 있던 낭관은 대원군의 벼락불덩이 같은 한마디에 혼백이 하얗게 뜨고 말았다. 운현궁에서 나오는 길로 쌍급주를 띄워 박 도사를 서울로 불러올렸다. 문중회를 열어서 궁리를 짜보았으나 대원군을 달랠 길이 없었다. 그 솜씨에 걸려들었다면 미상불 멸문을 당할지도 몰랐다. 결국 대원군의 진노가 이춘보로 하여 비롯되었으니 춘보를 달래 보는 수밖에 없었다. 사흘 동안이나 청지기를 내통하여 적선을 빈 끝에 대강 합의가 되었다. 박 도사의 소유 전답과 세간의 알짬을 반분하여 넘겨받기로 하고, 사지에 떨어질 조금에 있던 박 도사 일가의 목숨을 건져 준 것이었다.

운현궁에서 지체하다 보니 또한 열흘이 흘렀다. 대원군이 다시 춘보를 불렀다.

「춘보야, 이젠 집으로 내려갈 때가 되었지 않느냐?」

---

*제용감 : 각종 직물 따위를 진상하고 하사하는 일이나 채색, 염색, 직조하는 일 따위를 맡아보던 관아.

「예, 명탯값 받으러 온 원산 물주도 아닌 터에 오래 묵기 민망하여 아니래도 하직을 여쭐 참이었지요. 집안 걱정 되고 햇곡머리에 갈무리할 일도 걱정입죠.」

「심덕도 무던하구나. 이젠 농업에 종사 않아도 되느니.」

「송충이는 솔잎을 먹고 살아얍지요.」

「네가 우리 일가인데 어찌 아둔한 농투성이로 머문단 말이냐. 농업은 상것들이 하는 것이다. 앞으로는 글을 읽도록 하여라.」

「천자문도 배운 적이 없는데 글을 읽을 재간이 어디 있겠습니까.」

「글을 익히다 보면 읽을 재간도 터득하게 되겠지. 그리고 네가 그 박가와 한 고을에서 섞여 살기에는 어려울 것이니, 가산을 정리하여 뚝 떨어진 곳으로 거처를 옮기고 난 뒤 수시로 여기 와서 글을 익히도록 하여라.」

홍천 살던 이춘보가 옮긴 거처가 평강이었다. 평강 관아 길청의 구실아치가 알고 있듯이, 이춘보가 호조의 말직에서 전전하였다는 것은 잘못 알고 있었던 것이요, 실은 운현궁을 들락거리면서 글을 익혔던 것이다. 집사에게 종아리를 맞으면서 배운 글이 《논어(論語)》까지는 대강 주절거리게 되었는지라, 말년에 와서는 학동들을 모아 가르치게까지 되었던 것이다.

천봉삼이 내막을 다 알고 왔다는 말에 춘보의 늙은 안해가 근본이 탄로 난 줄 질끔하고 만 것은 문중에 그런 과거가 있었기 때문이다. 설혹 천봉삼이 문중의 내막을 소상하게 알고 있다 한들 운현 대감께 손을 쓴다 하면 천봉삼의 공갈쯤이야 하루아침에 내칠 수가 있겠지만, 청국으로 잡혀갔다는 대원군이 죽었는지 살았는지 생사존몰을 모르는 터에 어디 가서 넋두리를 하겠는가. 규중 행검에 어긋나지 않게 키워 온 나머지 두 딸이나 범절 있는 집안에 정혼함이 상책인 듯싶었다. 평강에서도 뜨르르한다는 집안의 규수와 유 생원 사이에

혼인이 완정되어 초례를 치르게 되자 인근의 저자와 처소의 동무들
은 들떠 있었다.

6

　평강 처소가 혼사로 들떠 있을 그즈음에 원산포에 있는 조성준의
마방에는 낯모를 행객 한 사람이 부담울 밖에서 오랫동안 서성거리
고 있었다. 방갓을 깊숙이 눌러쓰고 장삼 위에 가사를 둘렀으니 분
명 어느 절간에서 나온 탁발승이 분명한데, 방갓 아래로 빠끔하게 드
러난 모색이 유난히 해사하고 목탁을 받쳐 든 손이 또한 여인네의
것이니 신중[女僧]이 분명하였다. 신중이 부담울 밖에서 서성인 지
한 식경이나 되었으나 경문을 외며 시주를 구하는 것도 아니요, 그
렇다고 조금에 발길을 돌릴 낌새도 아니었다. 수상하게 여긴 탑삭부
리가 신중의 괴이한 거동을 지켜보다 말고 상방(商房)에 있는 조성
준에게 연통하였다.
　「행수님, 얼마 전부터 웬 낯선 중이 바깥에서 기웃거리고 있습니
　다요.」
　그동안 신기를 차리고 일어나 앉아 장책을 뒤적이던 조성준이,
　「탁발승인가?」
　「딱히 그렇지도 않아 보이는데요. 게다가 모색을 뜯어보자니 난데
　없는 신중인뎁쇼.」
　「신중이라? 왜 그런다더냐?」
　「마방을 기웃거린 지가 벌써 오래됩니다요.」
　조성준이 우두망찰 허공을 바라보다 말고 턱밑에서 서성이는 탑
삭부리를 밀치고 삽짝으로 내달았다. 그때 부담울 밖에 있던 신중이
마당 안으로 서너 발짝 들어서는 중이었다. 조성준은 방갓 아래로

드러난 신중의 모색을 바라보는 순간 말구멍이 막혀 한동안 그대로
서 있었다. 들려오는 풍문에는 금강산으로 들어갔다 하던 천소례가
아닌가. 천소례가 서너 발짝 밖에서 합장하고 아미타불을 외는 것이
었다. 손에는 목탁을 들었고 때 묻은 바랑이 여윈 어깨에 매달려 있
을 뿐 단출하기 짝이 없는 행장이었다. 먼 길을 걸어온 털메기엔 흙
먼지가 켜로 앉았고 뒤축은 닳아서 떨어져 나가고 없었다. 조 행수
가 황급히 궐녀를 봉노로 안동하였다. 겸인이 떠온 물 한 그릇으로
목을 축인 천소례가 그제서야 머리에 썼던 방갓을 벗었다. 삭발을
한 줄 알았던 머리채는 정수리 위로 틀어 올렸을 뿐, 치렁치렁한 그
대로였다. 그렇다면 가승(假僧)의 행세를 하였단 말인가. 조성준은
더욱 놀라웠다.

「금강산에 있는 절간으로 들어갔다는 소식은 풍문으로 들었소만,
이렇게 홀지에나마 만나게 되니 속세의 인연이 있었던가 보구려.
그동안 어찌 지내셨습니까?」

천소례는 한동안 대꾸가 없다가,

「그동안 금강산에 있는 몇 군데의 절간을 전전하였지요. 불목하니
며 공양주 노릇으로 절간의 추녀 끝을 맴돌기만 하다가 부세의 인
연을 끊을 길이 없어 절간에서 내려와 버리고 말았습지요.」

「승려가 되기 그토록 어려웠던 모양이지요.」

정색을 하는 천소례의 견양은 예와 같지 않게 많이 이지러진 채였
다. 스산한 눈길을 바람벽으로 던지고 있다가,

「승려란 불(佛)로써 성(性)을 삼고 여래(如來)로써 집을 삼지요.
법(法)으로써 몸을 삼고 지혜(智慧)로써 명(命)을 삼고 선열(禪悅)
로써 밥을 삼아 세상을 살아간다 하였지요. 세속에서 어버이로부
터 받은 성을 쓰지 아니하고, 세속적인 살림을 일으키지도 않습니
다. 사치를 모르고 색을 탐하지도 않으며 또한 죽음을 두려워하지

도 않는다 하였지요. 사람은 사람이되 사람 아닌 사람이므로 이름을 승려라 부른다 하였지요. 왜냐하면 속세의 사람들은 속세를 의지하여 살고 속세에 끌려가면서 살고, 공명을 위해 학업을 닦고 물색(物色) 속에 업화(業華)를 그리워하면서 살지만, 승려는 능히 세상의 복전(福田)이 되고, 속세의 사람들을 인도하여 그 몸을 잊을 때에는 금수에게 버려서도 아깝게 여기지 아니하고 글을 읽을 때에는 춥고 더움을 가리지 아니하는 것은 그 모두가 중생을 위한 방편으로 여기기 때문이랍니다. 명예 보기를 빈 골짜기의 메아리와 같이 하고, 이익 보기를 날리는 티끌같이 하며, 물색 보기를 아지랑이와 같이 한다 하였습니다. 가난한 병자를 보살필 적에는 그 지체가 와합(瓦合)*과 여대(輿儓)*인들 비천하게 여기지 아니하고, 도(道)로써 살 때에는 깊은 산과 그윽한 골짜기 속에서 풀로써 옷을 삼고 나물로써 밥을 삼고 흐르는 물로써 갈증을 달랜들 부족함을 느끼지 않는다 하였습니다. 세상의 어떤 것에도 유혹됨이 없고, 세상의 어떤 세력에도 굽히지 않습니다. 언제 어디서나 가장 훌륭한 일을 하고 두루 모르는 바 없이 알며 세상을 구하는 데 큰 자비를 베푸는 사람을 승려라 한답니다.」

「그렇다면 승려란 것이 생겨난 것이 어디서부터인지는 알고 있소? 내가 알기로는 그 시초가 우리와 같은 상대(商隊)와도 무관하지 않다고 합니다.」

「원래 인도라는 나라에는 우리의 상대와 같이 상부상조하며 환난을 같이하는 장사치들의 결찌가 있었다 합니다. 그들은 먹고 입고 잠자고 기거하며 살아가는 것을 똑같이 하되 몸과 입과 뜻도 어김없이 같이하였다 합니다. 동료의 이익을 위해서는 자기의 목숨 버

─────────

*와합 : 깨어진 기와 조각이 모인다는 뜻으로, 잘 정제되지 않음을 이르는 말.
*여대 : 종.

216

리기에 주저하지 않았으며 그것이 설령 남에게 해를 끼친다 하여
도 결코 두려워하는 법이 없었습니다. 상대의 명분이란 오직 그들
동료의 이익이며 명예이며 서로 공경함에 있었다 합니다. 부처님
께서는 그들이 하는 일이 퍽 좋기는 하였지만 사람의 목숨을 초개
와 같이 여기고 전체를 위하여 하나를 희생하는 일은 결국 전체를
의롭게 하는 일이 못 된다고 여기시고 그의 이름을 따서 승가(僧
伽)라는 모임을 만들기로 결심하셨다고 합니다. 승가는 먼저 있던
상대와 같이 저들의 명예와 이익만을 위해서가 아니라 나와 전체
가 똑같이 의롭고 나와 남이 똑같이 광명을 얻도록 하는 것을 정
사의 기본 바탕으로 삼았다 합니다. 그런데 그것을 실천에 옮기는
방도는 상대와 같이 행매나 싸움을 통해서가 아니라 자비와 희사
의 정신으로 행하여 이행(利行)* 동사(同事)*의 동사섭(同事攝)의
원리에 의하여 실천하기로 한 것입니다. 그래서 위로는 삼보(三
寶)*를 경외(敬畏)하고 아래로는 중생을 불쌍히 여기는 생활의 원
리를 육화경행(六和敬行)*으로 기본을 삼게 하셨다고 들었습지요.
풍광 좋은 금강산의 절간들을 찾아들어서 불목하니 공양주로 전
접하면서도 제 깐에는 번민이란 걸 하였습지요. 그러나 부처님의
존귀한 뜻을 이루기에는 제가 속세에서 저지른 병에 너무나 골똘
해 있었고, 등 뒤로 귀동냥하는 설법이 또한 벅찬 것이라 여겨졌
습니다. 때로는 부처님 말씀에 번뇌를 얻어 사흘이고 나흘이고 밤
을 뜬눈으로 새운 적도 없지 않았습니다만, 날이 가면 갈수록 속세

* 이행 : 선행(善行)으로 중생을 이롭게 함.
* 동사 : 보살이 중생과 더불어 기쁨과 슬픔을 함께하여 인도함.
* 삼보 : 불보(佛寶), 법보(法寶), 승보(僧寶)를 이르는 말.
* 육화경행 : '육화경'은 보살이 중생과 화경하여 중생과 같이하는 여섯 가지를
  말함.

에 두고 온 미련이 가슴을 저며 오는 것이어서 그 미망(迷妄)에서 헤어날 길이 없었습니다. 그동안 수백 번이나 골수에까지 미친 병 든 마음을 원망하였지요. 그리고 떨치지 못하는 못난 계집의 속세 와의 인연을 원망도 하였습니다. 하얗게 새우는 밤이 무척도 많았 습니다만, 결국은 제 마음을 편하게 다스리는 길은 속세로 다시 내 려오는 길밖에 없다고 여긴 나머지 절간에서 내려오기로 작정한 것입니다. 그러고 나자 마음의 번뇌가 아침 햇살에 이슬이 사라지 는 듯하니 이 또한 어인 조화인지 모르겠습니다.」

「여인네를 속세로만 끌어당긴 것이 세상 사람들이 말하는 정욕이 었겠습니까, 아니면 피붙이에 두고 간 정리였겠습니까?」

「이제 와서 무엇을 숨기며 주저하겠습니까. 그 두 가지 모두가 아 니겠습니까. 어떤 땐 정욕이 육신을 불꽃처럼 덥히는가 하면, 어떤 땐 내 동기간이 보고 싶다는 열화 같은 갈증이 저를 사로잡곤 하 였지요. 중의 자비는 항상 만물을 편안히 하고 중생들의 온갖 고 통을 건져 주고자 하는 것인데, 우선 제 한 몸이 미망에 빠진 채 오 랜 세월 동안을 뒤척였으나 편안하지 못하고 고통스러우니 어찌 삭발하여 중이 될 수가 있었겠습니까.」

「지척이 중생이었겠군요. 그런데 내가 원산포에 있다는 것은 어찌 아시었소?」

「절간을 내려오는 길로 지나는 선길장수들마다 붙잡고 수소문을 하였습지요. 조 행수님이 원산포에 계시다는 것을 알고 있는 장돌 림들이 많았습지요.」

「장차 어찌하시렵니까?」

「행수님께서 용납하신다면 우선은 이 마방에서 빨래품을 팔고 동 자치 노릇으로 지낼까 하니 거북하신 대로 받아 주십시오.」

「우리 마방에서 담살이를 하시겠단 말씀이시오?」

「절간에서 쫓겨 온 계집사람이 가진 것이라곤 육신밖에 있을 것이 없지 않습니까.」

「구태여 나를 찾아오신 것은 피붙이인 천 행수 때문이 아닌가 싶은데, 천 행수의 소식은 들으시었소?」

「근기 지경의 송파와 다락원, 솔모루와 평강에서 원산포에 이르는 상로에는 천봉삼이란 쇠살쭈를 모르는 장사치가 거의 없다는 것을 알고 있습지요.」

「천 행수가 조선의 관동 상로에서는 명자한 쇠전꾼이 되었다오. 그 수하에서 차인 행세며 소문난 소몰이꾼으로 행세하는 사람만도 수십 명이요, 그 처소에서 동사하는 식구들이 백여 명이 넘게 되었답니다. 그것이 걱정입니다.」

「동병상련하고 환난상구한다는 보부상으로서 그 직분을 다하겠지요.」

「내 걱정이 바로 그것입니다. 게다가 지난 군란에도 이럭저럭 연루가 되어 있는 데다가 군란에서 쫓겨 온 군총들까지도 동사하자 하고 처소에 끌어들인 모양입니다.」

그때 짧은 한숨이 천소례의 입에서 흘러나왔다. 궐녀가 그토록 오래 미망에서 헤어나지 못했던 것은 백마강변 궁말 장물아비 집 문밖에서 목소리 한 번밖에 들은 적이 없었던 봉삼이 보고 싶다는 일념에서였는지 모른다. 불가에선 하잘것없는 부세의 인연이 그토록 오래 궐녀를 잡아당기리라곤 미처 깨닫지 못했던 것이었다.

천소례가 마방에 전접한 지도 닷새가 되었다. 서리가 내린 지는 오래되었다 싶은데 어느덧 하늘과 땅이 시퍼렇게 멍이 들고 산골짜기에선 바람에 견디다 못한 소나무 가지들이 부러지는 소리가 심심찮게 들려왔다. 참나무 얼어 터지는 소리로 산허리까지 쩍쩍 분질러질 때가 바로 코앞에 다가선 느낌이었다. 천소례는 마방 쇠죽가마

앞에 앉아서 여물을 삶느라고 연방 삭정이를 부러뜨려 아궁이가 비좁도록 군불을 지피고 있었다. 그동안 면이 생겨서 자별한 사이가 된 탑삭부리가 어한을 한답시고 곁에 와 앉았다. 불쑥 한다는 말이,

「아지마씨께선 금강산 어느 절에 계시었소?」

불땀으로 얼굴이 발갛게 익은 천소례가,

「여러 절에 있었지요. 마하연에도 있었고 표훈사에도 있었고 장안사에도 오래 있었지요.」

「내 이래 봬도 아직 금강산 구경을 못했다오.」

「나중에 한번 가보십시오. 금강산 이야기는 석가여래가 지은 불전《화엄경(華嚴經)》에도 나온답니다. 금강(金剛), 봉래(蓬萊), 풍악(楓嶽), 개골(皆骨)이라고 부르지만, 불자들 사이에선 열반(涅槃), 지달(枳怛)로도 불리지요. 금강산이 속계(俗界)에서는 가장 수려한 복지(福地)임을 부처님께서도 진작부터 알고 계셨던 것입니다.」

「금강산 구경을 가려 하여도 조 행수님 수발하느라고 엄두를 내지 못한답니다. 행수님이 홀아비로 군색하게 살고 있다는 것이야 아지마씨께서도 잘 알고 계시지 않습니까.」

「알구말구요. 하물며 남정네가 그 긴 세월 동안 공방살이를 하시자면 그 처연하기가 말할 수 없겠지요.」

「속언에 누이 좋고 매부 좋다는 말이 있지 않습니까.」

「어디서 들은 듯하군요.」

「그래서 드리는 말씀인데…… 조 행수님의 의중은 미처 떠보지 못했습니다만, 눈치를 보아하니 아지마씨께서 심지 다잡아 잡수시기만 하면 일은 수월하게 성사가 될 것 같은데……」

「금강산 얘길 하다가 무슨 말씀이오?」

「제 말귀를 못 알아들으시겠습니까?」

「제 외양이 계집의 형상은 하고 있으되 이미 아녀자가 지녀야 할 범절이 이지러진 지가 오래되었답니다. 그런 말씀 마십시오.」

천소례가 잘라 말했으나 미련이 남은 탑삭부리는 썩 물러나지 않고 지싯거리고 있는데, 그때 밖에서 통자를 넣고 있는 굵직한 남정네의 목소리가 들려왔다. 평강 소몰이꾼들이 당도할 때도 아닌데 누군가 하여 탑삭부리가 고개를 삐끔하니 내밀다 말고 적이 놀라면서,

「아아니, 창졸간에 어인 일이십니까. 천 행수님이 아니십니까?」

「그동안 별 탈이 없었나?」

「별고가 있을 리 있겠습니까. 그동안 행수님 신기 되찾으시고 조석도 거르지 않고 잘 드시니 천만다행이 아닙니까. 그런데 천 행수님 누님이 와 계십니다.」

「행수님 출타 중이신가?」

「잠깐 나룻목에 나가셨으니 곧 들어오실 터이지요. 그런데 천 행수님, 제 말이 들리지 않습니까?」

「무슨 말 말인가?」

「행수님 동기간이 마방에 와 계시다니깐요.」

「동기간이라니? 내 누님 말인가?」

「행수님 어릴 적에 동서로 갈리었다는 누님 말입니다.」

곧장 마방 부엌 앞으로 솜 달린 패랭이를 숙여 쓴 장정 하나가 막아섰다. 천소례는 가슴에서 참나무 둥치가 쿵 하고 넘어지는 소리가 들리는 것 같았다. 무턱대고 꺾어 지핀 삭정이가 쌓인 아궁이에서는 불길이 크게 솟았다. 천소례의 귓결에 아련하게 들려오는 말이 있었다.

「아아니, 누님이 아니십니까?」

천소례는 그만 기를 잃고 부엌 바닥에 쓰러지고 말았다. 얼마 만인가, 눈을 떠보니 눈앞에 가물가물 타오르고 있는 것이 등잔불이었

다. 내려다보고 앉은 봉삼의 얼굴이 바라보였다. 그제서야 천소례는 뭉클 울음이 솟구치기 시작하였다. 한번 쏟아지기 시작한 눈물은 제 출물로 가누기가 어려웠다. 이 절간 저 절간을 오가면서 발이 얼어 터져 발가락을 잃은 때도 있었고, 불목하니 시절에는 숱한 고초와 수모를 겪기도 하였지만, 단 한 번 눈물을 보인 적이 없었다. 그때 참 았던 눈물이 죄다 쏟아지는 듯하였다.

「누님이 살아 계실 것을 믿었습니다. 살아 계실 것을 믿긴 하였지 만 영영 만나지 못하는 것이 아닌가 하여 때가 되면 동무님들과 찾아 나서기로 작심하고 있었지요.」

안방에서 오누이가 밤을 지새울 제, 상방에서는 천봉삼과 동행해 온 강쇠와 조성준과 탑삭부리가 순배를 돌리고 있었다.

오누이가 등심지를 몇 번이나 돋워 가면서 자초지종 지나온 풍상 과 죽을 고비 넘긴 사연들을 실타래 풀듯 하는데, 거기엔 푸념도 있 었고 넋두리도 있었고 구천에 사무칠 만한 원망도 있었고 혹은 토설 하기 쑥스러워서 말하지 않는 것도 없지 않았다. 누이인 천소례는 허물이 많은 여인네라 이야기를 듬성듬성 건너뛰고 얼버무리고 덮 어 두는 것이 많았으나, 봉삼은 그동안 당했던 모해와 겪었던 고초를 죄다 쏟아 놓았다. 그동안 흉중에 남아서 응어리진 포한을 누나에게 쏟아야 직성이 풀릴 사람처럼 천봉삼은 말이 많았다. 그러나 천소례 는 시종 듣고 있는 편이었다.

누나와 헤어진 다음 조성준의 수하에서 상고로서 물리를 익히게 된 일이며, 삼남의 상로에서 겪었던 갖가지 고초며, 신석주의 수하에 서 삼남 세곡선을 탔던 일이며, 길소개와 유필호를 만났던 일이며, 조 소사와의 일을 모조리 이야기하였다. 천소례에게는 모두가 놀랍 고 기이한 인연이라 할 만해서 줄곧 눈물을 닦아 내는 것이었다. 그 러나 조 소사가 창졸간에 급사를 당했다는 이야기에는 소례도 적잖이 놀라는 것이었고 또한 그 죽음이 석연치 않다는 데 의심을 품게 되었다. 그러나 그 원수를 추쇄하여 포환을 풀어야 한다고 닦달하려 들지는 않았다.

나라의 형률에는 친족을 위한 복수는 위법이 아닌 정당한 권리 행사로 여겼다. 친족이라는 것은 기복친(朞服親), 즉 1년 동안 복을 입어야 할 적손(嫡孫), 백숙부모(伯叔父母), 장자처(長子妻), 질녀(姪女)와 형제자매들까지 포함하는 것이니, 결발부부는 아니랄지라도 소생까지 떨구고 간 조 소사를 교살한 사람이 있다면 응당 천봉삼이 나서서 분풀이를 해주는 것이 조 소사의 뜬귀를 잠재우는 일이 될 것이었다. 그러나 복수하기로 한다면 천봉삼에게 계략이 없고 여력이 없어서 못하겠는가. 가만히 덮어 둔 봉삼의 흉중을 더듬어 볼 수 없었으나 천소례도 그 이상은 더 캐묻지 않았다. 다만 조 소사가 불쌍한 소생을 이승에 떨구고 갔다는 것에 천소례는 줄곧 눈물을 지었다.

「그렇다면 지금 네 소생을 지성껏 돌보아 키워 주고 있는 형수뻘인 여인네는 어찌할 작정이냐?」

「어찌하다니요?」

「네 말대로라면 궐녀가 오랫동안 널 사모하고 있는 듯하고 장차너와 해로할 것을 바라고 있다는 눈치가 아니냐. 성깔이며 아금받은 것이 허술하게 보아 넘길 여자는 아닌 것 같구나.」

「저도 그것을 염두에 두지 않은 것은 아니지요. 그러나 강상의 법도가 허물어지고 본데없는 선길장수로 행세한다 하여도 어찌 형수뻘 되는 여인과 해로할 생념을 하겠습니까. 궐녀가 품고 있는 속내를 제가 십분 알아차리고 있다 한들 그것은 어불성설이 아닙니까.」

「네가 보기엔 불의행세(不義行勢)*라 하겠으나 그렇게 옹졸하게

---

*불의행세 : 의리, 도의, 정의 따위에 어긋나는 짓.

여길 일만도 아닌 것 같다.」

「안 될 일입니다.」

「너도 아이를 위해서 궐녀를 받아들일까 하고 몇 번 속내를 다잡아 먹기도 했겠지. 그러나 도리에 얽매여 선뜻 내색할 수야 있었겠느냐. 그러나 도리라는 것도 중한 것이지만 세상사란 순리대로 살아야 할 때도 있다. 그것을 깊이 되새겨 보아야 할 것 같구나.」

「순리대로 살자 하니 형수뻘을 안해로 맞아들일 수야 없지 않습니까.」

「궐녀가 태생이 천출이라 하여 께름칙한 것이냐?」

「절대로 그런 것은 아닙니다. 저는 천출이 아닙니까.」

천소례는 더 이상 말이 없었다. 이튿날 천 행수는 조성준과 강쇠와 탑삭부리를 같이 앉히고 앞으로의 일을 논의하였다. 먼저 송파 처소의 사정을 소상하게 얘기한 다음, 조성준에게 송파로 내려가 줄 것을 간청하였다. 그러나 조성준이 선뜻 입낙하고 나서 주지 않았다.

「나라의 상권이 점차 왜상들의 더러운 손으로 넘어가고 있는 판국에 어디 간들 속 시원한 변을 보겠나. 차라리 있던 자리에서 발버둥이라도 쳐보는 것이 도리가 아니겠나.」

「여긴 강쇠에게 맡기도록 하십시오. 송파 처소에선 행수님 내려오시기를 학수고대하고 있으니 송파 처소 동무님들을 저버릴 수야 없는 것 아닙니까?」

「내가 송파로 내려간다지만 광주 길청의 아전붙이들이 또 무엇을 트집 잡아서 나를 구렁으로 빠뜨리려 들지 않겠나. 그렇다면 내가 되레 화근이 되지나 않을까. 게다가 매월이란 계집이 날 탈면(脫免)시켰다 하여 자네에게 무슨 생청을 부릴지도 예견할 수 없는 일, 차라리 내 여생을 원산포에서 보내는 것이 편한 일이 아니겠나.」

「옛날의 결기는 모두 어디로 갔습니까?」

「병추기가 되고 나서부터 근력도 떨어지고 오기도 전만 같지 않다는 말이네.」

「시생의 송파 동무들이 행수님 구렁에 빠지게 될 것을 바라보고만 있을 리가 없지 않습니까. 딴 걱정은 마시고 당장 시생과 작반하십시다.」

간곡한 요청이니 조성준도 허락하지 않을 수 없었다. 천소례가 삼계탕을 달인다, 양즙을 고아 올린다 하여 길 떠날 원기를 차린 다음 사흘 만에 원산포를 뜨기로 하였다. 강쇠와 탑삭부리는 원산포에 그대로 남고 조성준과 천소례와 봉삼이 작반하여 평강에 당도하였다. 천봉삼이 평강 처소에서 유 생원의 혼사일로 지체하며 시일을 보내는 동안 기다리기에 진력난 송파 처소 동무님들이 셋이나 내려와 있다가 평강 처소에서 마주치게 되었다. 마침 송파에서 동무님들이 조행수 안동하러 왔으니 작반하여 내려 보내고 천봉삼과 누이 천소례는 평강에 눌러앉게 되었다.

환속한 천소례는 치의(緇衣)*를 벗고 예사 차림으로 처소의 수발하는 일을 도맡아 하게 되니 중구난방으로 지청구가 많던 아낙네들이 그 수하에서 객소리 없이 가사에 열중하게 되었고 월이와 곰배의 안해도 신역(身役)이 수월하게 되었다.

7

그러나 천봉삼이 원산 걸음으로 처소를 비운 사이에 수하 동무 네 사람이 큰 사단을 저질러 놓은 일이 있었다. 약조한 날짜에 물대를 받아 내지 못하자, 넷이 작당하여 매수인(買受人)의 선대의 무덤을

---

*치의 : 중이 입는 검은 빛깔의 옷.

굴총(掘塚)해 버린 것이었다.

대명률(大明律)의 발총조(發塚條)에 의하면, 남의 무덤을 파서 널리 드러나게 한 자는 장(杖) 1백, 유삼천리에 처하고 널을 열고 시체가 보이게 한 자는 교형(絞刑)에 처하며 발굴하되 널까지 이르지 않은 자는 장 1백, 도(徒) 3년의 형에 처하게 되어 있었다. 각 고을의 수령은 태형 이하의 형벌을 직단(直斷)할 수 있고 각도의 방백은 유형(流刑) 아래의 죄인을 다스릴 수 있게 되어 있으니 이는 고을 수령에게 손을 쓴다 하여도 어려운 일이 되었다.

도방의 율에서도 남의 묘를 굴총하는 자는 장문형이나 기왓장끓림으로 징치하고 자문(尺文)을 빼앗은 후 처소에서 내쫓아 평생 임방 어름에는 얼씬하지 못하도록 조처함이 상례로 되어 있었다. 그러나 이번 사단이 생겨난 근저에는 도방의 율대로만 다룰 수 없는 연유가 있었다. 굴총을 당한 사람은 요즈음에 이르러 갑자기 거래가 부산해진 다락원의 어물객주(魚物客主)였다. 철원에 있는 우피도가(牛皮都家)에서 직권(直券)으로 되돌려받을 수 있는 환간(換簡)*을 건네받고 농우소 다섯 두를 넘겨준 것인데 정작 철원의 우피도가를 찾아갔더니 환간이 얼토당토않은 가짜임이 드러난 것이었다. 철원의 우피도가에서는 다락원의 어물객주와는 거래가 없었을 뿐만 아니라 포주인(浦主人)과는 일면식도 없었다는 것이다.

나중에 내막을 알아보니 다락원 어물객주란 위인은 어물도가를 열고 앉아 소소한 선길장수며 산골에 어물을 풀어먹이는 장돌림들을 상대로 작간하여 재물을 쌓아 온 위인인데, 근간에 원산포의 왜상(倭商)들과 끈이 닿아 우피 도집(都執)을 일삼고 있다는 것이었다. 궐자의 재물이 불소하지 않고, 또한 명색 다락원에서 어물객주를 열

---

*환간 : 먼 곳의 사람과 금전 거래를 할 때에, 지정된 제삼자에게 돈을 주라고 써 보내던 편지.

고 있는 처지라면 물대가 없어서 가짜 환간을 건네주었을 리는 만무였다. 여기엔 필경 어떤 간계가 숨어 있음 직하였다. 처음부터 평강 처소 쇠전꾼들을 굴총하도록 유인한 흔적이 없지 않다는 뜻이었다. 굴총을 당하면 당장 관아에 발고하여 당사자를 결옥시키고 그것을 빌미로 또한 물대를 떼어먹자는 심산이었다면 가까운 고을이나 감영에 고변하지 않고 왜 먼 포도청에다 정장(呈狀)을 넣은 것일까. 당사자들을 징치하자는 심산 이외의 간계가 도사리고 있다는 짐작이 가게 하는 일이 바로 그 점이었다.

죄인을 엄포하라는 포도청의 호령 소리에 경겁(驚怯)한 평강의 사또는 지체 없이 관속들을 풀어서 네 동무님들을 보란 듯이 줄을 지어서 토옥에다 내려 가두고 만 것이었다. 죄안을 저지른 동무들이니 그대로 두면 포도청으로 압송되어 결옥이 될 터이지만 천봉삼은 그럴 수가 없었다. 가짜 환간을 만들어 물주(物主)를 농락한 자가 더군다나 왜상의 앞잡이라면 네 동무를 탕척(蕩滌)시키지 않고 바라보고만 있을 수는 없었다. 천봉삼은 이것이 평강 처소가 겪어야 할 최초의 시련이란 예감이 들었다. 당장 다급한 것은 평강의 관장(官長)과 담판을 벌여 보는 일이었다. 혼례 치른 지 며칠 되지 않아 아직 운우의 정에 듬뿍 빠져 있는 유 생원으로 하여금 고을 사또와 담판을 짓도록 해보았다. 그것이 결코 손쉬운 일이 아니라는 것을 알고 있었지만 가지를 더듬어 내려가면 뿌리에 닿을 것이란 생각 때문이었다. 유필호가 길청 이방에게 손을 써서 겨우 사또를 만나게는 되었다. 동무들을 방면해 줄 것을 은근한 말로 청하였을 때 되레 매달린 것은 사또였다. 사또는 도임한 지도 일천하여 고을의 물정에도 아직 어두울 뿐 아니라, 당장 보기에는 여느 관장들처럼 탐학한 위인같이 보이지도 않았다. 거드름을 피우자는 것도 아니요 길청의 아전배를 앞세워 뇌물을 바라는 것도 아니었다. 사또라는 사람은 원래가 세전

지물이 넉넉한 부실(富實)의 가세인 데다가 늘그막에 바람이나 쐴까 하여 외직을 받아 소일 삼아 고을로 내려온 처지의 사람이었다.

동헌 사랑에서 사또는 유필호와 대좌하였다.

「안전께서 시생의 동패들을 방면하여 탕척해 주신다면 저희들은 사또의 대덕을 잊지 아니할 것이오. 또한 다락원의 접주라는 위인 도 더 이상 고변하는 일이 없도록 조처할 것이니 우리들의 약조를 믿으시고 방면되는 길이 있다면 일러 주십시오.」

「그 막된 것들 사이에서 어찌 상공과 같은 귀골이 얽혀살고 있단 말이오.」

묻는 말에는 대답을 않고 딴전을 펴는지라, 잘만 문지른다면 성사 가 될 것도 같다 싶은데 연이어 내뱉는 대꾸는 딴판이었다.

「사단의 시초야 어찌 되었든 도대체 남의 선대의 묘를 굴총한 패 리한 상고들을 엄형으로 다스리지 않고 방면한다면 장차 고을의 기강은 어디서 찾을 것이며 공사를 집행함에 줏대는 어디서 찾아 낼 것이오? 차라리 내가 쓰는 마필을 빌려 달라면 모를까 그건 안 됩니다. 결벌 죄인(決罰罪人)*을 무턱대고 방면하고 나면 관장인 내가 해현임별서(解見任別敍)*를 당할 건 뻔한 일이 아니오.」

「나라의 상권이 점차 왜상과 청상들의 손으로 넘어가고 곡식은 나 루로 빠져나가 백성들의 살림은 피폐하고 곡가는 치솟아 굶주린 백성들이 길거리에 넘치고 있다는 것은 안전께서도 알고 계시겠 지요. 굴총을 당한 접주는 그들 왜상의 앞잡이라 하지 않습니까. 작게는 왜상의 끄나풀이라고는 하나 장차는 더러운 왜상의 손길 이 우리의 안방에까지 미치게 되었습니다. 사또께서는 대의를 염

---

*결벌 죄인 : 형벌이 결정된 죄인.
*해현임별서 : 문관이 태 50에 해당되는 사죄(私罪)를 범하였을 때, 현직을 해 면시키고 다른 직관으로 좌천되는 것.

두에 두시어 시생의 동패를 거두어 주십시오.」

「평강 처소 상고들을 병문(倂問)*하여 훼가출견(毁家黜遣)*을 당하지 않은 것만도 천만다행으로 여기십시오. 게다가 다락원의 접주란 사람이 포도청에다 대고 고변한 터이니 일개 고을 관장이 차일피일 체옥을 시키고 있을 수도 없소. 양일지간에 죄인 압송할 장압관(長押官)이 내려오겠지요. 다만 공의 면을 보아서 죄수들을 혹독하게 다루지 않도록 형방에게 분부를 내려놓을 것이니 그 이상의 것은 바라지 마시오. 항간에는 뇌물을 받아 직분을 파는 관장도 숱하다는 것을 알고 있습니다만 나로서는 연름(捐廩)*을 풀어 공사(公事)에 주변하고 있는 형편이니 아예 다른 염의는 품지 말아야 합니다.」

사또를 청알하고 처소로 돌아온 유필호는 하회를 기다리고 있던 천 행수를 만났다. 수하 행수 격들과 곰배도 들어와 좌정하였다.

「동무들을 구명할 일이 아무래도 수월치 않아 보이네. 포도청에서 내린 분부가 추상같으니 평강 고을 사또의 지체로선 변통할 재간이 없을 것 같네.」

곰배가 입을 열댓 발이나 되게 빼물고 앉았다가 앞뒤 견주어 보지 않고 불쑥 내뱉는 언사가 도저하였다.

「그렇다면 포도청 압송 중로에서 우리 몇 사람이 화적으로 변복하고 동무들을 구해 내는 수밖에 없겠군. 포도청에는 알음도 없을뿐더러 속전을 바치고자 한다면 그것은 부르는 게 값이 아닙니까. 게다가 우리의 사정이 포도청 어름에서 신분을 밝히고 기어들 처

---

* 병문 : 여러 연루자를 한꺼번에 심문함.
* 훼가출견 : 훼가출송. 한 고을이나 한 동리의 풍기(風紀)를 어지럽게 한 사람의 집을 헐어 없애고 다른 곳으로 내쫓음.
* 연름 : 공익을 위하여 벼슬아치들이 녹봉의 일부를 덜어 내어서 보태던 일.

지들도 아니지 않소이까.」

「그건 삼가야 할 일이네. 처소에서 고을 사또를 찾아가서 방면해줄 것을 청질한 일이 없었다면 모를까, 차제에 압송 함거를 취탈하면 우리 처소에서 한 짓이란 건 백일하에 드러날 것이네. 욱하는 심사대로 거행할 수야 없지.」

「그렇다고 포도청으로 압송되는 꼴을 두 눈깔을 번연히 뜨고 바라보고만 있을 수는 없지요. 공론이 무슨 소용입니까. 꿩 잡는 게 매더라고 우선 발등에 떨어진 불부터 끄고 나서 환난이 닥칠 때 또한 헌책을 찾는 것이 뒷배를 봐줄 사람이 없는 우리들로서는 방책이랄 수밖에 없지요.」

사람을 해치지 않고 요로에 청질을 하여서 구명하자는 축과 압송 도중에 구명하자는 의논들이 분분하여 쉽게 결말이 날 것 같지 않았다. 처음부터 입 한 번 뻥긋하지 않고 시종 듣고만 앉았던 천봉삼이 입을 열었다.

「궐자가 가까운 양주 고을 관장에게 정소하지 않고 먼 포도청에 가서 고변을 한 데는 분명 네 동무들을 징치하자는 이상의 것을 우리에게서 받아 내자는 간계가 숨어 있다는 뜻이요, 저들은 압송 도중 우리가 동패를 구명할 것을 염두에 두고 있다는 것도 계산에 넣어야 하오. 여기엔 우리 처소에서 거액의 속전을 받아 내어 상단을 구렁으로 빠뜨리겠다는 계략이 있다는 것이오. 송파에서부터 원산포에 이르는 상로에서는 우리의 형세가 신호지세(晨虎之勢)*에 버금간다는 것을 알고 있는 자의 간계입니다. 궐자가 가짜 환간을 건네준 까닭이 거기에 있다면 우리의 행동도 진중해야 할 것은 물론입니다.」

---

*신호지세 : 굶주린 새벽 호랑이의 기세라는 뜻.

곰배가 빈 곰방대를 쭉쭉 빨아 댓진 타는 냄새를 풍기면서,

「그렇다면 성님이 지어낸 헌책이란 게 무엇입니까. 동패가 칼을 쓰고 포도청으로 압송되는 것을 바라보고만 있다가 나중에 전체 송장이나 받아 시구문 밖에다가 내다 버리자는 것입니까?」

「아무래도 하기 싫은 서울 행보를 한 번 더 해야겠다는 말일세.」

「중이 고기맛을 알면 승방의 빈대를 남기지 않는다더니…… 서울의 그 무녀를 찾아가겠단 말씀이시구려.」

「궐녀를 다시 찾아가서 궁색한 몰골을 보일 수야 없지.」

「그렇다면 우리 뒷배를 봐줄 권세가가 또 있단 말씀입니까?」

「이번 일은 내게 맡겨들 주십시오.」

「하루가 다급한 사정입니다. 결옥이 된 동무들 안해들이 식음을 전폐하다시피 하고 남정들이 방면되기만을 기다리고 있습니다.」

가지 많은 나무에 바람 잘 날 없더라고 천봉삼은 이런 각고와 시련들이 모두 타고난 팔자 탓이거니 하였다. 조 행수를 무사히 송파에 모시고 십수 년 전에 동서로 갈리었던 혈육과 상봉케 된 것은 천행으로 알았으나 다시 이런 일을 당하고 보니 호사다마(好事多魔)란 바로 이런 뜻이구나 싶었다. 두어 달 동안 처소에 들어앉아서 쉬기라도 했으면 싶었는데 누이와 회포도 풀기 전에 또한 곡경이 닥치었으니 자연 스산한 심사를 술로 달랠 수밖에 없었다.

남정네들이 취의청에서 밤늦도록 순배를 돌리고 있는 사이에 장옥(長屋)의 맨 끝에 있는 월이의 봉노에선 천소례와 월이가 마주 앉아 있었다. 두 사람이 마주 앉은 가운데에 아이는 알샅을 그대로 드러낸 채 누워서 발장구를 치고 있었다. 아이가 재롱을 피우고 발장구를 칠 때마다 머리맡의 등잔이 껌뻑거리고 꺼질 듯하다가 되살아나곤 하였다. 아이의 손목을 만지작거리던 천소례가,

「아우님은 내 동기간이기도 하며 그 내자가 떨구고 간 피붙이 수

발하느라고 젊은 나이를 모두 저버리게 되었으니 이는 사람으로
선 못할 짓이네. 당장 팔자를 고친다는 것도 어려운 일이겠지만
또한 청상의 몸으로 늙기만 바란다는 것도 어려운 일이 아닌가.
아녀자 홀몸으로 일생을 본데 있게 경영한다는 일이 무척이나 어
려운 세상인 터, 나는 아우님 심중에 있는 말이나마 듣고 싶다네.」
「쇤네는 행수님 곁에서 바느질 수발에 음식 수발하는 것을 낙으로
삼겠습니다. 쇤네에게 욕심이 있다 하면 그것뿐이지요.」
「내가 여기 와서 며칠을 두고 보았으나 아우님의 심지가 그것뿐이
아니란 것은 금방 눈치 챌 수가 있었다네.」
「그러셨겠지요. 그러나 그것이 과욕이란 것을 쇤네인들 모르겠습
니까. 쇤네는 태생부터가 무자리였고 또한 행수님께서 성님으로
뫼시던 동패와 초례까지 치른 형수뻘로 극진한 대접까지 받은 일
이 있습니다. 또한 쇤네의 뜻은 아니었다 하나 어떤 모리배에게
겁간을 당하여 훼절조차 한 일이 있답니다. 천출인 데다가 오 척
단신의 몸뚱이나마 제대로 건사하지 못하고 더럽힌 바 되었지요.
그러자니 쇤네로선 이 처소에 눌러앉아 물어미에 표모질로 여생
을 보낼 수 있다면 그것으로 하늘의 은혜를 입은 것으로 여길 따
름이지요. 쇤네가 실성하지 않은 다음에야 어찌 분수 밖의 일을
바라겠습니까. 때로는 쇤네가 지니고 있는 과욕에 스스로 놀라 혼
자서 매질하고 욕하면서 긴 밤을 뜬눈으로 새운 적도 없지 않았답
니다.」
「그것이 무슨 흠절이 되겠는가. 아우님이 혼자서 세상을 경영하자
니 당연히 겪은 고초였을 따름이었겠지. 잡배에게 겁간당하여 훼
절당했다 할지라도 그에게 마음을 준 일이 없었겠으니 그것을 흠
절이라 할 수는 없는 것이며 또한 초례를 치른 남편이 있었다 하
나 그분이 지하에서 바라본다 할지라도 생전에 고락을 같이한 아

232

우님의 안해가 되었다 하면 패륜이라고 탓하지는 않을 터, 지난 풍상에 얽매여 구태여 스스로 책할 것이 없네.」

천만의외의 말이 소례의 입에서 흘러나올 제 월이는 벌린 입을 다물지 못하였다. 법도에 그런 일이 있을 수가 없고 또한 풍속에 그런 일이 있을 수가 없건만 놀란 월이와는 달리 소례의 표정이 담담한 것에 놀랐다. 천소례가 월이의 그런 눈치를 모를 리 없었다.

「내가 속세의 잡다한 인연에 대해서 대범할 수가 있는 것은 잠시나마 불가 언저리에서 찬밥을 죽인 경륜이 있었던 때문이 아니겠나. 마음이 요긴하고 중한 것이지 육신에 남아 있는 보잘것없는 흠절이란 모두가 허망한 것이 아닌가. 육신은 땅에 떨어지면 이틀이 못 가서 썩게 되지만 혼백이야 썩을 것이 없으니 아우님 혼백이 썩지 않았다면 속세의 악연에 그토록 매달려 스스로를 괴롭힐 까닭이 없다네.」

「성님, 쉰네는 절간이라면 추녀 끝에서나마 의지해 본 일이 없었으니, 성님의 덕담을 미처 깨달아 듣지 못합니다. 성님의 덕담을 듣고 보니 무람이 앞서고 쉰네의 스산한 몰골이 더욱 누추하고 타관 객로에서 더럽혀진 몸뚱이가 더욱더 죄스러울 뿐입니다.」

「내가 감히 불자의 형용을 흉내 내자는 것은 아닐세만 육신보다는 마음을 더럽힌 자가 극락이 멀다네. 아우님도 세속의 법도에 너무 얽매이다 보면 그것이 되레 화근이 되는 수도 없지 않으니 긁어서 심지를 괴롭힐 것은 없다네.」

「성님 처소에 오셨을 제 쉰네는 성님 타박에 못 이겨 곧장 처소에서 쫓겨나게 될 것으로 짐작하고 제 딴엔 심지를 아금받게 다잡아 먹고 있었습니다만 되레 덕담을 듣고 보니 갈피를 잡지 못하겠습니다.」

「내가 먹고 있는 흉회를 곧이곧대로 털어놓았을 뿐 아우님에게 대덕을 베풀자 하고 한 말은 아닐세. 다만 시방 취의청에서 논의되고 있는 일이 짐작하건대 처소의 장래가 걸린 일 같으니 이번 일이 아퀴 지어지거든 다시 의논키로 하세나.」

월이는 눈물 괸 시선을 들어 소례를 쳐다볼 뿐 대꾸할 말을 찾지 못하였다.

이튿날 천봉삼은 유필호와 서울 작반을 하고 싶었으나 초례 치른 지 보름도 안 된 처지의 신랑을 이끌고 가자 할 수도 없는 처지여서 다만 동무들이 갇혀 있는 뇌옥까지만 동행하기로 하였다. 형방을 만나 보았더니 도수도(都囚徒) 단자*를 뒤적여 보고 금방 옥사장을 불러서 면대를 허락하였다. 뒷짐 지고 갈지자걸음을 걷는 옥사장의 뒤를 따라 뇌옥으로 들어가자니, 낮인데도 홰를 밝혀야만 서너 칸 앞의 사람이 바라보일 지경으로 어두운 토옥에서 불고(不辜) 죄인 네 사람은 다른 죄수들과 어울려 짚신을 삼고 있었다. 가져간 술과 밥으로 곁에 있는 죄수들까지 눈자위가 게게하니 풀리도록 배를 불리고 저간의 사정을 소상하게 캐물어 본즉슨 내막은 예견했던 대로였다. 도대체 접주인이란 위인이 가산이 넉넉하고 상리에도 밝아서 환간을 외자로 써줄 처지가 아니란 것과 왜상들과도 깊이 내통하여 경사의 벼슬아치와도 알음이 많아 오지랖이 넓은 위인이란 것이었다. 접주인이란 놈을 혼찌검 내어 닦달한다 하면 어떤 놈과 무슨 간계를 꾸민 것인지 당장 드러날 것 같았다.

토옥에 내려 갇힌 동패들은 사또의 배려로 차꼬까진 하지 않았으나 간옥에 갇혀 구메밥으로 연명해 본 일이 없던 처지들이라 금방 육탈이 되어서 오래 상종하던 동패가 아니었다면 견양도 못 알아볼 지경들이었다. 천 행수가 찾아오자 당장 방면이 될 것으로 알았다가

*도수도 단자 : 죄인의 수를 적은 명단.

잠자코 기다려 보라는 말엔 실망을 감추지 못하는 것이었다. 그러나 천 행수란 사람의 심덕을 크게 믿고 의지하는 터라 지청구를 늘어놓는 법은 없었다.

천봉삼은 토옥에서 나와 단신 다락원으로 발행하였다. 이튿날 해거름에 대장간에 당도한 천봉삼을 보고 득추는 크게 놀라지도 않으면서,

「행수님, 곧장 오실 줄 알고 하루 종일 길목에다 눈길을 걸고 있었답니다.」

봉노로 들어가서 길목을 벗어 털자니 득추의 안해가 삶은 감자를 한 바가지 들고 들어왔다. 저녁 끼니 삼아 감자를 벗기면서 접주인의 신상에 대해 득추에게 이것저것 물어보았다.

위인은 원래 숭례문 밖 칠패 저자에서 어물도가를 벌였다가 길미가 쏠쏠한 다락원으로 자리를 옮겨 여각을 연 자였다. 전사에서부터 안면을 트고 있던 삼개의 어물객주들과도 거래가 부산하고 낯선 도포짜리들도 간혹 드나드는 것을 보면 장안의 주문가와도 은밀한 연비가 있는 것이 틀림없다는 것이었다. 원산포가 왜국에 열리고 난 이태지간에 우피 도집으로 불린 가산이 적지 아니하고 애오개의 창전(昌廛)붙이들이 30리 상거인 다락원 걸자의 우피도가에까지 와서 거래를 한다는 것이었다. 우피 여각이라면 천봉삼과도 안면을 알아볼 만하건만 평강 상로와는 인연이 없는 왜상들과 상종해 왔으니 미처 소문을 듣지 못한 것이었다. 삶은 감자로 얼요기를 하고 나니 사방은 금방 어두워졌다. 천봉삼은 이슥해지기를 기다렸다가 대장간을 나섰다. 위인을 한번 만나 보고 싶었기 때문이다.

위인의 사처는 저자 변두리에 있었다. 대저 급작스레 가산을 불린 졸부들이란 당장 하는 일이 바자울이나 부담울을 뜯어내고 흙담 쌓고 회칠하며 대문부터 으리으리하게 올리는 것이 상례인데 위인의

집은 그렇지 않았다. 뜰은 남새밭을 일구어도 될 만큼 널찍하였으나, 주택만은 봉노 네댓이 있는 기역자 초가였다. 제 잘난 맛에 놀아나느라고 물정 모르고 가택을 덩그렇게 짓고 사노(私奴) 여럿을 부리며 거들먹거리는 졸부들도 있긴 하였다. 그런 경우, 십중팔구 간활한 아전붙이나 탐학하는 벼슬아치들의 과녁이 되어 가산을 털리게 된다는 것을 위인은 벌써 알고 있는 것이었다.

천봉삼은 삽짝 밖에서 아랫배에 힘을 주어 통자를 넣었다. 부엌 곁의 봉노에서 늙은 사노 한 사람이 걸어 나왔다. 사노가 초롱을 이마 위로 치켜들고 삽짝 밖의 천봉삼을 살펴보았다. 그러나 패랭이 차림의 선길장수 행색임을 알아채고는 생감 씹은 떨떠름한 언사로,

「이 야밤에 뉘시오? 물화를 임치하려는 임방 동무님이면 장터거리 여각 전방으로 찾아올 일이지 사처로 오면 어떡하시오.」

「물화를 임치하러 온 사람이 아니라네.」

봉삼의 하겟말에 비위가 상했던지 늙은 사노는 눈시울을 삐딱하게 발치로 내리꽂으면서,

「패랭이는 외자로 뒤집어쓴 것이오?」

「여각의 포주인을 만나러 왔다네.」

팔짱을 끼고 선 채 좀처럼 물러설 것 같지 않은 천봉삼을 난감한 얼굴을 하고 쳐다보더니,

「물화 임치가 아니라면 더욱이나 밝은 낮에 뵈올 일이지 짐승도 잠이 든 밤에 뵈옵자는 건 뭐요?」

「하님 주제에 잔소리가 그렇게도 많은가? 상전에게 쫓아가서 평강 처소 쇠전꾼인 천 행수가 왔다고 일러만 주고 자넨 들어가게.」

평강 처소 천 행수란 말에 사노 역시 짚이는 구석이 있었던지 질끔하고 나서 가까이 갖다 대었던 초롱을 발치 아래로 내렸다. 사노의 뒤를 따라 건넌방 앞에 이르니 방에 불이 켜지고 금방 장지가 열

리었다. 불을 등지고 앉은 위인의 견양을 살피건대 염소수염을 한 50객으로 보이나 초면이었다. 방으로 들어가 좌정하니 구들막은 뜨끈뜨끈하나 사방의 바람벽은 기녀들이 거처하는 상화방처럼 휑뎅그렁하니 걸리고 얹힌 것을 찾아볼 수가 없었고 덮고 자던 것도 얇고 때 묻은 차렵이불 한 자락뿐이었다.

초인사를 건네는 동안 천봉삼은 위인을 세심하게 살펴보았다. 하관이 염소처럼 가파르게 빠져 있고 눈자위를 좌우로 쉴 사이 없이 굴리고 있으니 그 마음이 수시로 변하기를 일삼는다는 뜻일 거였다. 초인사를 나누는 동안 한 번도 시선을 들어 천봉삼을 똑바로 쳐다본 적이 없으니 올곧은 길로 돈을 벌지 못한 졸부의 행색이 그대로 드러나는 것이었다. 이미 길게 상종하여 흉회를 털어놓고 수작할 만한 그릇이 못 된다는 것을 금방 알아챌 수 있었다. 이런 경박하고 데데한 위인을 상종함에는 경위를 따지고 사단의 근저가 어디에 있는지 순리를 캔다는 것부터가 구차한 일일 것이었다.

「발총을 당했다는 묘는 댁의 선대의 묘가 아니란 것을 여기 와서 알았소. 임자도 없는 멸족의 묘에다가 댁의 선대의 묘인 것처럼 패목(牌木)을 세웠던 것이 아니오? 무고한 사람에게 용수를 씌우려고 오십 줄에 든 위인이 선대의 위패를 팔다니 이것이 어찌 분수 있는 사람의 행사라 할 수 있겠소. 소소한 눈앞의 이문을 노려 지부에 있는 선대를 욕보였으니 발적(發摘)하여 난장을 당해야 할 사람은 누구요? 어떤 위인과 통모하여 이따위 패리를 저지르고 있는 것인지 댁에게 따지고 든다 한들 요리조리 앙탈하고 올곧은 대꾸를 들을 수야 없겠지요. 또한 곧이곧대로 내게 고변할 수 있는 처지가 아니란 것도 짐작할 만하오. 다만 한 가지 상거래는 상거래대로 아퀴를 짓자는 것이오.」

두 눈을 부릅뜨고 구레나룻의 수염이 곤두선 천봉삼의 목자에 위

인은 분명 가위가 눌린 것 같았다. 위인이 더듬더듬 묻기를,

「아퀴를 짓자니, 무엇을 말입니까?」

「나도 잇속만은 밝은 사람이오. 댁이 외자로 낸 환간을 가져왔으니, 당장 농우소값을 직전으로 내놓으시오. 댁이 구리귀신[銅神]*이라 한들 나만은 모피할 수가 없소. 만약 직전으로 내놓지 못하겠다면 할 수 없이 댁의 사추리라도 도려 가야 하겠소.」

숨을 들이켜는 소리가 들려왔다.

「어떻게 하겠소? 물대를 직전으로 내놓을 처지가 못 된다면 어서 괴춤을 풀고 사추리를 내놓으시오.」

궐자가 부스스 일어나 고미다락의 걸쇠를 따더니 은자로 농우소값을 준가로 셈하여 내놓는 것이었다.

「댁은 내가 누구인지 익히 알고 있겠지요?」

「초인사를 나누는 형용을 하였습니다만 전사에서부터 그 위명을 익히 들어 알고 있습지요. 평강 처소 쇠살쭈인 천쇠도란 분을 다락원에서 가게를 내고 있는 객주, 여각의 포주인들치고 모른다 할 수가 있겠습니까.」

「우리들에게 뚜렷한 숙혐도 없이 이런 패리를 저지른 댁을 요정 내고 싶지만, 댁은 도뢰인(圖賴人)*에 불과하니 살려 두는 것이오. 내 칼자루에 소인의 꼴같잖은 피를 묻히기 싫다는 것이오. 다만 한 가지 권면(勸勉)해 줄 것은 앞으로도 간활한 자들과 통모하여 이런 폐단을 저지르거나 또한 횡재할 조짐이 보인다 하여 왜상들의 앞잡이가 되어 다락원 해물 저자의 시세를 농간하고 쇠전 마당의 풍속을 어지럽히기로 한다면 우리와 만만찮은 각축을 벌이게 될 터이니 처신에 흠절이 없도록 유념하시오.」

────────────

* 구리귀신 : 지독한 구두쇠를 낮잡아 이르는 말.
* 도뢰인 : 남의 사주를 받고 남을 무고한 사람.

사뭇 모 꺾고 앉아 있던 위인이 그제야 앉음새를 고쳐 천봉삼을
똑바로 쳐다보며,

「행수님 말씀이 가히 공자에 버금간다 할 수 있겠소. 시생도 다락
원 저자에다 가게를 차려 놓고 행세하자 하니 이런 폐단을 저지르
게 된 것입니다. 앞으로는 일호도 이런 폐단이 없을 것이니 그렇
게 알아주십시오.」

「그렇다고 댁의 말을 곧이곧대로 들어줄 나도 아니오. 앞으로 여
각에 드나드는 상고들과 거래 풍속을 눈여겨보았다가 폐단이 있
으면 징치할 터이오. 오늘 밤 내 말을 귀여겨들어야 하오.」

천봉삼은 위인이 챙겨 준 전대를 꾸려서 횡허케 나서고 말았다.
포주인에게 되레 엎어 치기로 봉욕하지 않을까 하여 봉삼의 뒤를 밟
아서 울바자 밖에 숨어 있던 득추가 뒤따라 나섰다. 그러나 천봉삼
이 사슬돈이 든 전대를 불쑥 내보이자, 득추는 깜짝 놀랐다.

「꿩 잡는 게 매라더니 행수님 수완에는 혀를 내두를 지경이오. 물
대를 내놓았을 지경이라면 어떤 놈들과 통을 짰는지도 쏼쏼 불었
겠구려.」

「쏼쏼 불도록 닦달하려고 마음을 먹었었소만 그만두었소. 궐자가
통모한 내막을 모두 내게다 발고해 버린다면 궐자의 모가지가 걱
정되더란 말이오. 애매한 모가지 달아나기 십상이겠기에 애처로
워서 그만 달아 두기로 하였소. 그깟 겨드랑이 밑에 기어가는 서
캐보다 못한 인사를 상종한들 무슨 소득이 있겠소?」

「난 이번의 변고가 수월하게 결말이 날 것 같지 않아서 어금니가
딱딱 마칩니다.」

「어금니 마치는 것은 한뎃바람 쐬고 오래 앉아 있어서 그리 된 것
이니 어한을 하면 괜찮을 것이오. 어서 갑시다. 내일은 서울 장안
으로 들어가야겠는데 기찰포교들에게 걸려들어 졸경이나 치르지

않을까 걱정이구려. 그러나 기찰포교들이 나를 안다 하여도 당장 포박하려 들지는 않을 거요.」

「그건 무슨 말씀이오?」

「어떤 사람이 내가 자기 앞에 기어가서 현신하도록 내 앞에다가 허방을 파고 있다는 말이오.」

두 사람이 받고채며 걷는 사이에 금방 대장간 앞에 당도하였다. 야심하여 자정을 넘기었으므로 두 사람은 봉노에 드는 길로 목침을 괴고 누웠다. 득추의 안해가 일찌감치 군불을 지펴 놓은 터라 봉노는 아랫목 윗목이 없이 덜썩하게 뜨거웠다. 등을 지지기엔 안성맞춤이었다. 목침을 끌어당기고 누워 막 선잠이 들려는데 봉당에서 잔기침 소리가 들려왔다.

「아이아범, 주무십니까?」

득추가 벌떡 일어나서 지게문을 열어젖혔다.

「왜 그러나?」

무슨 변고라도 일어났는가 하였는데 득추의 안해가 들고 서 있는 개다리소반에는 난데없는 술 한 방구리가 얹혀 있었다. 열어 둔 장지 안으로 득추의 안해가 상을 든 채 들어왔다. 소반에는 술방구리뿐만 아니었다. 쏟아 놓으면 얼추 반 마리어치나 될 만한 돝고기가 목판에 그득하게 쌓여 있었다. 득추의 안해가 소반을 방 한가운데다 내려놓으면서,

「명색 주안이랄 것도 없습니다만 잠들기 전에 출출하실 터인데 목들이나 축이시지요. 삶은 감자로 빈객에게 끼니 대접 하고 나니 도통 편하게 잠들 수가 있어야지요.」

「아니, 임자, 이게 못 보던 돝고기가 아닌가. 어디서 이런 귀한 주효를 마련한 것인가그래? 이만하면 급제하고 돌아온 사람의 도문연(到門宴)*이나 진배없네그려. 간혹 가다 행수님이 오셔야 나도

대접 같은 대접을 받게 된다니까요.」

득추의 안해가 천 행수를 위하고 받드는 정리야 남다르다는 것을 알고 있지만, 이만한 주효를 마련하자면 두 사람이 집을 비운 사이에 무엇을 내다 판 게 분명했다. 군산포 해창 어름에서 천 행수에게 한 번 은혜를 입었다 하나 그때를 잊지 못하고 예나 지금이나 천 행수에 대한 정리는 한결같았다. 허겁스레 돝고기를 뜯던 득추가 안해에게도 먹기를 권하였으나 접구조차 하려 들지 않았다. 술이 두어 순배 돌자 득추의 안해가 남편의 무릎을 슬쩍 건드리며,

「행수 어른께 한말씀 여쭈어도 괜찮을까요?」

「여쭤 보구려.」

「행수님도 이젠 홀아비 때를 벗을 때가 되지 않았습니까. 자라는 아이를 범절 있게 키우는 데도 어미 명색이 있어야 하고 또한 버선 구멍 한 군데를 막아 신는다 하여도 손끝이 맵짠 내간(內間)이 있어야 합지요. 행수님도 구닥다리 되어 입에 구접이 돌 때까지 공방살이만 할 순 없지 않습니까.」

「쓸데없는 소리.」

빈정거리는 득추의 무릎께를 한 번 더 꼬집어 뜨리고 나서,

「가근방에 인물이 개자하고 행동거지가 얌전한 규수가 살고 있는데 한번 살펴보지 않으시렵니까?」

「아니래도 재취는 얻어야지요. 얌전한 과수가 있습니까?」

「과수라니요. 혼기를 놓친 처지이긴 합니다만 자국 난 데 없는 규수랍니다. 꼭 과수라야 제 맛입니까.」

「몇 살입니까?」

「스물셋이랍니다.」

---

*도문연 : 과거에 급제한 사람이 집에 돌아와서 베풀던 잔치.

「어쩌다 혼기를 놓친 것입니까?」

「등 너머로 배운 식견이 어지간히 흘려 쓴 언문 간찰은 뜯어본답니다. 망령기가 있는 칠십 노모를 모시고 있는 터라 당초부터 데릴사윗감이나 있는가 하여 물색하다 보니 그만 혼기를 놓친 것이지요. 초례청엘 나가도 천생 칠십 노모를 이끌고 나가야 할 판국이니 그거 좋다 할 낭재가 나서야 말입지요. 지체는 상것이나 행동거지는 시답잖은 토호들의 별당것들 뺨칠 만큼 얌전하답니다.」

득추가 가만있지 못하고,

「임자는 가만 엎디었지 무슨 중신에미를 하겠다고 붙은 데도 모르고 설치나그래. 벌써 옛날부터 행수님만 쳐다보고 감 떨어지기만 기다리는 규수가 있으니 공연히 객쩍은 말 해서 훼방 놓지 말게.」

「그런 규수가 있다는 것은 금시초문이오.」

「그럼 동네방네 소문을 퍼뜨리고 다녀야 맛인가?」

「그렇다면 우리 이웃에 있는 처자는 짝 없이 늙어 죽어 집안에 몽달귀신 붙게 생겼구려.」

「칠월 더부살이 마누라 속곳 걱정이군.」

처음엔 천 행수를 겨냥해서 꺼낸 말이 나중엔 저들 내외끼리 주고받는 농지거리가 되어 버렸다. 시큰둥해진 득추 안해의 한 손이 자꾸만 머리에 쓰고 있는 삼베수건으로 올라가곤 하는 것이었다. 아닌 밤중 방 안에서 낮에 쓰는 수건을 두르고 앉아 만지작거리고 있는가 하여 천봉삼은 문득 의아했다.

그때서야 천봉삼은 개다리소반에 그득 담긴 돝고기와 득추 안해가 쓰고 있는 수건 속으로 짧게 잘린 머리채를 훔쳐보았다. 득추란 사람은 천성이 무던하고 무작스러운 데가 없지 않아서 안해가 달비를 잘라 팔아서 주안을 마련했다는 것은 까맣게 모르고 돝고기 포식을 하느라고 입맛 다시는 소리가 아닌 밤중에 울바자를 넘어갈 것 같았다. 다락원 저자 윗머리에서 쇠를 달구고 있는 처지라면 하루 두 끼 연명에야 고역이 아니었다. 그러나 위인이 워낙 잇속을 밝히는 데는 손방이고 또한 착한 터라 산협 농투성이들의 연모를 곧잘 공다지로만 달구어 냈다. 그랬으니 명색 대장간을 내고 있다 하나 가용에 보탬이 될 리 만무였다. 득추의 안해가 궁상을 벗지 못한다고는 하나 손님을 맞이함에 달비까지 잘라 팔아야 한다면 필유곡절이라 안해를 꼬드겨서 캐물었다. 듣고 보니 득추가 근간에 서울 숭례문 밖 칠패에서 내려왔다는 설레꾼에게 적잖은 판돈을 날렸다는 것이었다. 처음엔 소일 삼아 투전판에 끼어들어서 본전에서만 오락가락하는 것에 오기가 나서 고주로 걸고 한판 을러 본 것이 그대로 나가떨어진 것이었다. 오기 바람에 쥐 잡더라고 대변돈 장체계를 빌려다가 한 번 더 뽑아 본 것이 삼팔따라지였다. 발 고린내와 막초 냄새만 등천을 하는 도방(賭坊)에서 이틀 밤낮을 버티다가 나와 보니 빈 손바닥에는 땟국만 새까맣더라는 것이었다. 득추가 돝고기 씹던 입을 멈추고,

「나 같은 무지렁이가 무슨 용뺄 재간이 있다고 난다 긴다 하는 설레꾼들 틈에 끼어들어 전대를 노려 설쳐 댄 것인지, 도깨비에 홀려서 두 눈깔이 칵 뒤집혔던 거지.」

득추의 안해가 질금질금 눈물 바가지를 엎질러 놓는 것을 좋은 말로 내보내고 잠을 청하였다. 이튿날 아침나절 막 잠이 깨려는 참에 삽짝 밖이 소연한가 하였더니 송파 처소 차인 행수인 최송파가 뛰어들었다.

「아니, 최송파가 웬일이시오?」

장지를 열고 내다보는 사람이 천 행수인 것을 알고 최송파는 구르듯이 봉노로 들이닥쳤다. 숨을 돌릴 사이도 없이,

「아니, 행수님께선 다락원에 어인 일이십니까?」

「어딜 가려고 다락원에 들르셨소?」

「행수님 뵈오러 꼭두새벽에 송파에서 발행하였습지요. 평강으로 가는 길입니다.」

「조 행수님 신변에 또한 무슨 변괴라도 생기었소?」

「조 행수님께서는 처소에 무사 당도하였습니다만 행수님 송파 당도 하루 전에 처소 동패 둘이 광주 관아로 끌려가고 말았습니다.」

「옥사가 일어났단 말이오?」

「광주 관아의 나졸들이 벌 떼같이 몰려나와서 처소를 서캐 잡듯 뒤지더니 그중 건장하게 생긴 동패 둘을 잡아 엎쳐 끌고 간 것입니다. 뚜렷한 범증도 없는 옥사라 조금에 방면이 되겠거니 하고 기다린 것인데, 종무소식인 데다가 마침 길청에 알음이 있어 수소문하였더니 모르는 것이 없다는 아전들도 한 잎에 난 듯 입을 다물고는 모른다는 것입니다. 그렇다고 끌어내어 공초를 받는 일도 없고 체옥시키고 있답니다. 천량〔錢糧〕을 바칠까도 하였으나 조 행수님 말씀이 속전을 가지고도 결말이 날 사단이 아니라며 평강으로 가서 천 행수님 뵙는 것이 상책이라고 하시기에 부랴부랴 평강으로 오르는 길입지요.」

자초지종을 귀여겨듣고 있던 천봉삼의 입가에 쓰디쓴 웃음이 묻어났다.

「평강까지 올랐다간 나오는 중로에서 길이 어긋날 뻔하였구려.」

「마침 아침나절 식전참이라 얼요기나 하고 갈까 하고 대장간에 들렀지요.」

「그렇다면 아침동자 하시는 대로 송파로 회정하시구려. 이번의 사단이 결말나는 대로 송파 처소에 들르리다.」

사단의 내막이 궁금해 캐묻는 최송파를 꾸짖듯 해서 내보내고 천봉삼은 득추의 안해를 봉노로 불렀다. 그리고 어젯밤 접주인에게서

244

받아 낸 쇠전 중에서 몇 꿰미를 뚝 떼어 건네었다.

「남정네가 자모지리전에서 낸 장체계를 갚아야 아지마씨께서도 제대로 숨을 쉬고 살 수 있겠지요. 이것은 제가 활인이나 동정을 벌이자고 건네는 것이 아닙니다. 이 대장간이 남의 손에 넘어가면 송파, 평강 노정길에 우리 동패들이 쉴 곳이 막연하기 때문입니다. 우리 쇠전꾼 동패들을 위해서 하는 일이니 아지마씨께서는 손톱만큼도 부담 가지실 게 아닙니다. 자모지리전에서는 이 대장간을 넘보고 투전 밑천을 댄 것이니 오늘 당장 가서 갚도록 하십시오.」

득추의 안해는 말구멍이 막혀서 동안이 뜨도록 우두망찰 앉아 있기만 하였다. 그길로 일어난 천봉삼은 짝패도 없이 단신 다락원을 떠났다.

8

아침나절 느지막이 다락원에서 발행한 것이 중화참이 되어서야 홍인문 밖에 당도하였다. 장안으로 들어가서 곧장 죽동궁 어름으로 행보를 떼어 놓았다. 한터 노송 아래서 담배를 세 대나 피울 동안 기다렸다. 귓밥을 스치는 바람이 제법 차갑고 헌 길목버선에 덮여 있는 발등이 아리도록 시렸다. 마침 청지기 행색의 사내 하나가 죽동궁에서 걸어 나오고 있었다. 털토시에 양손을 엇바꿔 낀 궐자는 옆도 돌아보지 않고 종가 쪽으로 난 길로 종종걸음을 치고 있었다. 한동안 뒤따르다가 슬쩍 곁으로 다가가면서 물었다.

「노형, 잠깐 길을 물읍시다.」

궐자가 걸음을 멈추고 돌아서서 고개만 끄덕이었다.

「선공감 이 감역의 처소가 가근방에 있다는 소문만 듣고 왔습니다만 도통 집을 찾지 못하겠거니와 주지를 알고 있는 분조차 만나기가 어렵습니다.」

「댁은 뉘신가?」

「저는 강원도 산협 향시를 도는 장돌림입죠.」

궐자가 시쁘장스러운 시선으로 천봉삼의 아래위를 핥아먹을 것이나 찾는 것처럼 꼼꼼하게 살피고 나서 주지는 가르쳐 주지 않고 엉뚱하게,

「무슨 연유로 찾아왔는지 내막을 알아야 가르쳐 주지.」

「저는 그분의 먼 척간으로 마침 마포 해물객주(醢物客主)에 젓갈을 받으러 가는 김에 간만에 뵙고 안부나 묻자 하고 찾아가는 길입니다.」

「내 일찍이 그분의 일가에 젓갈장수가 있다는 말은 듣지 못하였네.」

「제가 워낙 못난 위인이라 척간에 자랑거리가 되지 못하지요.」

궐자가 조롱할 마음이 생겼던지,

「내가 그 집 좌향을 일러 주었다가 나중에 타박 듣지 않을까 모르겠네.」

「제가 그분께 폐단이 되지는 않을 것입니다. 다만 한번 뵙고 오늘로 회정할까 합니다.」

「저기 보이는 죽동궁 오른편 담을 따라서 활 한 바탕 행보만 걸으면 작은 솟을대문 단 집이 보이네. 담이 화초담이니 무지렁이 산협 사람이라도 금방 찾을 수 있네.」

궐자가 지소해 준 대로 죽동궁 오른편 담장을 끼고 활 한 바탕 행보를 걷자니 아담한 솟을대문 단 집이 나왔다. 아직도 죽동궁 헐숙청에서 집사들에게 의지하여 거처하겠거니 하였는데 이제 전거(奠居)할 주택을 마련한 모양이었다. 이용익은 출타하고 없었으나 청지

246

기 명색이 맞이하여 사랑으로 쓰는 건넌방으로 안내하였다. 휑뎅그렁한 방에 놋화로 하나만 놓여 있었다.

화로를 당겨 손을 쬐고 앉아 있기 한 식경이나 지나서야 이용익이 방으로 들어왔다. 서로 반갑게 안부를 물었으나 품고 있는 속내막은 서로 다르다는 것을 두 사람이 다같이 느끼고 있는 터였다. 이용익이 접대용 장죽에다 영월초 살담배를 눌러 담아 권했으나 천봉삼은 굳이 마다하고 괴춤에 찔러 놓았던 뱀가웃 곰방대에다 막초를 담아 입에 물었다. 이용익이 천봉삼의 행색이 초초한 것을 바라보다가,

「그동안 무슨 고질이라도 얻으셨소? 신수가 전 같지 않게 많이도 수척하시었소이다. 노독도 풀 겸해서 사나흘 묵어가도록 하시오.」

「사나흘 묵다니요? 곧장 평강으로 회정해야 합니다. 내 몰골이 수척한 것은 이틀 끼니만 제대로 찾아 먹으면 평복이 될 것이오. 그러나 시방 평강이나 광주 토옥에 간옥살이하는 내 동패들은 조금에 수폐(瘦斃)*를 당할 지경에 놓였으니, 그것이 걱정입니다. 내가 어떤 계략에 감겨 서울의 형장 집에까지 다다르게 되었는지 짐작하기 어렵지는 않으나 이런 불의행세란 너무나 옹졸하고 속내가 빤히 들여다뵈는 짓이 아니오? 뱀의 꼬리를 더듬어 오르면 용의 머리를 본다는 세간의 속언을 들어 알고 있습니다만 단도직입으로 시생을 잡아 치도곤을 안길 일이지 불고한 내 동패들을 왜 무단히 욕보이려는 것이오? 시생을 잡아 엎쳐 취복(取服)을 받자 하신다면 권세가 모자람이 없고 여력이 또한 미치지 못할 것도 아닌데 어떤 연유로 이런 망모(妄冒)를 꾸미고 있는 것입니까.」

놋화로에 꽂힌 부젓가락으로 알불을 거두고 있던 이용익의 손이 가늘게 떨리었다.

---

*수폐 : 죄수가 옥중에서 야위어 죽는 일.

「형장의 사리 판단이 소명하다는 것은 일찍부터 알고 있었습니다만 참으로 놀라운 일입니다. 내가 예견하기로는 평강의 관장에게 행짜를 부리고 다락원에 있는 포주인을 잡아 엎치고 일의 내막을 캐보자 했겠거니 하였는데…….」

「시생은 이번의 옥사에 이 감역께서 처음부터 간여되었으리라고 믿고 있었소. 다락원에 있다는 그 포주인을 만나 보지 않았던 것은 아니나 그런 옹졸한 잡살뱅이를 상종해서 아퀴가 지어질 일이라고 여기지 않았기에 여러 말 묻지 않았소.」

질린 표정으로 고개를 설레설레 흔들고 있던 이용익이,

「오늘 밤, 형장을 예까지 불러올리게 한 분을 문후 겸해서 알현케 해드리겠소. 그러나 이것 한 가지만은 알고 있어야 하오. 그분께서 당장 압송도사를 보내어 평강 처소에서부터 오라를 지워 끌고 오자 하는 것을 내가 나서서 만류하는 데 고초를 겪었소이다.」

「불고한 내 동패를 잡아들인 것이 나를 여기까지 유인하기 위한 술수에 지나지 않았다면 오늘 당장 동패들을 방면하여 주시오. 내 동패들도 여동죄로 다스리겠다는 거요?」

여동죄(與同罪)란 정범(正犯)과 더불어 죄가 같은 것을 말함인데, 여동죄라고 일컫는 범죄에는 연루자는 정범의 본죄만을 과죄(科罪)하고 정범이 사형에 이르면 여동죄의 범인은 죄 1등을 감경(減輕)하여 장(杖) 1백에 유(流) 3천 리에 그치게 되어 있었다.

「오늘 밤 현신하실 대감과 잘 타협만 된다면 처소의 동패들이 낭패를 겪지 않게 될 터이니 과히 걱정 마십시오.」

이용익은 천봉삼과 수작하고 있는 가운데서도 서안에 얹혀 있는 장책 같은 것을 뒤지고 있었다. 서안 위의 장책을 유심히 넘겨다보던 천봉삼이,

「지금 뒤지고 있는 장책은 상방(商房)에선 흔히 볼 수 있는 장책이

아니지 않습니까?」

「주상께서만 보시는 어람회계책(御覽會計冊)이란 것입니다.」

「형장께선 임금의 신임을 받고 계시군요.」

「외람되게도 내가 대내(大內)의 경영을 도맡아 거행하고 있는 실정입니다. 곤전(坤殿)의 분부를 받자와 그리 된 것이지요. 단천 금점에서 나온 금이 모두 내탕전(內帑錢)으로 들어간답니다. 그뿐이 아니오. 수령·방백 들이 올리는 어공물화(御供物貨)가 들고나는 것이며, 수라간의 어주물(御廚物)까지도 내가 주변하게 되었소이다. 국계(國計)가 빈궁한 판에 어찌 대내의 일용범백인들 요족하다 하겠습니까. 지난 유월의 군변(軍變) 이후로는 외국의 사신들이 수없이 드나들고 연일 벌어지는 편전(便殿)들의 신사(神祠)로 내탕전이란 것이 밑 없는 독에 물 붓기라오.」

사세가 똥끝이 바싹바싹 타 들어가는 듯한 천봉삼을 놓고 이용익이 그런 말을 지절거리고 있는 것은 언중유골이었다. 분명 배도 먹고 이도 닦자는 수작인데 천봉삼은 귀넘어듣고 골자를 모르는 체할 수밖에 없었다. 차려 온 저녁상으로 배를 불린 뒤에 조족등을 든 청지기를 앞세우고 두 사람은 집을 나섰다. 곧바로 죽동궁으로 향하는 것이었다. 헐숙청에다 명함을 걸 것도 없이 곧장 행랑 마당채를 지나서 외사로 들어갔다. 곳곳에 축홰가 걸려 있어 죽동궁은 대낮같이 밝았다. 천봉삼을 누마루 아래 세워 놓고 이용익이 먼저 사랑으로 들어가더니 한참 만에야 오르라는 분부가 내렸다. 방 한쪽 바람벽을 등지고 민영익이 꼿꼿하게 앉아 있었다. 부복한 채 서 있는 천봉삼의 위아래를 훑어보던 민영익이 턱짓으로 앉으라는 시늉을 하였다. 이용익이 민영익 곁에 바싹 당겨 앉고 천봉삼은 서너 발짝 앞에 좌정하였다.

「네가 송파에서 평강까지 상로에서 성세를 떨치고 있다는 천 아무개라는 명자한 쇠살쭈인가?」

「명자하단 대감 말씀 외람되나 시생이 쇠살쭈로 연명하는 것은 사실입니다.」

「겸사까지 늘어놓을 건 없네. 이제 와서 입에 담기도 역겨운 일이긴 하지만 지난 유월의 군변을 알고 있는가?」

「알고 있습니다.」

「그때, 자네는 어디에서 거접하고 있었던고?」

「장안에서 지척이랄 수 있는 다락원에 있었습니다.」

「상대를 이끌고 있었던가?」

「그렇습니다. 동패들과 같이하였습지요.」

「그때 내가 군변을 진무하기 위해 강원도, 함경도, 그리고 근기 지경의 보부상들에게 사발통문을 돌린 바 있는데 그것을 몰랐을 리는 없었겠다?」

「통문이 돌고 있었을 때 상대를 회집하고자 하는 격문을 본 적도 있고, 또한 그곳에서 여기 계시는 이 감역과도 만난 적이 없지 않습니다.」

「그때 자넨 무엇을 하였나?」

하는데 민영익의 눈에서 벌써 불똥이 튀었다.

「이 감역과 저는 대의를 같이하지 못하였습니다.」

천봉삼의 대꾸가 거침이 없고 또한 너무나 또렷한 데 민영익은 그만 자제력을 잃고 말았다.

「이 박살할 놈, 내가 일찍이 네놈의 폐단을 알고 네놈을 당장 압상(押上)하라 하여 새남터로 끌고 나가 낯짝에 회칠을 하고 망나니칼 아래 내던지려고 하였거늘 여기 있는 이 감역이 극구 만류하고 주야로 매달리는 통에 방배(傍輩)*의 연분을 보아서 대명천지에 낯

---

* 방배 : 같이 일하거나 가깝게 지내는 사람.

짝을 들고 다닐 수 있도록 대덕을 베풀고자 작심하였었다. 그러나 오늘 내 앞에 이르러 역모한 것을 일호의 두려움도 없이 야료하고 되레 나를 면박하련다면 그냥 둘 수 없게 되었다. 네놈이 낯빤대기를 쳐들고 악언상가를 터뜨린다면 지금 나와 담판을 하겠다는 거냐, 한판 올러 보겠다는 배짱이냐. 변설이 도도하고 거동 불손하기 짝이 없음이 이미 내 집에 들어오기 전부터 날 우세시키려고 작정한 놈이 아니냐. 그러나 내가 네놈의 공동(恐動)에 놀아나고 이 집이 네놈의 독천장이 되도록 놔둘 성부르더냐. 당장 별반거조를 차리어 요정을 내리라.」

그때 곁에 앉아 있던 이용익이 화들짝 놀라서,

「대감, 고정하십시오. 대감께서 하문하시었으니 백성 된 도리로 외대지 않고 바로 대려고 한 것뿐인데 고깝게 들으시고 진노하셔서는 아니 됩니다. 설혹 천 행수의 말에 거북한 구석이 있다 할지라도 지금은 고정하시고 차근차근 알아듣도록 분부하실 때가 아닙니까.」

「자넨 지금 누굴 안채우고 어떤 놈을 두호해서 역성들고 있는 건가.」

「시생이 대감의 휘하에서 거행한 이후로 대감 기망한 적이 없고, 또한 대감 분부라면 일호의 하자도 없이 거행하자던 것을 대감께선 어찌 몰라라 하십니까.」

「자네가 저놈과 한통속이란 것은 저놈의 모가지를 달아 두자고 쩔쩔매면서 사정할 때부터 알고 있었네.」

「대감, 고정하십시오. 위로 상감을 뫼시자는 대감께서 어찌 일개 상고배와 더불어 언성을 높이십니까.」

민영익이 이용익의 손을 매섭게 뿌리치고 나서 소매를 훑뿌리며,

「안 되네. 저놈과의 친소가 외자하다 한들 성깔이 어긋난 놈은 알아듣도록 닦달해야겠네.」

촉노한 민영익이 벌떡 일어나더니 장지 옆에 늘어진 설렁줄을 끊어져라 당기는 것이었다. 죽동궁이 발칵 뒤집힐 만큼 요란한 설렁소리가 들리고 얼마 있지 않아서 문밖 누마루 아래에 예 소리 길게 끄는 하인청의 노복들이 네댓이나 쭈르르 몰려들었다.

「너희들 올라와서 저놈을 끌어내어 저승 구경을 시켜라.」

이것은 천봉삼도 이용익도 전연 예견할 수 없던 일이었다. 그제서야 천봉삼은 아차 싶었다. 잠깐 사리 판단이 해망쩍게 된 것을 알았다. 용의 대가리가 무섭다는 것을 예상하지 못했음이리라. 민영익을 만나면 은밀한 말로 내탕전을 내놓으라고 달래고 나설 줄로만 알았던 게 큰 불찰이었다.

그때 천봉삼은 과단성 있게 한마디로 거절할 작정이었다. 그런데 변죽도 울리지 않고 무릿매를 내리겠다니 배짱 드센 천봉삼도 그때는 구천에 떨어진 기분이었다. 조금 전까지만 해도 상전의 빈객이 되어 사랑방 차지가 되었던 천봉삼은 잠깐 사이에 하인청 노복들 차지가 되어 살 맞아 떨어진 메추리 형용으로 계대 아래로 질질 끌려내려갔다. 얼굴이 사색이 된 이용익은 심화에 부대껴서 푸르르 떨리고 있는 민영익의 손을 덥석 잡고,

「대감, 평지풍파를 일으키면 어찌합니까. 처음 권도(權道)를 쓰시자 하실 적엔 별반거조 차리시겠단 말씀 추호도 없으시지 않으셨습니까.」

「안 되다니, 내가 하는 일에 안 되는 것이 어디 있는가.」

「천 행수란 위인이 배짱 한 가지는 타고난 위인이라 소소한 시정붙이들 다루듯 해서는 얻어 낼 소득이 없다고 수차 간언치 않았습니까.」

「불각시에 저놈의 화상을 마주하니 속에 천불이 솟는 데다가 또한 저놈 입에서 방자하고 도저한 말투 흘러나오는 것을 보니 서울 안

252

에 내응(內應)*이 있는 것 같아 좌시하고만 있을 수 없게 되었네. 내친김에 저것의 버르장머리를 단단히 고쳐 놓을 작정이니 자넨 바라보고만 있게.」

「시방 어고(御庫)가 텅텅 비어서 앞뒤 돌볼 겨를도 없는 판국에 일을 벌이시면 상고(商賈)들이 모두 달아납니다.」

「안 된다면, 저놈처럼 잡아들이면 되지.」

민영익은 장지문도 열지 않은 채 고개만 바깥쪽으로 빼돌리고,

「그놈 볼깃살이 장판에 묻어나도록 아주 늑신하게 다듬어라.」

또한 예 소리 길게 뺀 노복들은 천봉삼을 한바탕 회술레를 돌려 혼쭐부터 뺀 다음 장판에 볼기를 까고 잡아 엎치었다. 볼깃살에 매 떨어지는 소리가 낭자하게 들려왔다. 첫매에 아픔이 골속으로 무지근하게 스며들며 등에서 식은땀이 좍 흘렀다. 뼛골이 녹아나는 듯한 고통을 참자 하니 오장 육부에 손을 집어넣어 긁어서 흩뿌리는 것 같았다. 그러나 매 50도 이상이 내리쳐지는 중에서도 방 안에서는 그만 치라는 분부가 내려지지도 않았고 장판 위에 볼기를 드러낸 채 엎딘 천봉삼의 입에서도 아프단 소리가 들리지 않았다. 천봉삼은 이제 앙다문 어금니가 죄다 내려앉는 것 같았다. 죽동궁 밖 한터에 서 있는 노송 위에 둥지를 틀고 깃을 내린 까치들이 놀라서 짖어 대기 시작하였고, 집 안의 내당이며 헐숙청, 하인청 것들도 모두 잠이 깨어 이 난장을 죄다 듣고 있었다. 천봉삼의 입에서 항복 나오기를 기다리던 민영익은 되레 등골에 땀이 흐를 지경이었다.

「아니, 저놈이 짐승인가 도깨비인가. 쇠살쭈라더니 쇠심줄처럼 질긴 놈이군. 사람이 저럴 수가 있는가.」

「제가 뭐라고 여쭈었습니까. 위인이 장판에서 그대로 혼절해 버릴

---

*내응 : 내부에서 몰래 적과 통함, 또는 적의 내부에서 몰래 아군과 통함.

망정 수월하게 살려 달란 말을 내뱉을 위인이 아닙니다. 겁 많은 양반과는 다르지요. 수하에 백여 명의 동패를 거느리고 있는 행수 격이라면 나름대로 줏대가 있고 배짱이 있는 법입니다.」

「그깟 놈의 상고배들 꾀까다로움을 부리고 강단 좋게 군들 무슨 소용인가. 두고 보게. 막된 것들을 다루는 데는 매밖에 명약이 없네.」

그때 집사 명색이 마루로 설설 기어올라 턱을 대청마루에 질질 끌며 너부죽이 엎드렸다.

「대감마님, 궐자가 그만 혼절해 버렸는뎁쇼.」

「혼절을 해?」

「댓진 먹은 살모사 꼴이 되어 축 늘어진 지 오래되었으나 대감마님 분부가 안 계시어 이제까지 매를 내리고 있었습죠.」

「진맥은 해보았느냐.」

「기연가미연가합니다요.」

「그놈 헛간에 가두고 도망하지 못하도록 상직꾼을 세워라.」

천봉삼이 죽동궁까지 제 발로 걸어 들어가서 굴신을 못하도록 혹장을 당하고 곳간에 갇힌 것이 동짓달 열하룻날이었다. 천봉삼이 그런 욕을 당한 지 만 하루가 되는 열이튿날에 전혀 예상할 수 없었던 큰 변괴가 일어났다. 그날 밤 숭례문 밖 선혜청에 까닭 모를 화재가 일어난 것이었다. 민태호가 선혜청 제조(提調)*로 차하된 지 채 한 달도 되지 못해서 일어난 일이었다. 그 까닭 모를 화재로 인하여 대청(大廳)과 고사(庫舍) 백열한 칸, 그리고 은화(銀貨)와 상평통보 수천 냥과 포목 1백여 동이 잿더미로 변하였고 수백 섬의 세미(稅米)를 화염으로 잃게 되었다. 낮에 불이 났으면 그 엄청난 손실을 다소나마 막을 수 있었겠지만 불이 일어난 것은 한밤중이었다. 게다가

---

*제조: 중앙에서 각 사(司) 또는 청(廳)의 우두머리가 아니면서 각 관아를 다스리던 직책.

비나 눈이 내린 지도 오래된 건조한 날씨에 바람은 모질게도 불어 댄 날 밤이었다. 선혜청 고사는 삽시간에 붉은 화염에 싸였다. 부근에 있던 상직꾼들이 미처 손을 쓸 겨를도 없이 다만 수십 길로 치솟고 있는 화염을 넋 놓고 바라보았을 뿐이었다. 불길에 달궈진 엽전이 수십 칸 밖으로 튀고 숭례문 일대엔 곡식 타는 냄새가 코를 찔렀다. 당초에는 놀라 일어난 수백 명의 백성들이 불 구경을 나왔다가 불길 속에서 콩 튀듯 하는 엽전을 주우려고 점점 화염 가까이 다가서던 것이었다. 더러는 튀는 엽전에 맞아 눈깔에 멍이 들고 손에 화상을 입는 자가 많았으나 막무가내였다. 불에 타는 섬곡식을 몰래 끌어내는 데 재미를 붙인 사내들이 불길 속에 너무 가까이 갔다가 무너지는 대들보에 치여 목숨을 잃은 자도 여럿이어서 선혜청 불길 주변은 그대로 아비규환이었다.

지아비를 불길 속에서 잃어버린 아녀자들의 대성통곡이 낭자하였고, 새까만 연기 속으로 아스라이 튀어 오른 엽전 한 닢을 따라 수십 명의 백성들이 이리 밀리고 저리 밀렸다. 아직 채 불도 안 꺼진 두루마리 포목필을 꺼내어 가슴에 안고 걸음아 날 살려라 하고 냅다 뛰는 아낙네도 여럿이었고, 그 난리통에 그만 어미의 손을 잃어버리고 목을 놓고 울어 대는 아이들이 창거리에 넘쳐흘렀다.

지켜보다 못한 상직꾼들이 방망이를 뽑아 들고 불길로 달려드는 사내들에게 무릿매를 먹이고, 발길로 차고, 뒤통수를 짓밟았으나 이미 불길보다 더 시뻘게진 백성들의 탐욕을 가로막지는 못하였다. 자리보전하고 누웠던 병추기들까지 몰려나와서 곡식이 타는 냄새만이라도 맡아 배를 불려 보자고 아우성인 데는 당해 낼 장사가 없었다.

댕댕이다래끼, 먹둥구미, 남방에, 떨어진 곡식섬, 주루막, 버들동고리, 이남박, 함지목판 할 것 없이 곡식을 담을 수 있는 그릇 명색들은 죄다 들고 나와서 불길에 시꺼멓게 타버린 곡식들을 무엇에 쓰려는

지 죄다 쓸어 담는 것이었다. 자정에 일어난 불길이 그 모두를 태우고 이튿날 저녁까지도 스름스름 타고 있었다.

뜻밖의 춘사(椿事)*를 당하자 온 조정이 발칵 뒤집혀서 화재가 일어난 연유를 사핵하려 하였다. 추고 전지(推考傳旨)를 받아 간증(干證)이 될 만한 자들은 모조리 잡아들여 좌기(坐起)*하고 국문할 거조였다. 그러나 그때가 봉미(俸米)나 삭름(朔廩)*을 풀어먹일 때도 아니고 선창거리에는 잡인들의 내왕도 없어 도대체 수상쩍은 자들을 포착할 수가 없었다.

게다가 불이 나자 양관(糧官)이며 받자빗, 사령 구실 살던 자들까지 가뭇없이 도망해 버려서 직수아문(直囚衙門)*의 서슬이 제아무리 퍼렇다 한들 별무소용이었다. 엄청난 손실에 온 조정이 놀랐던 것은 고사하고 가뜩이나 궁핍한 국계에 또 한 번 찬물을 끼얹은 격이니 앞으로의 일로 걱정이 태산 같았다. 걱정은 조정뿐만 아니고 대내(大內)에서도 마찬가지였다. 마침 편전(便殿)에서 소식을 들은 민비가 부랴부랴 이씨녀 매월이를 내전으로 불러들였다.

「국고에 재난을 당한 것은 심상한 일이 아닐세. 나라에 이런 변고가 일어난 까닭이 어디에 있는가를 알 만한 사람은 자네뿐이 아니겠나. 어디 속 시원히 말 좀 해주게. 장차 이런 재앙이 또 닥치지 않는다고 장담할 수도 없는 일이니 이 일을 어찌하면 좋을까.」

곤전(坤殿)에 부복하여 채 가쁜 숨도 돌리기 전인 매월이를 잡고 민비는 다그쳤다. 매월이가 뛰는 가슴을 겨우 진정하고 처연한 말로,

「쇤네도 그 소식을 듣고 어젯밤을 꼬박 뜬눈으로 새웠습니다.」

---

*춘사 : 뜻밖에 일어나는 불행한 일.
*좌기 : 관아의 으뜸 벼슬에 있던 이가 출근하여 일을 시작함.
*삭름 : 벼슬아치에게 다달이 주던 녹봉.
*직수아문 : 다른 기관을 거치지 아니하고 직접 죄인을 가둘 수 있던 기관.

「이심전심이라더니 자네의 심성은 어찌 그렇게도 나와 한가지인
가. 나 또한 한잠도 이루지 못하였다네.」

민비의 말에 매월이가 눈을 크게 뜨고 화들짝 놀라면서,

「곤정(壼政)*도 아닌 국사에 그토록 골똘하시다가 혹여 미령(靡
寧)하시게 되면 온 조정이 또한 망극입니다. 부디 옥체를 보전하
십시오.」

「오늘에 이르러 어찌 사사로이 내 한 몸 돌보아 편히 보전하겠는
가. 자네는 이번의 재앙이 무엇 때문이라 믿는가?」

매월이가 수척한 민비의 얼굴을 적이 바라보다가 하기 싫은 말을
하듯,

「재앙의 근본이 있긴 합니다. 상감의 지친(至親)들 중에 누가 불고
한 사람에게 죄를 내리어 재앙을 부른 듯합니다. 무고한 사람의 원
성이 하늘에 닿으면 재앙이 내릴 것은 정한 이치가 아니겠습니까.」

「국척 중에 무고한 사람을 잡아서 욕을 보이고 있다니? 그러나 어
디 국척이란 사람들이 한둘인가.」

「상감의 지친이 많다 하나 중전 마마께서 찾으시기로 하신다면 능
히 하실 일이 아닙니까. 근신(近臣) 중에 문무 겸전한 사람을 택차
(擇差)하신다면 찾는 일이야 며칠이 가겠습니까.」

「알았네. 금방 알아보기로 하세.」

그 당장 순청(巡廳)인 금위영과 어영청, 그리고 좌우포청에 사람
을 놓아 근일에 있었던 지친들의 거동을 낱낱이 사실하여 보라는 밀
유를 내리었다. 밀유를 내린 지 사흘 만에 소식이 들어왔다.

아니나 다를까, 선혜청에서 불이 나기 하루 전에 때 아닌 야밤, 죽
동궁 한터의 노송에서 까치들이 우짖는 소리가 담장 밖에까지 들려

---

*곤정 : 내전의 일.

왔다는 소식이었다.

매월이의 말이 신통하게 맞아떨어진 데 등골이 오싹할 지경이었던 민비가 내전으로 민영익을 불러들이었다.

「죽동궁이나 안국방 사처에서 사람을 잡아 가둔 일이 있었던가?」

부복하고 있던 민영익은 무슨 엉뚱한 하문(下問)이신가 의아해서 곤전을 쳐다보았다.

「사람을 잡아 가두다니요?」

「그런 일이 있었더냐, 없었더냐?」

민영익이 구태여 감출 것이 없었다.

「그런 일이 있습니다.」

「어인 사연이냐?」

「송파와 평강 상로에서 명자하다는 외방의 쇠전꾼입지요.」

「방면하시게.」

「방(放), 미방(未放)을 쉽게 결단 내릴 일이 아닌 듯싶습니다.」

「쉽게 결단 내릴 일이 아니라니? 그 사람이 역모라도 도모하려던 자란 말이냐.」

「결별을 하기로 한다면 역모 맞잡이라 할 만합니다.」

「궐자가 대사(大事)죄수라 한다면 응당 윗전에 아뢰어서 정탈(定奪)*을 받자옵고 남간에 집어넣고 국청을 차리어서 사목(事目)*에 따라 구핵을 해야 할 일이 아닌가. 윗전에서 모르고 계시는 일을 네가 대역 죄인으로 싸잡아 애매하게 화풀이를 한다면 대덕을 베풀고자 하는 사람으로서의 행사는 아니지 않은가.」

「온당하신 말씀이나 신이 은밀히 다듬어 주어야 할 연고가 없지 않아서 당돌히 원정을 아뢰는 것이니 하정을 통촉하시옵고 중전

---

*정탈: 임금의 재결(裁決).
*사목: 공사(公事)에 관하여 정한 규칙.

마마께선 무간하게 계시는 것이 좋을 듯합니다.」

민영익은 속내가 자못 못마땅했으나 말만은 공손하게 건네었다. 그러나 민비의 고집이 그쯤해서 꺾이지 않은 것이 탈이었다. 민영익의 말이라면 감을 놓고 감자라 하여도 곧이듣는 체해 왔던 민비의 거동이 이번만은 단호했다.

「안 될 일이야. 그 무고한 백성을 네가 잡고 치죄하려 한다면 장차 조정이 또한 시끄러워질 조짐이 아닌가. 내 듣자 하니 선혜청의 화재가 모두 그런 연유에 있다지 않은가.」

「일개 하잘것없는 무복의 당치도 않은 말을 들으시어 국사에 임하려 하시니 신은 망극입니다.」

민비는 민영익의 그 말이 듣기에 거북했다. 매월이와 함께 민비 자신도 싸잡아서 폄하는 듯한 어취가 심지에 걸렸기 때문이다. 그렇다고 함부로 민영익을 다룰 수도 없는 처지이매,

「네가 궐자를 방송하지 않겠다고 끝내 고집을 부린다 하면 나 또한 앞으로 너를 보지 않을 것이니 그리 알게.」

민영익이 그참에 이르러서야 마지못해 분부를 받자옵겠다고 대꾸한 다음 내전에서 물러났다. 그러나 국모 된 처지로 일개 무복의 말을 신청하여 국사에까지 간여케 한다는 일에는 적이 찜찜한 것이었다. 장원촌에서 우연히 만난 이씨녀라는 무복으로 말한다면 중궁전과의 우의가 돈독하다는 것쯤은 알고 있었지만, 그 무복의 입김이 이토록 대내에 깊숙이 들어와 있는 데는 민영익도 처음으로 놀랐다. 일이 여기에까지 이르게 되었다면 그냥 두고 볼 일은 아니었다. 내전에서 곧장 퇴궐하려 했던 본래의 작정을 바꾸어서 민영익은 정전(正殿)으로 발길을 돌렸다.

마침 조회(朝會) 나갔던 근신들이 모두 자리를 비우고 나간 터라, 폐현(陛見)을 청하자 곧장 들라는 윤허가 내리었다. 민영익이 나직

나직한 말로 천봉삼을 잡아들인 일의 시초에서부터 중궁전의 분부까지를 졸가리를 따져서 아뢰었다. 그러나 상감께선 입맛만 다시고 있을 뿐 도대체 속 시원한 윤지(綸旨)가 계시지 않았다.

「항간의 백성들 사이에선 대내에서 밤마다 북소리가 들리는 것을 괴이하게 여기고 있는 사람이 많습니다. 심지어 오늘은 왜 궁궐에서 굿이 없나 하고 비아냥거리는 백성들도 없지 않다 하옵니다.」

그런데도 곤룡포 속에 든 상감의 옥수(玉手)는 움직임이 없었다. 상감이 민영익을 바라보지도 않고,

「중궁전에서 하는 일, 그것을 과인이라 하여 어찌 일일이 참섭을 한다는 것인가. 그것도 심화가 있어 하는 일인데 내 구태여 나아가서 또한 만류한다면 금슬에도 금이 갈 것 아닌가. 두고 볼 수밖에 없는 일이지.」

「죄인을 방면하라시는 분부가 일개 무복의 말을 따른 것이니 신이 서운하다는 것입니다.」

「경은 어찌해서 그토록 아둔한가. 하물며 과인의 지친이란 사람의 국량이 그래 가지고서야 어찌 대덕을 쌓으리요.」

「신의 국량이 보잘것없음이야 상감 마마께서도 일찍이 짐작하고 계시는 것이 아니옵니까.」

그 말에 고종은 빙그레 웃으며 몇 발 곁에 부복한 민영익을 그윽이 건너다보았다.

「내전에서 그 상고라는 자를 데려오라 하시던가?」

「그런 분부는 계시지 않았습니다.」

「그렇다면 사소한 일이 아닌가.」

「곤전의 분부를 거역할 수가 없기 때문입니다.」

「중궁전도 항간에 나앉으면 일개 아녀자가 아닌가. 그래도 짐작되는 바가 없는가?」

「신이 권도를 쓰는 것은 곤전을 기망하는 일이기 때문입니다. 곤
전에서 진노하신다면 신이 아무리 총애를 받자옵는 지친이라 하
나 설 곳이 없게 됩니다.」

「경에게도 뱃심은 있을 터, 그때 가서 또한 방책이 나서지 않겠는
가.」

퇴궐하는 길로 민영익은 이용익을 불렀다. 이용익이 독현을 받고
나아가서 좌정하자마자,

「내 저 천 아무개란 위인을 방송하려 한다네.」

천만의외의 말이라 이용익이 처음엔 미처 속내를 알아차리지 못
하고 우두망찰하였다.

「내 말이 들리지 않은 건가? 곤전에서 저 위인을 방송하라는 분부
가 떨어졌다네.」

「천만다행한 일입니다. 중전 마마께옵서 어찌 분별하시옵고 그런
황감한 분부를 내리시었는지요?」

「곤전께서 분부도 계시었지만 내 작정 또한 그러하네. 그러나 궐
자를 아주 방면하려는 것은 아니라네.」

민영익의 속내가 어떠한지 그때까지도 꿰뚫을 수 없었던 이용익
의 대답이 어처구니없었다.

「우선 방면하시고 후일을 두고 보시는 것이 방도겠지요.」

「내 말은 궐자를 자네의 사처로 옮겨 놓자는 것일세.」

「방면하시겠단 말씀은 무엇입니까?」

「내 집에서만 쫓아내고 궐자를 사뭇 다스리겠다는 얘길세.」

「말씀 여쭙기 거북합니다만, 그렇게 하신다면 중전 마마를 기망하
시는 것이 아니옵니까. 그리고 어찌 시생의 곳간에다 궐자를 잡아
가둔다는 것입니까. 그건 아니 됩니다.」

「동티 날까 봐 그러나? 되고 안 되고는 내 작정에 달린 것, 지금껏

내 휘하에 머물면서 내 분부 거행에 하자 없이 하였다는 자네의 말을 내가 잊지 않았는데 여기에서 나를 거역할 리는 없겠지. 오늘 밤 하속들을 영솔해서 궐자를 자네 집으로 옮기게.」

이용익은 달리 변명을 꾸어 댈 수도 없었고, 하지 못하겠다고 앙탈할 수도 없게 되었다. 분부대로 거행하는 것이 상책이었다. 다만 그의 집으로 옮긴다면 구메밥이나마 끼니때마다 수발할 수 있을 것이라 여겨 따르기로 작정해 버렸다.

한 가지 알 수 없는 노릇은 중궁전에서 어찌하여 이번 사단을 알고 있느냐는 것이었다. 알고 있다 하여 또한 방송하라는 어명까지 내렸는지 그 내막이 궁금하였다. 그리고 그 불티가 그의 발등에까지 튀면 낭패가 아닌가 하는 염려도 없지 않았다. 다만 내전에 나갈 기회가 자기에게도 있을 것이니 그때 여쭈어 보리라 작정하였다.

그날 밤 죽동궁 헛간에 갇혀 있던 천봉삼은 노복들에게 업혀서 거처를 이용익의 집으로 옮기게 되었다. 이용익의 집 헛간은 바람벽 사이로 들어오는 바람도 적었고 흙바닥에 멍석을 깔고 삿자리까지 덧깔아서, 소싯적 삼남을 돌 때 방앗간이나 잿간을 빌려서 잠자리로 삼았던 처지와 비견한다면 가히 사랑방 맞잡이라 할 만도 하였다. 하속이 뜨끈한 술국밥에 부침개까지 곁들인 저녁을 소반에 얹어 날라다 주었다.

천봉삼은 처음엔 거들떠보지도 않았다. 그러나 곰곰 새겨 보니 밥이 아니라 송기죽이란들 장차를 위해서는 먹어야겠다는 작정이 들었다. 소반을 끌어당겨 그릇을 비우고 있는 중에 판자문이 열리고 이용익이 들어섰다.

이용익이 보자 하니 천봉삼의 몰골은 말이 아니었다. 구류를 당한 지가 벌써 여러 날째라 입성이 남루하기 그지없고 또한 장독(杖毒)을 구완받지 못한 엉덩이가 팅팅 부어오르고 바지는 피로 물들여져

있었다. 봉두난발에 10리나 쫓아 들어간 두 눈이 퀭하였다. 몰골을 처연히 바라보고 있던 이용익은,

「우린 전생부터 악연에 얽혔겠지요. 그렇지 않고서야 내 집 헛간에 옛날에 고락을 함께하였던 동패를 잡아 가둘 수가 있겠소.」

천봉삼은 입에 씹던 밥을 마저 삼키고 나서,

「난 그렇게 여기고 있진 않소. 서로 명분을 달리하고 있기 때문에 얻은 고초일 뿐 여기에 무슨 전생에서부터 얽힌 악연이 있겠소. 사정이야 어찌 되었건 죽동궁에 잡혀 있을 때보단 한결 견디기가 나아졌으니 내 처지로선 융숭한 대접을 받는 셈이구려. 호광을 누릴 만하니 이 모두가 노형의 남다른 정의에서 베풀어진 은덕이 아니겠소? 차후 이 호의를 갚을 수 있게 되기를 바랄 뿐입니다.」

「그렇게 되었으면 나 또한 반가운 일이겠지요. 그러나 노형이 쉽게 풀려날 것 같지 않으니 그것이 탈입니다.」

「쉽게 풀려날 수 없으리란 것은 나도 알고는 있습니다만 내 동패들 일이 걱정입니다.」

「처음에 노형을 잡아 가둘 때에는 다만 한 가지 연유가 있었다 할 수 있소. 그러나 지금에 이르러서는 일이 묘하게 꼬이기 시작하여 도무지 묘책을 꾸며 낼 방도가 없게 되었다오. 이것은 나로서도 전연 예측할 수 없었던 사단이라오.」

「내가 아직 혼찌검을 당하지 못해서 버티고 있는지는 모르겠으나 나를 잡아 가둔다 하여 무엇을 얻어 낼 수 있을 것이란 작정들은 마오. 다만 무고하게 갇힌 내 동패들이 방면될 수 있도록 노형께서 힘써 주신다면 그 은혜만은 내 평생을 걸고서라도 기필 갚아 드리겠소.」

「글쎄, 그것이 여의치 않다는 것입니다. 노형께서 기십만 냥을 내어 놓는다 하여도 지금은 일이 쉽지 않게 되었습니다.」

「그렇다면 민 대감이 내게 바라는 것이 무엇이오? 징치를 하자는
데 뜻이 있다면 나를 벌써 아문에다 넘겼을 게 아니오? 이렇게 사
구류를 시키고 있는 연유가 나변에 있소?」

「나로서도 그것이 궁금하다오. 확연히는 알 수 없으나 대감의 성
깔을 건드린 일이 생긴 모양입니다. 노형께서 이렇게 당할 줄 예
견하고 요로(要路)에 방면되도록 해달라고 미리 청질한 일이 있습
니까?」

「추호도 그런 일이 없습니다. 평강이나 송파 처소 동무님들도 내
가 금방 회정하게 될 것으로 알고 있을 터에 요로에 청질을 했을
까닭도 없고, 또한 권세가에 알음도 없으니 어디 가서 손을 벌린
단 말이오.」

「어쨌거나 시일을 두고 내막을 알아볼 일입니다. 당분간은 노형께
서 욕을 당하더라도 행여 장달음을 놓을 방도를 구하거나 하속들
을 욕보이면 되레 일을 번거롭게 만드는 것이니 그것만은 명심하
시오.」

「내 처신이야 처소의 동패들 명함을 걸고 약조할 수도 있겠소만,
다만 잡혀간 동패들을 사뭇 체옥시킨다면 또한 어떤 사단이 일어
날지 그것이 걱정이오.」

「내 다시 한 번 대감께 청을 넣어 보리다.」

이용익이 그렇게 말은 하였지만 일이 여의치 않다는 것을 깨닫게
되는 데는 여러 말이 필요치 않았다. 죽동궁으로 찾아간 이용익이
눈치를 살피고 앉았다가,

「궐자가 우리 집에 갇힌 지도 벌써 닷새가 되었습니다. 이것도 원
만하신 처사가 아닐 듯싶습니다만.」

좋지 않은 눈시울로 이용익을 칩떠보던 민영익이,

「자네 무척이나 할 일이 없는가 보이. 이번만은 모른 체하고 지내

는 것이 약이 될 것이네.」

「시생의 사처에 명색 사람이 갇혀 있는데 어찌 모른 체한다는 것입니까.」

「나중에 자네에게 책이 돌아갈까 해서 몸을 사리는 건가?」

「대감께서 처음 바라시던 일이 성사된다면 궐자를 구태여 오래 가둘 일이 아니지 않습니까.」

「그깟 장돌림 하나 잡아 가둔 일을 가지고 자네의 참섭이 너무 과하달 수가 있네. 그렇거니와 내 이번 일을 기화로 한 계집의 콧대를 꺾어 놓을 일이 있어서 그러네. 이씨녀라는 계집이 저놈 잡아 가둔 일을 어찌 염탐하고선 곤전께 아뢰어 당장 방송하라는 으름장까지 놓게 하였으니, 이런 방자한 행사가 어디에 있는가?」

「궐자가 이씨녀와 연비가 있다는 것은 금시초문입니다.」

「그 요사한 계집이 실눈을 뜨고 객줏집 강아지 모양으로 대내를 무상출입하는 것도 눈시울이 시려서 도대체 바라볼 처지가 아닌데, 그 요괴한 것이 오늘에 이르러서는 주상의 지친인 내가 하는 일에까지 무불간섭이니, 명색 나라의 대신인 내가 가만두고 볼 성부른가. 게다가 곤전께서는 그 요괴한 것을 화초처럼 곁에 두고 계시니 이런 딱한 일이 없지 않은가.」

「내막이 그렇다 하나 궐자를 방면하고 나서라도 무복을 다스릴 방도야 얼마든지 있지 않습니까.」

「그것이 아닐세. 궐자가 처음 내 앞에 와서 콧등을 뻔뻔하게 치세우며 도도하게 굴 적에 일개 상고배치고는 뱃심 한번 드세다 싶어 내심 적잖이 놀랐거늘, 그 연유가 뒷배를 봐주는 무복에서부터 비롯되었다는 것이 백일하에 드러난 이상 내가 흘하게 물러설 수야 없지. 자네가 만약 이런 경위 없는 일에 수모를 당했다면 궐자를 방면할 수 있겠는가?」

이씨녀의 세력이 날로 드세지고 있다는 것은 이용익도 알고 있었다. 심지어 민비에게 끈을 대려는 자들이 이씨녀 매월이의 집 문을 몰래 두드리고 있다는 소문이 장안 북촌에 심심찮게 나돌고 있기도 하였다. 곤전의 총애를 한 몸에 받아 오던 민영익의 눈에 매월이의 거동이 곱게 보이지 않을 것이란 인지상정이었다.

게다가 궐녀가 민영익이 하는 일에까지 참섭하려 들었다면 발끈하지 않을 사내가 어디 있을까. 연유가 그에 미치고 있다는 사실을 깨닫게 된 이용익은 그제서야 사단이 심상치 않다는 것을 느꼈다. 게다가 민영익은 한술 더 떠서,

「자넨 쓸개도 없는 사람인가. 지난 군변 때 부상을 회집하려 했던 우리들에게 정면으로 훼방을 놓아 일을 망치게 한 장본인이 저놈이란 걸 벌써 잊었더란 말인가. 그 일이 성사만 되었더라도 지금쯤 나와 자네의 입장이 무척이나 달라졌을 것은 불문가지일 것이고 나라의 참변을 또한 막을 수도 있었을 것이고, 시방 어고가 텅텅 비어서 이런 고초 또한 당하지 않아도 될 것이 아니던가? 자넨 일 년도 못 되어 그 수모를 잊었더란 말인가. 자네의 심지가 혹여 외로 박혀 저놈을 풀어 주었다간 나와의 인연은 그것으로 하직일 터이니 행여 괴딴 심지를 품어선 안 되네.」

오금을 단단히 박고 드는데, 이용익도 단단히 걸려들었다는 느낌이었다.

9

천봉삼이 거처를 옮긴 지 여드레째 되는 날 해 질 무렵에 보부상 복색의 기골이 장대한 늙은이 하나와 배꽃같이 모색이 화사한 한 여인네가 이용익을 찾아왔다. 분명 평강 처소에서 온 패거리겠거니 하

여 방색하려다가 문득 뇌리에 스쳐 오는 일이 있어 방으로 들게 하였다.

　방으로 성큼 한 발을 들여놓는 엄장 큰 늙은이를 보자 하니 천만 뜻밖에도 그동안 소식이 없던 조성준이었다. 반갑기 그지없었으나 찾아온 연유가 무엇인지 알고 있으니 겉으로는 좌석이 성길 수밖에 없었다.

「풍편에 듣기로는 원산포 어름 처소에서 자리보전하고 계신 줄 알았는데, 불현듯 저의 사처로 찾아오시니 다만 놀랍고 신기할 뿐입니다.」

「한동안 시생이 기력을 잃고 자리보전을 한 탓도 있습니다만, 원산포 저자 어름에서 왜상과 청상들이 설치는 통에 이름 없는 외방의 선길장수들에게 제대로 물화를 댈 수가 없었습니다. 평강에서 오르는 천 행수의 물화나 받아서 가근방에 풀어먹이고 있었습니다. 시생이 풍편으로나마 이 감역이 환로에 들었단 소식은 들었습니다만 서로 상종이 다르고 또한 처신하며 부대끼는 제도가 다르니 격조했을 뿐입니다.」

「행수 어른께선 난데없는 공대는 왜 쓰십니까. 삼남에서 행수 어른 뵈었을 땐 제게다 하게를 쓰지 않으셨습니까.」

「시생이 그걸 기억하지 못하겠습니까마는 시생은 일개 상고배로서 감히 국록을 먹는다는 분에게 하겟말을 쓸 수는 없지요.」

「옛 정의를 보아서도 그러시면 안 됩니다. 예가 있어서 시방의 제가 있지 하늘에서 뚝 떨어진 사람은 아니지 않습니까. 그건 그렇고 왜 난데없이 찾아오신 것인지는 알 만합니다만, 천 행수가 쉽게 방면될 것 같지가 않습니다.」

　그때까지 조성준과 동행했던 여인은 바람벽을 등지고 다소곳하니 앉아 있었다. 궁금해하는 이용익의 눈치를 알아챈 조성준이 여인을

가리키면서,

「저분은 천 행수의 누이 되시는 분이라오.」

「천 행수께 동기간이 있었군요. 저렇게 신실하신 누이가 계시었다
니…….」

「오누이가 서로 분수작별한 뒤 십수 년간 만나지 못하다가 달포
전 천행으로 만나서 회포도 다하기 전에 변고를 당하였으니 이런
억색(臆塞)*이 어디 있겠소? 천 행수는 오늘에 이르러 향시의 저
잣거리에서 싸구려나 외치는 소소한 선길장수가 아닙니다. 그 수
하에는 수백 명의 상고들이 모여 천 행수의 턱만 쳐다보고 있는
처지의 사람입니다. 시생에게도 또한 저승 문턱이 가까워 온 터수
에 슬하의 자식처럼 손때 묻혀 다듬어 온 사람이라 할 수 있다오.
이렇게 소명하고 담대하고 여력 있는 사람이 한 권세가의 사사로
운 설분으로 명색 없이 죽어 간다면 슬픈 일이 아닙니까. 어찌 소
중함이 꼭 벼슬아치들뿐이란 말입니까. 조정에 인재들이 많다 하
여 짓밟히는 민초에 개자한 인물이 없다 할 수 없는 것이 세상의
이치요, 사대부의 목숨이 중하다 하여 어찌 이름 없는 상고배의
모가지는 두 개가 달린 것처럼 여겨도 좋다는 것입니까. 이 감역
께서 그 사람을 살려 낼 수 있는 여력을 손에 쥐고 있지 않다 하더
라도 방도만은 짐작하고 있을 터이니 그 길을 가르쳐 주십시오.」

두 사람의 얼굴을 바라보는 그 간절하고 처연한 기색에 마주 앉은
사람의 가슴이 멜 지경이었다. 마음 같아서는 당장 곳간에 있는 천
행수와 대면이라도 시켜 주고 싶었다. 그러나 대면시킨다면 곡해하
기가 안성맞춤이요, 또한 어떤 분란이 일어날지도 몰랐다. 그렇다고
자기를 겨냥해서 찾아온 조성준을 냉큼 민영익에게 데려가서 청탁

---

*억색 : 억울하거나 원통하여 가슴이 답답한 느낌이 있음.

을 넣어 보란 얘기도 할 수 없었다. 조마조마한 중에 이용익의 뇌리를 스쳐 가는 것이 있었다.

「이미 시생의 여력으로서는 천 행수를 끌어낼 재간이 없습니다. 그러나 한 가지 방책이 있는 듯합니다.」

「거액의 속전만 아니라면 섶을 지고 불길 속이란들 시생이 마다하겠소. 시생의 살점을 도려내어서라도 그 사람을 구명해야겠소.」

「귀를 좀 빌립시다.」

조성준이 두꺼비처럼 무릎걸음으로 기어가서 귀를 바싹 갖다 댔다. 조성준 평생에 귓속말을 들어 보기는 처음이었다.

「동소문(東小門) 안 북묘(北廟)에 영험하다는 만신이 있소이다. 이 만신이 내전을 무상출입하고 있지요. 궐녀가 이번의 사단을 복잡하게 만든 장본인이기도 하답니다. 궐녀가 북묘와 중궁전 사이를 드나들면서 심지어는 외직을 탐내는 선비들의 다리품을 놓고 다닌다는 풍문이 있을 정도입니다. 마침 누이 된다는 분이 왔으니 북묘를 찾아가서 당부를 한다면 길이 생겨날지 모르겠습니다.」

조성준은 눈이 휘둥그레져서,

「돈으로 궐녀의 환심을 사란 것이오?」

「이번 사단으로 하여 궐녀와 민 대감의 사이가 성기게 되었고, 까딱하면 서로 척이 질지도 모르지요. 그것을 빌미하여 권도를 쓰자는 것입니다. 더욱이나 중전 마마께선 천 행수가 벌써 방면이 된 것으로 알고 계시답니다. 누이 되시는 분이 궐녀를 찾아가시게 된다면 아직 방면되지 않았다는 것을 아시게 될 터이니 천 행수가 살아날 방도가 아닙니까.」

이용익의 말이 그럴싸하니 따르지 않을 수 없었다. 천소례는 이용익의 집을 나서는 길로 곧장 동소문동 매월이를 찾아갔다. 문밖에서 조심스럽게 통자를 넣을 제 범강장달이 같은 노복들이 하나도 아닌

둘씩이나 대문으로 내달았다. 대문은 본래 빗장이 따져 사람 몸뚱이 하나가 빠져 들어갈 수 있을 만큼 삐끔하니 열려 있었다. 찾아온 사람이 의외로 낯선 여자인지라 어디서 왔느냐고 꼬치꼬치 따져 물었다. 옥신각신하는 중에 가마 한 채가 당도하였다. 가마가 문밖에 당도하자 노복들이 허겁지겁 나아가 맞이하였고 교자꾼들은 활짝 열린 대문 안으로 가마를 메고 내달렸다.

가마가 안으로 들어간 지 얼마 되지 않아서 업저지로 보이는 편발 처자 하나가 달려 나와서 대문간에 서 있는 천소례를 맞이하였다. 고래등 같은 기와집으로 들어서 보니 도대체 일개 무복의 사처로서는 너무나 으리으리했다. 편발 처자의 때 아닌 환접도 의아하거니와 대청을 올라 안방으로 들어서고 난 뒤에는 더욱 놀랐다. 안방 치장이 소란깨나 피우며 산다는 대갓집의 대방 치장에 비길 바가 아니었기 때문이다. 들기름 잘 먹인 구들방에는 방 안에 놓인 가구, 집기 들의 그림자가 환하게 비치는 것이었다.

천소례는 문득 옛날 강경 땅에서 기구 차리고 살았던 호광스러운 자신의 모습을 떠올렸다. 가산이 얼마였으며 노복 또한 얼마였던가. 그러나 천소례는 곧장 나무아미타불을 외면서 고개를 흔들었다. 등 뒤에서 장지문이 열리면서 한 여인이 조용히 방 안으로 들어섰다. 천소례는 소스라쳐 일어나 궐녀에게 길을 비키었다. 앞을 지나가는 궐녀의 옷깃에서 가만히 지분 냄새가 풍겼다.

단 한 번도 만나 본 일이 없는 초면이지만 매월이는 이미 대문간에 비켜섰던 천소례의 모색에서 천봉삼의 얼굴을 읽었던 것이다. 그러나 소례의 입에서 천봉삼의 친누이라는 말을 듣고는 매월이도 적이 놀랐다. 누이를 찾지 못해 가슴을 죄던 천봉삼의 처연했던 모습을 매월이는 기억하고 있었기 때문이다. 천봉삼은 만나지 못하였으나 그 누이를 만났으니 동냥아치 심성 좋은 하님 만난 듯 반갑고 가슴이 뛰기 시작하는 것이었다. 그러나 겉으로는 아닌 보살 하고 태연한 체하였다. 수발하는 계집아이를 불러 꿀물 한 사발을 대접한 다음 어인 연유로 찾아온 것이냐고 물었다. 천소례는 살쩍을 곱게 밀어 반질거리는 매월이의 이마를 쳐다보고 있다가,

「이 세상에 단 하나뿐인 제 혈육이 시방 임금의 국척이란 대감의 집에서 사구류를 당하며 조금에 사지에 떨어질 듯 위태하니 동기간으로서 가슴을 에는 듯하답니다. 만신께서는 제 동기간과는 초면이 아니란 얘기를 들었습니다. 궂은일이긴 하나 혹여 구명의 방도가 있을까 하여 불고염치하고 찾아온 것입니다.」

「사구류를 당하다니요? 천 행수가 지금 평강 어름에 있지 않다는 것이오?」

천소례의 말에 적잖이 놀란 것은 매월이었다. 임금의 지친 중에서 무고한 사람을 잡다가 욕을 보이매, 그 노여움으로 선혜청이 불에 타는 재앙을 입게 된 것이라고 상주한 일은 있으되, 당사자가 천봉삼이란 것은 짐작조차 할 수 없던 일인 데다가 또한 방면이 되었어야 할 사람이 이제까지 욕을 당하고 있으리란 것도 천만뜻밖의 일이었다. 이것은 임금을 기망한 대죄가 아닌가. 매월이는 발끈하였으나 금방 일이 맹랑한 지경에 이르렀음을 깨닫게 되었다. 그것은 상대인 민영익도 중궁전의 각별한 총애를 받고 있어서 서로 등지고는 살 수 없는 처지였기 때문이다. 게다가 근래에 이르러서는 민영익이 협판통리아문사무(協辦統理衙門事務)에 제수되는 등 조정에서도 그 세력이 날로 커가는 사람이 아닌가. 더욱이나 천봉삼을 잡아 가둔 본래의 연유가 내탕전이나 충당해 보자는 데 있었다면, 매월이가 함부로 뛰어들 수 있는 처지가 아니었다. 동안이 뜨는가 싶게 말없이 앉아 있던 매월이가,

「내가 탓할 빌미를 찾자 하고 묻는 말은 아니니 대답을 줘야 하오.

내게 가보라고 권한 사람은 누구요?」

「이 감역이란 사람입니다. 듣자 하니 지금은 경사의 벼슬아치이나 그 사람도 소싯적엔 상고배로 천 행수와 친숙하게 지내던 사이였다 합니다.」

물에 빠진 사람이 지푸라기에 턱을 걸듯, 인연이 있다면 굵은 호랑이라도 잡아타고 싶은 심정이었으므로 하지 않아도 좋은 말까지 하게 되었다.

그러자 매월이가 발끈하면서,

「다급하다 하여 미련한 말은 그만두시오. 이 감역의 근본이야 하찮은 금점꾼이었다 하나 신실한 심덕을 가졌고 비궁지절(匪躬之節)*로 상감을 보필하여 지금은 어느 근신들 못지않게 상감의 총애를 받고 있는 사람이라오. 다급한 때일수록 분별 있게 거동해야지 까딱 잘못했다간 사람을 구명하기는커녕 되레 모해를 당하여 어살에 발이 채는 고초를 당하게 될 것이오.」

매월이가 좋은 말로 꾸짖으매 천소례는 얼굴을 붉히고 고개를 조아렸다. 그러나 꾸짖는 말 중에도 은근히 천봉삼을 구명하려는 의사가 스며 있어 이젠 천소례의 가슴이 뛰기 시작했다.

「천 행수가 사구류를 당하고 있다 하나 사경(私徑)을 저지른 것은 분명할 터, 구초(口招)한 것을 상감께 연주(筵奏)한다면 놓여나기 쉽지 않소. 게다가 장본인은 민 대감이 아니오?」

「사정이 위중하다는 것은 우매한 저인들 왜 모르겠습니까.」

「내가 만약 천 행수란 사람을 사지에서 건져 낸다면 무엇으로 보답하려오?」

「털을 뽑아 짚신이라도 삼아 올리겠습니다.」

---

*비궁지절 : 자기 몸을 돌보지 않고 임금에게 충성을 다하는 신하의 도리.

매월이가 비아냥거리는 조로 그 말 받아넘기기를,

「많지도 않은 털 죄다 뽑아서 짚신을 삼고 나면 여자로서 행세하기 지난일 터인데.」

얼굴을 붉히고 있던 천소례가,

「그것이 여의치 못하다면 이 긴치도 못한 육신을 헐어서라도 갚아 올릴 보은이 있다면 기꺼이 그 길을 택하겠습니다.」

「내 집에 안잠자기가 없어 신실한 사람을 널리 구하고 있던 중이었소. 내 집에 와 담살이를 하란대도 마다하지 않겠지요?」

「육신을 헐어 보은하겠다는 계집이 어찌 그것을 마다하겠습니까.」

「그것이 희언이 아니라면 오늘부터 당장 내 집에 머무르면서 내 분부를 받도록 하오.」

소례는 고개를 들어 매월이를 쏘아보았다. 손이 떨리는 것을 소례는 어쩔 수 없었다. 그러나 이용익의 말을 듣자 하면 지금에 이르러 사지에 박힌 봉삼을 건져 낼 사람은 이 만신이란 여인뿐이라지 않던가. 어찌 이 여인의 말을 거역할 수가 있을까. 서 발 작대를 휘둘러도 일가붙이라곤 걸릴 것이 없는 처지에 봉삼에겐 소례가 어미 맞잡이가 아닌가. 봉삼이 방면되는 일이라면 이제 와서 천소례가 가리고 사릴 것이 무엇이겠는가. 그것이 또한 이승에서 저지른 죄업에 대한 갚음도 될 것이었다.

「동행하여 밖에서 하회를 바라고 있는 동패가 있소?」

소례를 안잠자기로 박겠다면서 해라는 하지 않고 하오를 쓰고 있었다.

「작반한 이는 없습니다만, 궁금해서 사람이 찾아오겠지요.」

「그것이 송파 처소 사람들이오?」

「그럴 것입니다.」

「찾아오거든 아낙의 처지가 그렇게 되었다고만 말하고 이 집 밖으로는 단 한 발짝도 나가선 아니 되오.」

「분부대로 거행하겠습니다.」

이튿날 아침 일찍 매월이는 몸가축 정히 하고 계대 아래에 가마를 대령시키라 하였다. 그리고 창덕궁이 아닌 죽동궁으로 가마를 몰게 하였다. 죽동궁에 이르러 청지기에게 연통하니 한참 만에 안으로 들라는 통기가 있었다. 민영익은 마침 입궐 채비를 서두르던 참이었다. 매월이가 의외로 공손하게 인사를 올리자 처음엔 뻣뻣드름하던 민영익이 놀라는 눈치였다. 매월이가 죽동궁을 찾아온 것이 난데없는 일인 데다가 공손한 거동이 또한 전에 없던 일이었다. 서로 중전의 총애를 받고 있으되 사이가 앙숙임을 두 사람 모두 잘 알고 있었다. 그러나 매월이의 입에서 나오는 말은 거동과는 다른 것이었다.

「대감, 유감이오나 근래에 이르러 매우 상서로운 조짐이 보인답니다.」

「상서로운 조짐이라니, 나는 안질이 좋지 않아 잘 모르겠소.」

「저번의 선혜청 화재를 알고 계시겠지요?」

「그렇게 큰 재앙을 내가 어찌 모르고 있겠소.」

「선혜청에서 화재가 났을 때 곤전께서 은밀히 나를 부르시어 어떤 연유 때문이냐고 하문하시었습니다. 그때 상감의 지친 중에 누가 무고한 사람을 징벌하여 이런 앙화를 입게 된 것이라고 연주한 일이 있습니다.」

민영익이 눈시울을 좋지 않게 뜨고 매월이를 노려보다가 씹어뱉 듯이,

「그래서 내가 그놈을 방면하지 않았소?」

「그런데 이것이 웬일입니까?」

「그놈이 죽기라도 했단 말이오?」

「대감께서 궐자를 방면해 버렸다는 것은 곤전께서도 알고 계실 터,

대감께서 만에 하나 곤전을 기망하였을 리는 없을 것입니다. 그러나 상서로운 조짐은 아직 걷힐 줄을 모르니 이런 낭패가 없지 않습니까. 필시 대내에 큰 재앙이 다시 닥칠 조짐이 있습니다. 짐작하건대 주상의 지친 중에 대감이 그랬던 것처럼 또한 불고한 사람을 욕뵈고 있다는 증좌이니 이 일을 어찌하면 좋습니까. 제가 외람되게 대감을 찾아뵙게 된 연유가 여기에 있습니다. 제가 다시 곤전께 나아가서 이 같은 일이 있다고 품한다면 제가 들어 지친들 사이의 정리를 훼방하고 다니는 꼴이 되옵고, 번연히 알고 있으면서도 품하지 않고 있자 하니 닥칠 재앙이 너무나 엄청난지라 이런 망극이 없습니다. 바라건대 대감께서 입시하여 상주하심이 어떨까 하여 입궐하시기 전에 급주로 달려온 것입니다.」

「상감의 근신이 어찌 나쁘이겠소?」

「상감께서 가장 총애하시는 분이 바로 대감이시기에 드리는 말씀이랍니다.」

매월이는 엮은자개〔編具〕 같은 흰 이를 드러내고 웃음 지었다. 민영익 역시 매월이의 영험에는 혀가 내둘렸다. 아무리 명판으로 소문난 만신이라 한들 어찌 이토록 신통할 수 있더란 말인가. 어쩌면 매월이는 천 아무개란 작자가 어느 좌향 누구의 집에 있다는 것조차 알고 있을지 몰랐다. 더욱이 이 일을 오래 지체시키면 중궁전에 앙화가 있을 것이란 말이 적잖게 마음에 걸렸다.

그런 재앙이 덜컥 벌어졌을 때 이 영험한 무복이 이용익의 집에다 옮겨 놓은 천 행수의 일을 적발해 내기라도 한다면 그땐 중궁전의 질책을 벗어날 길이 없을 것이었다. 당차고 깐깐한 민영익도 이때만은 가슴이 덜컥 내려앉았다. 가까이 있지 않을 때에는 대수롭지 않게 여겼던 이 만신도 마주 앉아 보면 금방 사람을 심약하게 만드는 술수가 있는 것 같았다.

「내가 입시하는 길로 곧장 편전으로 나아가 상감께 연주할 터인즉, 만신께선 이 일을 다른 곳에 가서 발설해서는 안 되겠습니다.」

민영익의 말투가 처음보다는 훨씬 부드러워졌다.

「대감께서 친히 버팅* 아래 납시어 상주하신다면 제가 구태여 말 전주하고 다닐 까닭이 무엇입니까. 대감의 말씀이라면 상감께서도 신청하실 터이니 제가 또한 못 믿어 할 까닭이 없습니다.」

「발설하지 않겠다고 약조할 수 있겠소?」

「약조하다마다요.」

상감께 연주하겠다는 민영익의 약조는 식언에 불과하다는 것을 매월이는 먼저 알고 있었지만, 민영익은 매월이의 의중에 도사린 계교를 모르고 있었으니 만만찮게 보이던 각축은 이로써 매월이 쪽에서 승기를 잡은 셈이었다.

매월이는 그제야 천봉삼을 제 품에 안을 수 있겠다는 심증이 굳어졌다. 송파 쇠살쭈 조성준을 탈공(脫空)시키고 천봉삼 또한 방면시킨 일로 두 번의 대덕을 입은 셈이니, 제아무리 배리게 여기고 있다 할지라도 이젠 비켜날 재간도 빌미도 없게 되었다는 것이다. 그러나 결말은 매월이가 겨냥했던 것처럼 손쉽지 않았다.

그날 민영익은 입궐해서는 포도청으로 윤발을 내리어 송파와 평강에서 잡아들인 부상들을 방면케 조처하고 퇴궐해서는 이용익을 불러 천 아무개를 아무도 모르게 방면하라는 분부를 내리게 되었다. 이용익이 하자 없이 분부를 받자옵겠다고 사처로 뛰어가서 헛간으로 들이닥쳤을 때, 이미 천봉삼은 그곳에 있지 않았다. 장독과 어혈로 굴신을 못할 줄 알았던 사람이 헛간의 널문을 돌쩌귀째 부숴 던지고 밖에 지키고 섰던 노복의 허벅지에다 패도를 꽂고 월장한 것이

---

* 버팅 : '바닥'의 옛말.

276

었다. 바깥에서 사람이 침입한 흔적이 없으니, 방면될 것을 기다리다 못한 천봉삼은 그만 도망해 버리고 만 것이었다. 그러나 민영익 대감이 방면하라는 분부가 떨어진 다음에 일어난 사단이라 난자를 당한 하속만 구완한다면 없었던 일로 해버릴 수도 있었다.

그런데 난감한 일이 생겼다. 배우개 객점 어름에서 천봉삼을 넘겨받기로 하고 기다리는 천소례의 일 때문이었다. 천소례뿐만 아니고 동행한 사람들 중에는 낯선 노복들이 셋씩이나 붙어 서 있었다. 기골이 건장해 보이는 노속들은 송파 처소에서 보던 자들이 아니었다. 이용익이 낭패당한 일을 천소례에게 일러 주자, 천소례는 크게 놀라지는 않았으나 가위눌린 몰골이 역력하였다. 술청에 버티고 앉은 낯선 노속들을 가리키며 웬 작자들이냐고 물어보았으나 천소례는 이렇다 할 대꾸가 없었다. 천봉삼 본인이 장달음을 놓아 버렸든 방면을 해주었든 간에 놓여난 것만은 틀림없으니 더 이상 발이 빠져들기 전에 손을 떼는 것이 상책이다 싶었던 이용익은 객점에다 천소례를 남겨 둔 채 훈동(勳洞)집으로 돌아가 버렸다. 천소례가 투덜거리는 하님들에게 등을 떼밀리다시피 동소문 북묘로 돌아올 제, 매월이는 성적을 곱게 하고 일행을 기다리고 있었다. 마루 끝 기둥에 몸을 기대고 서 있던 매월이는 나갔던 사람들 수효대로만 마당으로 들어서는 꼴을 보고 물었다.

「아니, 또 무슨 변고가 생기었소?」

얼굴이 하얗게 질린 천소례는 엎어지듯 마루 끝에 와서 쓰러졌다. 별다른 구변이 있을 수 없으니 곧이곧대로 아뢸 수밖에 없었다.

「방면을 시키라는 민 대감의 분부가 떨어지기 직전에 헛간을 지키던 노복 하나를 해치고 월장을 한 모양입니다.」

「그것이 민 대감이란 자가 또다시 중궁전을 기망하려는 수작이 아니었소?」

「눈치를 보자 하니 그렇지는 않은 모양입니다. 곧장 적발될 일을 두고 거짓을 만들겠습니까. 포청에 갇히었던 송파와 평강의 동패들이 아침나절에 방면이 된 것으로 보아도 알 수 있는 일이지요.」

매월이는 아무런 대꾸도 없었다. 망연자실 일색이 저물어 어둑발이 내리기 시작하는 담장 너머의 한터를 궐녀는 오랫동안 바라보았다. 치마폭을 움켜잡고 있는 궐녀의 손이 사뭇 떨리고 있는 것을 천소례는 보았다.

매월이가 계대 아래 부복한 노속들을 물리치고 나서,

「천 행수란 사람 반실이 아니면 실속 없이 신명만 너무 과한 사람이오. 낭패로군, 대덕을 베풀려 하여도 그것을 애써 비켜서려는 사람이니 그 사람 앞으로 대명천지에 낯 들고 살기는 글렀소.」

「기왕지사 방면시킬 것을 작정한 사람이니 만신께서 대덕 베푸시는 김에 가긍하게 여기시고 더 이상 간여만 않으신다면 더는 변고될 것이 없는 게 아닌가 하는 생각을 해보았습니다.」

「내가 천 행수를 방면할 수 있도록 주선하고자 했던 사람이 아니었소? 엎어치나 메어치나 천 행수가 방면이 된 것은 틀림없는 사실, 오늘부터 누이는 내 집에서 안잠자기로 세월을 보내야겠으니 한 입으로 약조한 일을 아침에 해 뜨고 저녁에 해 진다 하여 반복(反覆)할 심사는 아니겠지요?」

「저도 크게는 미련한 짐승이 아니매 경계를 따질 것도 없이 제 입으로 뱉어 낸 말을 다시 주워 담아 고쳐야 할 마음은 추호도 없습니다. 차제에 이르러 구차히 적선을 빈다 하여도 만신께서 놓아주지 않을 것이란 것은 저도 진작에 알고 있습니다.」

「방으로 들어와 보시오.」

방으로 들어가 마주 앉고 난 뒤에야 천소례는 매월이의 얼굴을 쳐다보았다. 소례는 등골이 오싹한 걸 느꼈다. 평생에 그처럼 독기를

278

품은 계집의 얼굴을 본 적이 없었기 때문이다.

「내가 이때까지 천 행수의 뒷배를 봐주고자 하였던 연유가 어디에 있었던 것인지 대강은 짐작하고 있겠지요?」

「그 눈치를 제가 어찌 모르겠습니까. 천 행수에 미친 만신의 송덕만은 후세에 남을 만하나 천 행수의 처지와 명분이 만신과 같지 아니하다는 것도 살펴 주시기 바랍니다.」

「옛적의 일을 다시 들추어 심기를 상하게 하고 싶지는 않소만, 내 어쩌다가 그를 사모하였고 또한 그동안 몇 번인가 괄시까지 당하면서도 해로하기를 바랐던 것이오. 그러나 세월이 흘러도 그 마음이 변하지 아니하였으나 이젠 끝장이오. 내 팔자를 스스로 고쳐나가는 데 별반 큰 풍파는 겪지 않았건만 천 행수와의 일만은 단한 번도 내 마음과 같이 된 적이 없으니 그로 화근이 되어 내 흉중에 크나큰 고질이 자리 잡게 되었소. 그 고질이란 세상만사를 아리따운 눈으로 바라보지 못함이요, 세상사의 옳고 그릇됨을 밝혀서 처신하는 것보다는 눈앞에 떨어지는 잇속과 일신의 호강을 노리는 데 마음과 몸을 던지는 일입니다. 때로는 사람을 놓아서 꼬드겨도 보고 혹은 술수와 모해로써, 혹은 휴척(休戚)*을 나라와 같이하는 재상가를 찾아다니면서까지 권도로써 회유를 도모한 적도 여러 번 있었지만, 그 모두가 능멸이나 당하는 수모로 끝장이 나고 말았소. 내가 무당으로 박히게 된 연유도 알고 보면 모두가 천 행수 때문이오. 나도 범절이 반반한 여인으로 아직까지 슬하에 이렇다 할 소생 하나 거두지 못하고 공방을 지키고 있는 것은 모두가 천 행수로 인하여 받게 된 박복이니 내 원수가 멀리 있는 것도 아니오. 바로 내 코앞에 있지 않소이까.」

---

*휴척 : 편안함과 근심.

독살스러운 상호를 하고 있는 것과는 달리 매월이의 목소리는 제 풀에 떨리었고 불사상(佛事床) 위에 놓인 손도 사뭇 떨리었다. 봉삼을 놓친 것이 저토록 애틋한 것일까. 천소례도 매월이의 모습을 보며 속으로는 천 길 낭떠러지로 떨어지는 것만 같았다. 시방 자기 앞에 앉아 분통을 터뜨리고 있는 여인은 북촌거리에서 흔히 볼 수 있는 대갓댁 마님이 아니었다. 봉삼의 일이 아니라면 조석 상종은커녕 감히 마주 앉아 수작할 처지가 못 되는 사람인 것을 소례는 너무나 잘 알고 있었다. 하루를 이곳에서 지체하는 동안만 하더라도 갓 쓰고 도포 입은 자들이 혹은 경마를 잡히거나 자견해서 만신 매월이를 뵙고자 하였지만, 매월이가 그때마다 문간에서 내치던 것을 소례는 눈으로 보아 온 것이었다. 지체가 이런 여인네가 근본이 천례인 봉삼을 상사하여 이토록 오래 잊지 못하고 있고 지금에 이르러선 연모의 정이 앙심으로 변했다는 것이 같은 여인네로서 그 흉회를 가히 더듬어 알 만하였다. 그러나 만신이든 사당의 계집이든 대내를 무상 출입한다는 이 여인이 입에서 바늘을 내뿜기로 한다면, 봉삼이 거느리는 행중이 수백 명이란들 하루아침에 거널 내기는 여반장이리라. 그걸 막아 내기 위해서라도 이 북묘에 남아 있는 것이 상책이라 여겨졌다.

그러나 그 이후로 매월이는 봉삼에 대해서 더 이상 이렇다 할 말이 없었다. 귈녀가 말했듯이 소례는 오직 안잠자기로서 분별할 것을 오금 박아 분부 내리고, 하오는 그만두고 해라로 상종했고, 행여 자신의 흉회를 털어놓는 한마디 말도 내뱉는 법이 없었다.

천소례가 북묘에서 문서에도 없는 담살이꾼으로 박힌 지 엿새째 되던 날, 새벽동이 희붐하게 밝아 오는데 행랑채의 한 노복이 대문 밖 한터에 나가서 열불나게 마당을 쓸고 있었다. 그때 한 건장하게 생긴 늙은 도부꾼이 마당을 쓸고 있는 귈한의 옆을 지나다 말고 수작을 건네 왔다.

「하님, 날 좀 보시게.」

아래로만 내려다보던 하속이 고개를 들어 하게 하는 도부꾼을 쳐다보았다.

「왜 그러시오? 혹여 물정 모르고 기웃거리는지는 모르나 여긴 구윗집*이나 진배없는 곳이오. 데데하게 수작 붙였다간 볼기 맞소.」

세력 있는 집 하속배답게 쓸까스르는 품이 제법 도도한데,

「그런 거야 나도 대강은 알고 있다네. 내 하님에게 긴히 물어볼 말이 있어 그러네.」

「너무 꽉 물지는 마슈. 그런데 무슨 일이오?」

비질하던 하속이 빳빳하게 서서 도부꾼을 쳐다보았다.

「이 북묘에 며칠 전부터 와서 묵새기고 있는 여인네가 있지 않은가?」

「천 아무개란 사람의 누이 된다는 거시기 말이오?」

「그렇다네, 그분이 시방 이 집에서 무얼로 소일하고 있는지 알고 싶다네.」

「마님의 거시기라오.」

「거시기라니?」

「안잠자기지요.」

「그분을 좀 만나 뵐 수는 없겠는가?」

「안 될 것이오. 거시기나 나나 지체로 본다면야 하속배에 지나지 않겠지만 우리들과는 상종이 없는 데다가 마님께서 거시기는 울 밖의 사람들과 상종하는 일이 없도록 하라고 엄중한 분부를 내렸습니다.」

---

*구윗집 : '관가(官家)'의 사투리.

그제서야 조성준은 괴춤에서 염낭 한 개를 꺼내 하속의 손에 쥐여 주었다. 손바닥에 묵직하게 느껴지는 감촉이 분명 은자였다. 하속이 염낭을 챙겨 넣을까 말까 주저하는 중에 조성준이 재빨리 말하였다.

「내가 하님의 입장을 난감하게 만들지는 않을 것이네. 다만 오늘 밤 인적이 드물 때를 기다려 대문만 슬쩍 따주시게. 그리고 그분을 하님의 행랑채까지만 데려다 준다면 몇 마디 수작하고 득달같이 달려 나옴세.」

　하속이 가만히 셈평을 놓아 보니 안잠자기를 행랑채까지만 은밀히 불러내 주고 받는 행하치곤 과람한 데다가 행랑채까지 사람을 불러내 달라고 이만큼이나 수월찮은 뇌물을 들이대는 이 늙은 도부꾼은 분명 딱지가 덜 떨어진 위인으로 보였다. 그제야 하속은 제 고조할아버지 나오던 구멍을 본 놈처럼 허겁지겁 상통을 조아리고 나서,

「밤에는 아니 됩니다. 오늘 마님께서 입궐하실 듯하니 해낮에 와서 거시기 만나 보시는 것이 어떠하시겠습니까?」

「낮이라도 나쁠 건 없지. 그러나 행객들의 눈에 띄는 것이 어떨지 모르겠네.」

「우리 집엔 하루에도 수십 명의 인사들이 명함을 걸려고 드나들어 발에 차일 지경이라니까요. 그중에 도부꾼 한 사람 끼였다 하여 수상쩍어할 내 아들놈이 어디 있겠습니까.」

「허튼 말은 아니겠지?」

「쉰네도 거시기 하나만은 잘 지키기로 소문난 위인입죠.」

「몇 시나 되어 오면 좋겠나?」

「중화때면 좋겠지요. 그러나 그 거시기가 댁을 만나지 않겠다고 앙탈을 부릴 땐 날 보구 푸념은 마십시오.」

「하님께 건넨 천량을 되돌려 달라거나 크게 성가시게 굴지는 않겠네.」

「그럼 비켜났다가 중화때 오시우. 쉰네가 문간에서 기다리겠습니다.」

약조를 단단히 하고 물러난 뒤 중화때를 기다렸다가 가보았으나 하속이 대문간에서 기다리고 있긴 하였으되 낯짝은 낭패로 찌들어 있었다.

「어인 연유인가?」

「쉰네가 거시기 이럴 줄은 미처 몰랐지 뭡니까. 마님께서 입궐하실 때 거시기를 안동해서 갔지 뭡니까.」

「그게 정녕 거짓이 아닌가?」

「쉰네 말이 거짓 발명 같거든 여기서 지켜보시구려. 마님 회정 행차를 보시면 될 거 아닙니까요.」

「마님이 그분을 상종하심이 행사가 어떠하던가?」

「처음엔 막역한 빈객 대접 하듯 융숭하시더니 며칠을 넘기지 않아서 말투가 졸지에 하대로 바뀌더니, 안잠자기로 박고 난 후부터는 대방 수발을 모두 거시기에게 맡기는가 하면 혹여 조그만 실축에도 타박이 낭자하고 혹독하기 이를 데 없는 벌을 내리기도 한답니다. 부려 먹고 하대하기가 행랑에 있는 우리보다 엄중하니 바라보기 민망할 때가 많지요.」

「그분이 그 수모를 고스란히 당하고만 있던가?」

「마님의 지체가 구름 같으신 분인데 감히 어디라고 대거리할 수 있으며 분부 거역할 수 있다는 것입니까. 우리 마님께서 성깔을 부리시기로 한다면 항우 장비인들 당해 낼 인사가 없습지요. 항간에 떠도는 소문을 댁네라고 해서 모를 리는 없으리다.」

이튿날 해거름에 천소례는 행랑채의 하님으로부터 은밀히 언문 간찰 한 통을 건네받았다. 뜯어 보니 송파 처소의 조성준이 보낸 것이었다. 당장 북묘에서 빠져나오란 것이었고 빠져나올 방도가 여의치 아니하면 그 계책을 간찰을 가져간 하님에게 넌지시 일러 주면 그 계책대로 따르겠다는 내용이었다. 자기는 이미 늙어 갈공막대*에 주체스러운 육신을 의지하며 명을 부지하는 신세로 또 무슨 미련이 남아 육신을 아끼겠느냐는 처연한 글귀에서는 소례도 눈시울이 뜨거워졌다.

천소례는 곧 답신을 썼다. 자기가 만약 여기서 허락 없이 몰래 빠져나간다면 그 화근이 봉삼 한 사람뿐만이 아니라 송파와 평강 처소에까지도 미치게 될 것이니 그렇게 알라는 것과, 만약 이 말을 업수이여겨 작폐를 저지르게 되는 날에는 매월이 한 사람 여력만으로도 수백 명의 부상들을 거덜 낼 수 있으니 제발 처신을 신중하게 해달라는 것이었다.

수하 행중의 최송파가 북묘의 하님으로부터 받아 온 천소례의 답신을 읽어 보고 조성준은 땅이 꺼지게 한숨지었다. 어떤 작심을 하고 장달음을 놓았는지 그것부터가 궁금한 천봉삼은 벌써 보름이 넘도록 행지가 묘연하였다. 송파 인근은 말할 것도 없고 다락원과 솔모루며 평강에까지 급주를 놓아 수배해 보았으나 천봉삼을 보았다는 사람은 만나 보지 못했다.

10

그 와중에서도 상거래는 매우 활발해질 조짐을 보였다. 송파 처소의 동패들이 광주 관아로 엮이어 끌려갈 적에는 송파 처소의 요족하던 살림도 이젠 끝장이 나는가 하였다. 반면 조성준이 탈공되어 송파로 돌아온 것을, 죽었던 시어머니가 살아서 되돌아온 것처럼 진저

---

*갈공막대 : 손잡이 끝이 뾰족하고 꼬부라진 갈고랑이 모양으로 된 지팡이.

리를 치고, 무슨 간계를 부려서라도 제독을 주어 송파 처소에 연못을 파려던 광주 길청의 아전배들은 자못 긴장하였다. 조성준으로 말하면 광주 길청의 아전배들 술수를 손금 내려다보듯 환하게 알고 있는 데다 또한 그들이 탐학한 일을 너무나 자상하게 꿰뚫고 있었기 때문이었다.

어쨌든 송파 처소를 분탕질하고 쑥밭으로 만들고 싶어서 손바닥이 근질근질한 판이었는데 포도청으로부터 몇 놈 잡아 올리라는 기별지가 당도하고부터 아전배들은 살아날 구멍이 생겨난 줄 알았다. 그러나 며칠이 못 가서 잡혀갔던 쇠전꾼들이 풀려나고 말자, 조정에서 하는 일들이 모두 이렇게 허술하고 뒤가 달갑지 아니하다고 저들끼리 지청구들을 쏟아 놓았다. 자연 아전들이 낸 계방(契房)으로 거래를 트고 있던 장돌림들이 눈치를 보아 가며 하나 둘 송파 조성준의 마방으로 돌아서기 시작하니, 예대로 거래하던 단골 화객들을 모두 불러들일 수 있겠다는 조짐이 보인 것이었다. 조성준 하면 소싯적 송파뿐만 아니고 경기 지경 인근에서는 구문은 적게 챙기되 신실하기 그지없던 쇠살쭈로 김학준의 간계에 걸려들어 그 요족하던 재산을 한꺼번에 털린 것을 대물림의 장돌림들은 모두가 기억하고 있었다. 아전들의 공갈을 이겨 내지 못하고 계방과의 거래로 적잖이 시달리던 쇠전꾼들 중에 안성이나 장호원에 소를 넘기고 내려가던 축들도 이제 살판났다 하고 송파까지 올라 소를 넘기고 가게 되었다. 상거래는 길미가 보이기 시작했으나, 천 행수 오누이가 전에 없는 환난을 당하고 있으니 이것은 앉아서 두고 볼 일이 아니었다.

저녁을 먹고 난 뒤 최송파를 비롯한 여러 동무들이 조 행수의 거처방으로 하나 둘 모여들었다. 최송파가 낙심천만의 말로,

「조금에는 평강 처소가 불난 집 같게 되었을지도 모르지요. 천 행수가 벌써 여러 날째 취의청을 비웠을 터이니 근본 없는 것들이

풍속을 어지럽혀 놓았을 것이 분명합니다.」

「그렇지는 않을 것이야. 유 생원과 곰배가 틀어잡고 있으면 달포 간은 견뎌 나갈 만하겠지. 과히 걱정할 것이 못 되네.」

「도대체 천 행수는 어디로 도망한 것일까요?」

「글쎄, 다락원 득추의 대장간이나 시구문 밖 갖바치 집에는 한 번 쯤 고개를 디밀 만한데 이 사람이 우리가 속태우고 있는 줄 모르는가.」

「그것도 그렇거니와 그 매월이라는 무녀는 왜 아지마씨를 붙잡고 놓아주지를 않는지요?」

「그것 역시 제 딴에는 겨냥하는 바가 있어 하는 짓일세.」

「무엇을 겨냥한다는 것입니까? 애매한 누이를 잡아다가 문서에도 없는 종으로 박는다 하여 설분이 될 것입니까?」

「설분하자는 것이 아닐 수도 있지. 누이를 잡아 두고 모질게 구박 하다 보면 그 소문이 자연 동패들 간에 짜하게 퍼지게 마련일 것 이고, 소문이 퍼지고 보면 천 행수의 귀에도 들어갈 터, 피붙이끼 리의 정리라면 천 행수가 제 발로 누이 있는 곳으로 찾아들 것 아 닌가. 그 무녀가 시방 그것을 노려 누이를 써서 덫으로 삼고 있는 것이야.」

「천 행수가 찾아든다고 해서 곧이곧대로 저와 해로할 성싶어 수작 을 부리고 있는 것입니까?」

「그 계집의 술수가 어디 보통인가. 간계에 출중하다는 것은 장안 이 다 알고 있는 터, 천 행수가 북묘로 찾아들기만 하면 발목에다 차꼬를 채우는 방책쯤이야 만들어 놓았겠지. 천 행수가 싫다 하면 그냥 놓아줄 계집이 아닐세.」

「그렇다면 혹여 천 행수가 그 덫에 걸려들지도 모르겠군요. 그런 내막은 까맣게 모르고 고초당하는 누이를 구하겠답시고 덜컥 월

장을 할지도 모르겠군요. 피가 뜨거운 사람이니 필경 일을 벌이고
말 것입니다.」

「월장을 할지 대문 밖에서 통자 넣고 찾아갈지는 모르겠지만 천
행수가 고초 겪는 누이를 그냥 놔두지도 않을 것이고, 또한 매월
이란 계집이 그것을 은근히 노리고 있는 터이니 우리는 미상불 큰
화근덩어리가 어디로 간 건지 모르고 있는 판이네. 송파나 평강
처소의 안위가 이제 그 한 계집의 손에 달렸다네. 옛날 같으면 내
가 찾아가서 담판이라도 하겠으나 이건 십 년 묵은 관격보다 더
오래된 숙혐에서 저질러지고 있는 일이니, 가서 회유한들 씨알이
먹혀들겠는가.」

「우리 행중을 방면하였고 또한 조 행수님도 탈공을 시키지 않았습
니까?」

「그것이 모두 천 행수 한 사람을 제 품에 안아 보고자 한 짓이 아
닌가.」

「그렇다면 행수님, 어쨌든 우리가 먼저 손을 쓰십시다.」

「손을 쓰다니?」

「월장해서 누이를 업어 냅지요.」

「안 될 소리야. 사정이 그렇지 못하네. 이것 참 큰일이군. 천 행수
그 한 사람의 처신에 수백 명의 모가지가 달려 있으니 그렇다고
내가 나서서 그 계집과 해로하라고 할 수도 없는 터.」

「천 행수를 찾기만 하면 시생이 한번 넌지시 심지를 떠보지요.」

「자네의 말이 노망 아니면 환장한 소리구먼. 횟박을 뒤집어쓴 내
모가지가 저자 문루에 내걸리는 꼴을 당하게 되더라도 천 행수가
무당 계집과 해로하는 것은 막아야 하네.」

「사람이 어찌 늘상 이치와 분별에만 따라 움직이겠습니까. 시속을
따르는 것도 살아가는 도리입지요.」

「시답잖은 위인하구선, 그만 시끄러워.」

조성준이 윽기하고 최송파를 노려보자 최송파는 군말 없이 고개를 숙이고 말았다. 그러나 노려본다 해서 실마리가 풀릴 일도 아닌 것 같았고 숙연하게 기다린다 하여도 뒷배를 봐주겠다고 나설 위인도 없을 것 같았다. 천소례를 안잠자기로 박아 버린 만신 매월이를 움직일 수도 없었고 이용익을 찾아갈 처지도 아니었다. 자연 새어 나오니 한숨이요 죽어나느니 담배였다. 이러저리 궁리해 보았자 천행수가 나타나기 전에는 별무소득이란 것을 알아챈 동무들이 제각기 처소로 흩어지려는 참이었다.

때마침 문밖 토방에서 인기척이 들렸다. 평구 쇠전으로 갔던 동패들인가 하여 장지를 열어 보았더니 저자 윗머리의 숫막에서 일하는 총각 중노미 녀석이었다. 안면이 없지 않은 터라 웬일이냐고 물었더니 울 밖에 서울에서 왔다는 선비 차림의 사내가 기다리고 있다는 것이었다. 손님이 찾아왔다 하나 연통하러 온 떠꺼머리총각놈의 거동이 대담하지 못하고 주뼛거리는 품이 수상쩍어 동무님들을 주질러 앉히고 조 행수는 총각놈이 가리키는 대로 디딜방앗간 쪽으로 걸어갔다. 방앗간 둘레에 쳐둔 수숫대가 살갗을 파고드는 삭풍에 으스스 떨고 있었다.

그곳에 도포짜리 하나가 떨고 섰다가 방앗간으로 막 발을 디미는 조 행수를 보자마자 흙바닥에 턱을 깔고 너부죽이 엎드렸다. 놀란 것은 조성준이었다. 갓 쓰고 도포 떨쳐입은 사대부에게서 큰절을 받아 본 것도 평생에 없거니와 또한 예를 차릴 곳도 아닌 방앗간에서 큰절을 올려 줄 위인이란 조 행수에겐 있을 수 없었기 때문이다. 위인의 갓철대가 돌확 속으로 거꾸로 박히었으니 콧등에는 분명 보릿겨가 묻었을 것이었다. 희미한 달빛 탓인지 궐자의 견양을 당장 분별해 내기가 어려웠다. 갓 쓰고 도포 자락 떨쳐입은 사대부가 아닌

288

밤중에 쇠전꾼들 처소에 뛰어들어 이런 해괴한 작태를 벌이고 있다면 분명 실성한 놈이 아닌가. 그러나 사뭇 엎디어 있으나 거동이 흐트러지지 않으매 실성한 위인의 짓만은 아닌 듯싶었다. 조 행수가 위인을 일으켜 세울 요량으로 다가가며,

「도대체 뉘시온데 난데없는 큰절이십니까. 어디서 오신 뉘시오니까?」

위인이 구린 입도 떼지 않고 떡두꺼비처럼 엎디어만 있는데 모가지에서 뭔가 껄떡껄떡 넘어가는 소리가 들렸다. 위인이 울고 있음이었다. 깜짝 놀란 조 행수가 궐자를 부축하여 일으켜 세웠다. 복색은 도포 차림이라 하나 때 묻고 찢기어서 초라하기 이를 데 없었고 수염은 자라 목젖을 덮을 정도였고 몸에서는 시궁 냄새가 등천을 하니 코를 둘러대고 앉아 있기조차 민망하였다. 눈물은 눈자위와 볼을 타고 흐르는데 그대로 땟국물이었다. 몰골을 가만히 뜯어보자 하니, 한때 민겸호의 수하에서 데림추* 노릇으로 적잖은 재물을 불리고 있던 대동청 길소개가 아닌가.

조성준이 놀란 것은 세 번이었다. 첫번째는 도포짜리가 자기를 두고 큰절을 올리고 있는 데 놀랐고, 두 번째 놀란 것은 그가 길소개란 데 있었고, 세 번째는 길소개가 울고 있다는 데 놀랐다. 길소개의 처지가 구천에 떨어진 바 되었기로서니 송파 처소로 뛰어든다는 것은 있을 수 없는 일이 아닌가.

위인이 길소개임을 알아챈 조 행수가 한동안 말없이 수숫대 사이로 보이는 달을 쳐다보고 서 있다가,

「우리와는 지체가 다른 분이 아니시오? 이 막된 것들이 모여 살고 있는 누지(陋地)*에는 어인 행차이며 천격인 시생에게 큰절을 올

---

* 데림추 : 줏대 없이 남에게 딸려 다니는 사람을 비유적으로 이르는 말.
* 누지 : 누추한 곳.

리는 것은 또한 무슨 연유요? 하지 않던 짓거리를 하고 있으니 이는 분명 시생이 여럿 총중에 섞여 살게 된 것을 비아냥거리고 쓸까스르는 거겠지요. 그러나 명색 탈공의 절차를 밟긴 하였던 터 꼭히 그렇게 비아냥거려야 맛이겠소?」

위인이 길소개라는 데에 가슴에 쾅 소리가 나도록 놀랐으면서도 조 행수는 가까스로 심지를 가다듬어 하고 싶지 않은 말까지 해버렸다. 도대체 무슨 계교를 부리려고 이런 작태를 벌이고 있는 것일까. 옛날 같았으면 당장 물고를 내버려야 했을 위인이 앞에 엎드려 있는데도 조 행수의 마음은 일순 차분하게 가라앉아 있었다. 자신의 반평생을 그르치게 된 것은 순전히 이 아수라 같은 자 때문이 아니었던가. 그러나 조성준의 말이 떨어지자마자 길소개는 더러운 콩소매 자락으로 연방 눈자위로 흐르는 눈물을 닦아 내면서 이번에는 조 행수의 바짓가랑이를 잡고 늘어졌다.

「행수님, 사람 하나 활인하십시오.」

「활인이라니, 그게 무슨 말이오? 활인을 빌어야 할 사람은 되레 시생이 아니겠소?」

「행수님, 행수님께서 만약 쇤네를 박대하신다면 쇤네는 이제 갈 곳이 없게 되었습니다.」

「무슨 사연이 있어 그런 말 하는지는 모르겠으나 가당찮은 말이오. 장안 북촌 재상가에서 하던 말을 어찌 막역한 사람들이 살고 있지도 않은 이런 누지에 와서 하신단 말이오.」

조 행수도 처음에는 길소개가 다급하게 된 것을 믿지 않았다. 그러나 위인의 행색이 시궁창에서나 뒹굴다 나온 것이 분명한 데다가 그 순간 뇌리에 떠오른 것이 대동청 세곡간에서 화재가 난 일이었다. 길소개의 처지가 이런 몰골로 전락한 데는 분명 대동청 화재와 연관이 있다는 짐작이 들었던 것이다.

조 행수의 대꾸가 달갑지 아니하자 길소개는 이제 꺼이꺼이 아주 목 놓아 울기 시작하였고 봉노에 남아 있던 동무들이 궁금하여 뒤따라 나와 보니 디딜방앗간에서 해괴망측한 광경이 벌어지고 있었다. 동무님들 중에는 소싯적에 길가와 안면 있는 축들도 없지 않았기에 모두들 놀라고 있었다. 수하에 아전이며 받자빗을 거느리고 호령과 분부로 떵떵거릴 사람이 삽시간에 조 행수의 바짓가랑이를 잡고 활인을 하시라니 세상에 그런 불상사가 없었다. 어디 그뿐인가, 저를 가리키매 스스로 쇤네라 하지 않는가.

「쇤네는 시방 기찰포교들의 추쇄를 받고 있는 처지랍니다.」

「그건 어불성설이오. 데데한 기찰포교들쯤이야 염낭 속에 든 떡 주무르듯 하던 솜씨가 아니겠소?」

조성준은 기어오르는 길소개를 뿌리치고 있었다.

「월여 전만 하더라도 기찰포교뿐만 아니라, 내로라하는 별감배들도 쇤네의 손아귀에서 놀았습지요.」

「그렇게 뜨르르하던 지체가 하루아침에 동냥아치 꼴이 되다니.」

조 행수의 대꾸에 다소 측은하게 여기는 기색이 보이는 듯하자, 길소개는 다시 바싹 매달리면서,

「우선 쇤네를 봉노로 좀 들여보내 주십시오. 요즈음에 구들장에 등 붙이고 자본 적이 없었습니다. 한속이 들어서 이가 마치다 못해 이젠 뼈다귀까지 마치어서 조리 있게 말씀 아뢸 경황이 아니랍니다.」

「우리 처소 바람벽엔 빈대 죽인 핏자국이 난초를 쳤고 삿자리엔 쥐똥이 딩굴어서 빈객을 모셔 들일 만한 처지가 못 되니 할말이 있거든 여기서 하시오.」

「한속이나 들이도록 선처하십시오. 한속뿐만 아니라 기찰에 쫓기다 보니 끼니 구경 한 지도 오래입니다.」

「한뎃잠 자고 끼니 거르는 것이 송파 처소 동무님들 때문이 아니지 않소?」

「이러다간 강시 나겠습니다. 제발 쇤네 봉노로 좀 들게 선처하십시오.」

조 행수는 코대답도 않고 봉노로 돌아가 버렸다. 길소개의 거취가 궁금해진 동무들도 모두 조 행수를 따라 봉노로 들어가서 좌정하였다. 달아난 대동청 창관이며 서리와 사령들이 기찰에 쫓기고 있다는 것이야 짐작할 만했지만, 길소개가 송파에 찾아와서 활인을 빈다는 일은 섶을 지고 불속으로 뛰어든 것이나 진배없었기에 조 행수 수하 동무들은 바싹 긴장했던 것이다.

문밖에서 다시 부스럭거리는 인기척이 들리더니 이번엔 길소개가 문고리를 잡고 늘어졌다.

「쇤네를 봉노 안으로 들인다는 일이 아마 범보다 더 무섭겠지요. 젓동이나 지고 얌전하게 팔도를 발섭하는 것을 살아갈 도리로 삼았더라면 이제 와서 옛 동패들께 이런 괄시는 당하지 않았겠지요. 등때기에 젓동이를 붙이지 않겠다는 발버둥으로 지은 죄가 남아 있는 쇤네, 평생을 바친다 한들 벌충이 되지 않으리란 것은 십분 짐작하고 있습니다. 설령 쇤네가 이 죄를 갚아 드린다 한들 이미 뒤틀리고 찢기어진 팔자들을 되돌려 놓을 수 없다는 것도 알고 있습니다. 알음이 없는 산협으로 기어들어 숨지 않고 포도청 코밑이라 할 수 있는 송파 조 행수님께 뛰어든 것은, 쇤네도 인두겁을 쓰고 내질렀다면 저지른 죄는 조금이라도 갚아야겠다는 생념에서입니다. 하기야 대동청에 화재가 나지 않았다면 쇤네가 행수님 발아래 엎디어 활인을 간구할 생념이야 추호도 품지 않았겠지요. 그러나 막상 이런 재난을 당하고 보니 사람으로서의 도리가 어찌 되어야 하고 인정머리가 어떻게 돌아가야 한다는 것을 깨닫게 된 것이지요. 그러하오니 제발 쇤네를 거두어 주십시오. 강경 땅에서 행수님께서 거두셔야 할 천량을 쇤네가 중도에서 가로채고 서울로 야반도주하여 그것을 밑천 삼아 한 고을도 맡아 다스릴 수 있었던 지체에까지 올랐으나, 그러나 마음 한구석에는 이를 용납할 수 없었던 것이 도사리고 있어서 벼락 치는 날엔 추녀 아래로 숨기가 바쁘고 호식(虎食)을 당할까 봐 산길을 혼자 걷지 못하였습니다. 그리고 자연 행동거지가 거칠어지고 또한 교유래야 설레꾼에 왈짜며 기녀들의 기둥서방이었지요.」

길소개가 긴말 중에 눈물 한번 질끔 흘리고 나서는 다시 긴사설하기를,

「어찌 제 살아감이 떳떳할 수가 있었겠습니까. 지금이나마 조 행수님 수하에 거두어만 주신다면 기왓장끓임으로 하초를 쓰지 못하는 형률을 당한다 하더라도 기꺼이 감내를 하겠습니다.」

덧문을 사이하고 앉아 있는 길소개의 형용은 보이지 않았으나 그동안 참았던 말이 드디어 조성준의 입에서 튀어나왔다.

「물고를 내어 육신을 저자에 내어 널어도 한이 차지 않을 놈. 골육이라 일컫는 동패의 정리와 의리는 헌신짝처럼 버리고 양명을 꾀해 수월찮게 동분서주한다더니 이제 끈을 달고 있던 민겸호도 저승의 사람이요, 또한 관원으로서 그 직분을 지키지 못해 쫓기는 형편이 되자 보잘것없다 하고 의절해 버린 옛 동패를 찾아와서 활인을 하라고 짓조르고 있단 말인가. 난장 박살로 분풀이를 한대도 여한이 남을 네놈을 용납하느니 차라리 내 스스로 꺼꾸러지고 말지. 썩 비켜나지 않으면 내 수하 동패들이 네놈을 박살하고 말 터이다. 여기가 어수룩한 사헐처(事歇處)로 보일지 모르지만 우리 처소에도 율이 있고 풍속이 있는 이상, 나 혼자서 네놈을 용납한다 하여도 내 동무들이 그리 하지 않으리란 것은 네 소싯적 경험으로

빤히 알고 있을 터이다. 진작 물러나지 아니하고 진대를 붙이고 비비댄다 하면 네놈의 콩팥에다 나무못을 박아 버릴 테니 그리 알아라.」

조성준의 조짐머리가 그만하면 길소개도 똥줄이 당기겠거니 하였으나 개구리 낯짝에 물 끼얹기로 빤히 쳐다보고 앉았기를 시종이 여일하였다. 반죽 좋고 뻔뻔스러운 것을 밑천으로 한평생을 도모해 온 길소개는 그만한 질책과 힐난으로는 오금 저려 할 위인이 아니었다. 그러나 길소개를 단 한 발짝인들 봉노 안으로 들여놓고 싶지 않은 심정이야 조성준도 마찬가지였다. 조성준은 약차하면 길소개의 마빡이라도 부수어 버릴 요량으로 오른손 아귀로 목침을 부르쥐고 있었다.

동안이 뜨기를 기다렸다가 최송파가 넌지시 말했다.

「행수님, 도중회를 열어 궐자를 징치한 뒤에 봉노로 들입시다.」

「허튼수작 말게.」

「우리와 앙숙이요 숙혐이 있는 것은 사실입니다만 궐자가 기찰에 쫓기고 있는 딱한 신세이고 또한 지난 일을 진심으로 참회하고 있다면 한때 끼니를 한 솥에다 데워 먹고 살갗을 비비던 동패의 정리로서 거두어들이는 것이 또한 도리가 아니겠습니까.」

「도방 풍속에 압제당하고 주구를 일삼는 벼슬아치와 아전들에게 쫓기는 동패를 두둔해서 거두어 주고 구황하는 것을 율로 삼는다 하여, 천하에 몹쓸 망종도 은휘하고 거두어 주어야 한다면 위로 나라님을 모시는 보부상들이 설 곳이 어디며 또한 그리 하다간 도방이 모두 무뢰배와 간세배와 구메 도둑들의 소굴로 변하지 않겠는가. 저 망종을 처소에서 쫓아내게.」

「행수님께서 정녕 용납하지 못하시겠다면 우리들이 몰려 나가서 궐자를 진작에 물고를 내어 버려야 후환이 없게 됩니다. 여기서

294

문전 박대를 당하고 나서 궐자가 죽어 준다 하면 모를까, 다시 명을 붙이고 살게 된다면 궐자가 무슨 간계로 처소를 괴롭힐지 그것이 두렵습니다.」

최송파의 말도 허튼수작만은 아니었다.

「내 설령 공맹을 깨우쳐 금도(襟度)를 얻고 철리를 깨우쳐 선인(仙人)의 경지에 이르렀단 사람일지라도 궐놈이 내게 죄지은 바를 알고도 모른 체 돌아설 수야 없지 않은가. 속된 사람이면 속인으로서의 풍속에 따라야지 섣불리 삼라만상의 이치를 죄다 터득한 도인처럼 행세하였다간 남의 비웃음이나 살 뿐이 아니겠나. 내가 저 벌레보다 못한 위인을 거두었다가 남의 구경 소조가 될 까닭이 무언가.」

수하 동무들은 더 이상 주작부언해서 조 행수의 마음을 돌려 앉힐 재간이 없었고, 길소개 또한 꾀를 피운들 이젠 소용이 없게 된 것을 깨달았다. 길소개도 조성준에게 능멸당하고 괄시당하고 박대당하는 것에 배알이 뒤틀리지 않는 것은 아니었다. 한때는 한 고을을 맡은 사또의 지체였고, 숭례문 창거리에선 창관 길 아무개의 행차라면 마포 60객주 포주인들이 쭈르르 몰려와서 명함을 걸고 승안하기를 기다리지 않았던가. 그런 지체가 단 하룻밤의 화재로 하늘에서 시궁으로 떨어진 신세가 되어 버리다니. 우선 모피해 있다가 기찰이 눅어진 뒤에 요로에 청질하면 결옥이 되지 않고 살아날 방도가 있겠거니 하고 얼마 동안은 숭례문 밖 칠패 상화방에서 설레꾼들과 어울려 골패짝을 죄고 기회만을 엿보았던 것이다. 눈치 빠른 설레꾼 한 놈을 간자로 놓아서 관변 소식을 살펴 오라 하였다.

그러나 천만의외의 소식이 들려왔다. 탑골의 가산 모두가 속공(屬公)의 명목으로 적몰당한 건 고사하고 삭직까지 당하고 만 것이었다. 짐승처럼 뒹굴며 양명을 드날리고 가산을 불리고자 하였더니 이

제 와서 건진 것이라고는 입고 있던 의복과 부서진 갓과 염낭에 들어 있는 몇 닢의 은자뿐이었다. 은자 몇 닢이래야 골패노름에 한 번 집어 놓을 아도물도 되지 않는 것이었는데 끈 떨어지고 돈 떨어진 인사를 두고 눈치 하나로 먹고 사는 설레꾼들인들 대접이 사근사근 할 리 만무였다. 옛날처럼 여기고 골패짝을 숨겼다가 따귀 서너 대를 눈알이 쏟아지게 얻어맞고 말았다. 길소개도 물정에 어둡고 미욱한 위인이라면 설레꾼 왈짜들 틈에 끼여 며칠은 죽밥간에 끼니야 얻어 때울 수가 있겠지만 풍류남아 자처하던 체통이 없지 않았고 불호령 내리던 솜씨도 없지 않아서 몰골 숭한 꼴을 당하기는 죽기보다 싫었던 것이다. 설레꾼들이 미친놈 패호(牌號)를 채워 주기 전에 상화방을 나서고 만 것이었다.

그러나 갈 곳이 어딘가. 대동청 창관 길소개의 일이라면 기꺼이 몸 받아서 대신하겠다던 놈들도 부지기수더니 이젠 코빼기도 보이지 않았다. 북촌의 매월이를 찾아가자니 문전 박대는 물론이요, 당장 포도청에 고발을 당할 것 같았다. 금슬 좋은 계집이 있었던가, 소생이 있었던가. 그렇다고 심금을 털어놓고 하룻밤 잠자리를 청할 수 있는 친척 고구가 있겠는가. 서 발 막대 휘둘러도 걸리는 것이 없는 아주 똑 떨어진 신세라는 것을 깨닫게 되자 길소개는 등골이 오싹해졌던 것이다. 살아생전 그의 뒷배를 봐주던 민겸호의 지손들을 한번 찾아가 볼까도 하였지만 그들 또한 그를 관아에 고발해 버릴 것만 같았다.

주린 배를 끌어안고 흥인문 밖에서 기찰 피해 달만 쳐다보다가 송파로 찾아드는 수밖엔 딴 방책이 없다는 것을 깨닫게 된 것이었다. 물론 조성준의 수하에 드는 일이 뒤집었던 손바닥 바로 펴듯이 손쉽지 않으리란 것을 길소개는 알고 있었다. 더욱 어려운 상대는 또한 천봉삼이리라. 그러나 길소개는 선길장수란 사람들의 천성이 오갈

데 없는 건설방*들에게는 심지가 약하게 먹혀든다는 것을 알고 있었다. 쉽지는 않겠지만 부평초 같은 인사가 굶주림과 천대를 당하고 있는 꼴을 본다 하면 혈후하게 보아 넘기지는 않으리라.

길소개는 석고대죄하듯 덧문 밖 봉당 위에 모양 있게 무릎을 꿇고 앉았다. 덧문 밖 봉당이라지만 한데나 다름이 없었다. 오랫동안 곡기를 못한 형편이라 몰골이 육탈인데 추위는 사정없이 살갗을 에며 파고들었다. 봉노에 앉아 있던 쇠전꾼 동무들이 하나 둘 저들의 처소로 돌아가기 시작했다. 어떤 이는 길소개의 갓철대를 툭 쳐서 땅에 떨어뜨리기도 하였고 어떤 이는 망건을 벗겨서 장난삼아 내던지기도 하였다. 그러나 구태여 떨어진 의관을 주워 들지는 않았다. 쇠전꾼들이 모두 돌아간 뒤 봉노에는 조성준 혼자 남게 되었고 봉당에는 길가 혼자 남게 되었다. 길가는 한속이 점점 삭신을 옥죄고 들어 덧문 사이에다 코라도 집어넣고 싶은 심정이었다.

밤은 깊어 자정이 지나고 봉노에서 타던 등잔도 꺼진 지가 오래되었다. 불이 꺼질 때에는 안으로 문고리를 걸어 잠그는 소리가 들려왔다. 와들와들 떨리는 삭신은 이제 굳어 오기가 돌과 같았고, 처음엔 저리고 쑤시기만 하던 뼛골이 밤이 깊어지자 뻣뻣해지기 시작했다. 이러다간 죽는 게 아닌가 싶어 손발을 비비고 몸을 뒤틀어도 보았다. 그리고 속으로는 어차피 화는 면치 못할 운수라고 스스로 타일렀다. 만약 여기서 양광을 누리던 시절에 연연하여 혹여 앙탈을 부리거나 입놀림을 막되게 하였다간 다시는 대명천지에 살아날 방도가 없다는 것을 깨닫고 있었기 때문이다. 곰곰 되짚어 보면 그는 파란만장한 인생을 살아왔다는 생각이 들었다. 그러나 더욱 곰곰 되짚어 볼 제, 길소개 스스로 살아온 인생이었다고는 볼 수 없다. 모

---

* 건설방 : 아무 가진 것 없이 오입판에 쫓아다니면서 허랑한 짓이나 하는 추잡한 사람.

두가 남의 사주와 조롱에 놀아난 데림추 신세였을 뿐 진술한 자기로 살아왔다고는 할 수가 없었다. 김보현에게서도 그랬고, 민겸호에게서도 그랬다. 그들의 손바닥 위에서 능멸을 당하고, 빈축을 당하였고, 박대를 당한 것 외에 또 무엇이 있을까. 종말에는 이 송파 처소에 찾아들어 그들과 함께 살갗을 비비면서 살기 위해 이런 곤욕을 감내하고 있지 않은가. 이 여라(女蘿)와 같은 삶을 청산하려 함에 고초가 따르지 않겠는가 하고 스스로를 달래었다.

밤이 깊어질수록 살갗을 비수로 도려낼 듯이 혹독한 한속 때문에 견뎌 낼 수 있을 것 같지 않았다. 사방의 봉노들에서 코 고는 소리가 들려올 적마다 그만 벌떡 일어나 버리고 싶은 충동이 불같이 일어났다. 그런 속에서도 어디선가 졸음이 몰려 오기 시작했다. 그러나 이 참에 기진하여 잠에 떨어지고 나면 내일 새벽에는 꽁꽁 얼어붙은 시신 하나가 봉당에 뒹굴 것이었다. 그는 어금니를 앙다물며 엄습해 오는 졸음을 쫓아내는 데 혼신의 기력을 퍼부었다. 바로 그때 바람소리만 들리던 등 뒤에서 인기척이 났다. 인기척은 길가의 등 뒤에 와서 멈추었다. 이미 삭신이 굳어져서 목을 뒤로 돌릴 수도 없게 되었다.

어깨에 무엇이 와서 걸쳐졌다. 누비배자였다. 왈칵 눈물이 솟았다. 길가가 겨우 입을 열어 물었다.

「지금 몇 경이나 되었습니까?」

「인시 초쯤이니 이제 머지않아서 먼동이 틀 것이오.」

「초면에 이런 고마울 데가 없습니다. 강시가 날 뻔하였습니다만 동무님이 절 살리셨군요.」

길가의 말에 대꾸하며 묻는 말이 괴이쩍었다.

「얼어 죽기를 한사하고 하회를 기다리고 있을 만큼 금어치가 있는 일이오?」

「시생은 이제 막다른 골목에 이른 셈이지요. 막다른 곳에 이른 처지로서 거두어 줄 곳이라고는 송파 처소밖에 없다고 여겼기 때문입니다.」

「우리 행수께서 댁 같은 사람이 설사 얼어 죽는다 하여도 용납하리라 믿소?」

「시생의 죄를 탕감 받고 아니 받고는 전연 조 행수님의 의중에 달려 있는 것입니다. 활인을 비는 방도밖엔 시생이 할 수 있는 일은 없습니다.」

「지금이라도 늦지 않았소. 일어서서 처소에서 나가는 것이 어떻겠소?」

「그렇게 할 의향이 없군요. 이런 고마울 데가 없는 동무님은 뉘시오?」

「최송파라 하오.」

「지본이 송파이십니까?」

「그렇다오.」

「오늘 대덕을 베풀어 주심은 저승에 떨어져서도 결단코 잊지 않으리다.」

「우리가 알고 있기로는 북묘에 있다는 만신과 막역한 사이라고 들었는데, 어찌해서 그 만신을 찾아가서 은신처를 간구하지 않으셨소?」

「궐녀는 이미 시생과 같이 소소한 벼슬아치와 상종할 수 있는 처지가 아니랍니다. 끈 떨어지고 삭직까지 당한 처지로 찾아간다면 위조 고발을 해서라도 시생을 결옥시키고 말 터이지요. 시생과는 한때 살을 섞었던 일도 없지 않았고 숱한 간계를 같이하여 강상을 어지럽힘에 배짱을 같이하였습니다만, 이젠 지체가 너무나 달라져 상종하려 들기보다는 약차하면 시생을 구렁에 빠뜨릴 작심인 것을 알고 있기 때문이지요.」

「천 행수가 민영익 대감께 잡혀가서 사구류를 당하고 숱한 환난 겪은 줄 알고 있소?」

그때서야 길소개는 화들짝 놀라며,

「금시초문입니다.」

「그 이후로 천 행수의 행지가 감감무소식이라오.」

「모를 일입니다.」

「그렇다면 댁이 살아날 방도가 생판 없지는 않구려. 천 행수를 은 밀히 수배해서 찾아내는 길이 있다면 죄업을 탕감 받을 길도 있지 않겠소?」

「가근방 지리에는 손금 들여다보듯 환하신 분들이 설마 천 행수의 행지를 탐지하지 못하고 계실까요.」

「그 만신이란 계집이 천 행수를 부르기 위한 미끼로 그 누님을 북 묘의 안잠자기로 박았다오. 그 누이를 구명해 낼 술계가 댁에겐 있을 것도 같기에 권면해 드리는 말이오. 오늘의 고초로 조 행수 님의 반분이라도 풀려서 댁네가 송파에 묵는 걸 그럭저럭 모른 체 한다면 그 누이를 구명하는 일에 힘을 쓰시오.」

최 송파가 갖다 준 누비배자를 껴입었던 까닭으로 그날 밤 한속을 견뎌 내니 길가는 명을 부지할 수 있었다.

길가가 송파에 묵는 것을 용납한다 하여도 그를 상종해 줄 사람은 없었다. 처소의 반빗간이나 정주간 문 뒤에 숨어 있다가 상단들이 먹다 남은 턱찌끼를 얻거나 동자아치가 장난삼아 던져 주는 주먹밥 으로 그런대로 연명해 나가게 되었다.

그동안 몇 번인가 조 행수에게 목도되기도 하였지만 이렇다 할 말 이 없었고 수하 동무들도 상거래에 골똘해 있을 뿐 길가에 대해 더 이상 관심도 보이지 않았다. 두고 보는 의중을 알 수는 없었지만 당장 싸리말을 태워 내쫓지 않으니 그런대로 견딜 만했다. 길가가 그런 고초를 당하게 된 것은 당연한 귀결이라 하겠지만 때 아닌 날벼락으로 고초를 겪게 된 천소례야말로 하루하루가 초열지옥을 살아가는 형국이었다.

객주 8

초 판 1쇄 발행일 · 1983년 10월 15일
개정판 1쇄 발행일 · 2003년 1월 15일
개정판 2쇄 발행일 · 2003년 1월 20일
지은이 · 김주영
펴낸이 · 임성규
펴낸곳 · 문이당

등록 · 1988. 11. 5. 제 1-832호
주소 · 서울시 성북구 동소문동 4가 111번지
전화 · 928-8741~3(영) 927-4991~2(편)
팩스 · 925-5406
ⓒ 김주영, 2003

홈페이지 http://www.munidang.com
전자우편 webmaster@munidang.com

ISBN 89-7456-206-5 03810
ISBN 89-7456-198-0 03810(전9권)